絶対決める！

一般教養
教員採用試験

合格問題集

JN015500

新星出版社

◆ 本書の特色 ◆

●過去問分析による実践的模擬問題

　本書では、各地方自治体の教員採用試験一般教養問題を徹底的に分析し、出題頻度の高い項目を選んで模擬問題を作成しています。

　また、科目の出題頻度に応じて、問題数が配分されていますから、重要科目を徹底して学べます。

●一問一答と本試験型で実力アップ

　本書は、一問一答型問題と本試験型問題で構成されており、まずは一問一答で基礎力を固め、さらに本試験型で実戦力を高めます。

　一問一答型問題では、国語や英語、数学まで一問一答形式で問われていますので、基本的事項を手軽に確認しながら学習を進めることができます。

●詳しい解説と赤シートで理解と暗記に最適

　正解を導く言葉や、覚えておきたいキーワードなどが、赤シートで隠せるようになっているので、効率的な学習に最適です。

　繰り返し読み直して、重要語句を暗記しましょう。

● check ボックスで反復学習を

　各問題には check ボックスがついているので、正解・不正解をチェックしながら繰り返し学習するのに便利です。

　最低3回は繰り返して、パーフェクトをめざしましょう！

■ 目 次 ■

教員採用試験受験ガイド

　公立学校の教員採用試験は、都道府県・政令指定都市の教育委員会によって実施されます。

　受験資格や試験期日等の詳細は、各地方公共団体によって異なりますので、希望する自治体の教育委員会に問い合わせる必要があります。また、それぞれの教育委員会のホームページでも確認できます。

　教員採用試験の流れは、おおむね以下のとおりです。

◆教員採用試験の流れ◆

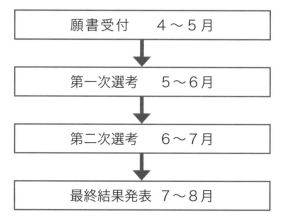

| 願書受付　　４〜５月 |
| 第一次選考　　５〜６月 |
| 第二次選考　　６〜７月 |
| 最終結果発表　７〜８月 |

＊最終選考に残ると、採用候補者名簿に登載され、4月1日の辞令を受けて、晴れて採用となります。

【試験内容】
筆答試験：一般教養・教職教養・専門分野
面接試験：個人面接・集団面接
実技試験：音楽・美術・保健体育・技術・家庭等実技科目について
　そのほか、論文試験、模擬授業、適性検査などが実施されます。

　各地方公共団体により内容は異なりますので、希望する自治体の教育委員会にお問い合わせください。

人文科学

国　語

以下の記述を読み、正しいものには〇、誤っているものには×をつけよ。

問1
check√
☐☐☐
「ライトノベルを<u>あらわす</u>」を漢字に直すと、「著す」となる。

問2
check√
☐☐☐
「旅行に行くので家を<u>あける</u>」を漢字に直すと、「開ける」となる。

問3
check√
☐☐☐
「やっと職に<u>つく</u>ことができた」を漢字に直すと、「就く」となる。

問4
check√
☐☐☐
「委員会に<u>はかる</u>」を漢字に直すと、「図る」となる。

問5
check√
☐☐☐
「愛妻の死を<u>あいしょう</u>する」を漢字に直すと、「愛唱」となる。

問6
check√
☐☐☐
「若いのに<u>かいこ</u>趣味がある」を漢字に直すと「回顧」になる。

問7
check√
☐☐☐
「病気が<u>かいほう</u>に向かう」を漢字に直すと、「快方」になる。

問8
check√
☐☐☐
「大学の教育<u>かてい</u>」を漢字に直すと、「過程」になる。

問9
check√
☐☐☐
「日米安全<u>ほしょう</u>条約」を漢字に直すと、「保障」になる。

問10
check√
☐☐☐
「責任を<u>ついきゅう</u>する」を漢字に直すと、「追求する」となる。

問1
○
「あらわ（す）」には、「表」「現」「著」などがある。用例としては、「気持ちを表（わ）す」「正体を現す」「小説を著す」など。小説などを「著作」ということから「著」の感覚は把握できる。

問2
×
「あ（ける）」には、「明」「空」「開」などがある。用例としては、「やっと年が明ける」「旅行に行くので家を空ける」「店のシャッターを開ける」など。

問3
○
「つ（く）」には、「付」「着」「突」「就」などがある。用例としては、「泥が顔に付く」「港に船が着く」「槍を突く」「職に就く」など。

問4
×
「はか（る）」には、「図る」「測る」「計る」「量る」「謀る」「諮る」などがある。用例としては、「平準化を図る」「奥行を測る」「時を計る」「重さを量る」「暗殺を謀る」「委員会に諮る」など。

問5
×
「あいしょう」には、「愛称」「相性」「愛唱」「哀傷」などがある。用例としては、「ゆるキャラの愛称を募集中」「彼女とは相性がいい」「それは僕の愛唱する歌だ」「愛妻の死を哀傷する」など。

問6
×
「かいこ」には、「解雇」「回顧」「懐古」などがある。用例としては、「勤め先を解雇される」「バブル期を回顧する」「懐古趣味」など。

問7
○
「かいほう」には、「開放」「解放」「介抱」「快方」などがある。用例としては、「校舎を開放する」「植民地解放闘争」「重病人を介抱する」「病気が快方に向かう」など。

問8
×
「かてい」には、「仮定」「課程」「過程」などがある。用例としては、「仮定の話には答えられない」「教育課程」「問題解決に向けての過程」など。

問9
○
「ほしょう」には、「補償」「保証」「保障」などがある。用例としては、「損失を補償する」「家電製品の保証書」「日米安全保障条約」など。

問10
×
「ついきゅう」には、「追求」「追究」「追及」などがある。用例としては、「幸福・理想を追求する」「真理を追究する」「責任を追及する」など。

以下の記述を読み、正しいものには〇、誤っているものには×をつけよ。

問11
check√
☐☐☐
「芸術を<u>かんしょう</u>する」と「錦鯉を<u>かんしょう</u>する」は、同じく「鑑賞」という漢字を使う。

問12
check√
☐☐☐
「二人の関係を<u>せいさん</u>する」と「運賃を<u>せいさん</u>する」は、同じ漢字を使う。

問13
check√
☐☐☐
「寡聞にして存じません」は、「<u>かもん</u>にして存じません」と読む。

問14
check√
☐☐☐
「慇懃」は、「しんぎん」と読む。

問15
check√
☐☐☐
「諮問」は、「きつもん」と読む。

問16
check√
☐☐☐
「詭弁」は、「きべん」と読み、反論することである。

問17
check√
☐☐☐
「冷」の部首は「にすい」である。

問18
check√
☐☐☐
「術」の部首は「ぎょうにんべん」である。

問19
check√
☐☐☐
「身」の画数は7画である。

問11
×
「かんしょう（する）」には、「干渉」「感傷」「鑑賞」「観賞」「観照」などがある。用例としては、「列強の干渉」「感傷的な気持ち」「絵画芸術を鑑賞する」「錦鯉を観賞する」「人生を観照する」など。特に「芸術関係」が対象のときは「鑑賞」、錦鯉や観葉植物など「非芸術」が対象のときは「観賞」と覚えておくことが大事。

問12
×
「せいさん」には、「清算」「精算」「成算」などがある。用例としては、「男女の仲を清算する」「乗り越し運賃を精算する」「選挙に勝つ成算がある」など。

問13
×
「寡聞」は「かぶん」と読む。意味は「見聞の狭いこと」である。「寡」は「寡い」と読み「量や数が多くない」という意味がある。たとえば、「衆寡」は大人数と少人数のことである。

問14
×
「慇懃」は「いんぎん」と読む。意味は「丁寧なこと」である。「慇懃な挨拶」「慇懃な態度」というように使う。

問15
×
「諮問」は「しもん」と読む。意味は「意見を尋ねること」である。「諮問委員会」「諮問機関」などの用例がある。「きつもん」は「詰問」と書き、意味は「相手を責めて問いただすこと」である。

問16
×
「詭弁」は「きべん」と読むが、意味は「反論すること」ではなく、「道理に合わない弁論」「こじつけの議論」「理を非に捻じ曲げる弁論」などである。

問17
○
「偏」では阝（こざとへん）忄（りっしんべん）犭（けものへん）月（にくづき）礻（しめすへん）衤（ころもへん）、「脚」では灬（れんが）、「つくり」では刂（りっとう）殳（るまた）隹（ふるとり）、「たれ」では广（まだれ）などがよく出題される。

問18
×
「往」「役」「彼」「徳」などの部首は「ぎょうにんべん」で、「術」「街」「衝」などの部首は「ぎょうがまえ」である。他に「にょう」では辶（しんにょう）、「かまえ」では勹（つつみがまえ）囗（くにがまえ）、「冠」では冖（わかんむり）宀（うかんむり）穴（あなかんむり）などがよく出題される。

問19
○
漢字の画数は、漢字を構成している点や線に関し、すべてを1画に数えるのが原則である。ひと続きに書く線は、曲がっていても1画と数える。

以下の記述を読み、正しいものには〇、誤っているものには×をつけよ。

問20 「延」の画数は 7 画である。
check√
☐☐☐

問21 「静かになった」の「に」は、格助詞である。
check√
☐☐☐

問22 「しばらくして行く」の「しばらく」は、形容詞である。
check√
☐☐☐

問23 「腹がいっぱいになったが、まだ満たされない」における傍線部「が」と、
check√ 「腹がいっぱいになった。が、まだ満たされない」における傍線部「が」
☐☐☐ は同じ種類のものである。

問24 「会社に行く」における傍線部「に」と「しきりに訴える」における傍線
check√ 部「に」は同じ種類のものである。
☐☐☐

問25 「弟のを借りる」の傍線部「の」と「大きいのが欲しい」の傍線部「の」
check√ は同じ種類のものである。
☐☐☐

問26 「資金がない」の傍線部「ない」と「肉は食べない」の傍線部「ない」は
check√ 同じ種類のものである。
☐☐☐

問27 「原則」の対義語は、「例外」である。
check√
☐☐☐

問28 「直喩」の対義語は、「比喩」である。
check√
☐☐☐

解答・解説

問 20
×
8画である。「乙」1画、「女」3画、「弓」3画、「勾」4画、「以」5画、「凹」5画、「尽」6画、「印」6画、「近」7画、「波」8画、「長」8画、「馬」10画、「脈」10画などがよく出題される。

問 21
×
「静かに」の「に」は形容動詞「静かだ」の連用形の活用語尾。「静か＋に」ではないので「格助詞」ではない。

問 22
×
「しばらく」は活用しないので形容詞の連用形ではなく、「少しのあいだ」といった意味の副詞である。

問 23
×
「腹がいっぱいになった<u>が</u>、～」の「が」は接続助詞である。一方、「腹がいっぱいになった。<u>が</u>、～」の「が」は逆接の接続詞である。また「腹<u>が</u>いっぱいになった」の「が」は格助詞である。

問 24
×
「会社に行く」の「に」は格助詞である。一方、「しきり<u>に</u>訴える」の「に」は副詞「しきりに」の一部となる。他に「一月な<u>に</u>暖かい」の「に」もある。これは接続助詞「のに」の一部である。

問 25
○
両方とも「所有」を表す格助詞である。「の」は他に「日本の長所」の「の」や「父の栽培した野菜だ」の「の」などがある。前者は「連体修飾格」の「の」、後者は「主格」を表す格助詞である。

問 26
×
「資金がない」の「ない」は形容詞。一方、「肉は食べない」の「ない」は打消しの助動詞である。前者は自立語で活用するが、後者は「食べる」という動詞の連用形「食べ」に接続していることでわかるように付属語である。

問 27
○
「原則」は「基本的な決まり」。「例外」は「原則に当てはまらないこと」ないし「原則の適応を受けないこと」なので対義語になる。他の重要対義語として「分析⇔総合」「絶対⇔相対」「杜撰⇔緻密」「実践⇔理論」「自然⇔人工」「緊張⇔弛緩」などがある。

問 28
×
「直喩」は「まるで・あたかも・さながら・たとえば～ようだ・ごとし」のように、一つの事物を他の事物に直接たとえる修辞法。それに対し、「ようだ・ごとし」を用いない修辞法は隠喩である。

以下の記述を読み、正しいものには〇、誤っているものには×をつけよ。

問 29
check√
□□□
四字熟語「曖昧模湖」で誤っているのは、「模」の字である。

問 30
check√
□□□
四字熟語「虚心担懐」で誤っているのは、「担」の字である。

問 31
check√
□□□
四字熟語「旧態以前」で誤っているのは、「以前」である。

問 32
check√
□□□
四字熟語「興味津津」で、誤っているのは「津津」である。

問 33
check√
□□□
「自家撞着」とは、「同じ人の言行が前後でつじつまの合わないこと」である。

問 34
check√
□□□
「覆水盆に返らず」とは、「疑われやすい行為は避けた方がよい」という意味である。

問 35
check√
□□□
「烏有に帰す」とは、「火災ですべてを失くす」という意味である。

問 36
check√
□□□
「木に縁りて魚を求む」とは、「負け惜しみの強いこと」である。

問 37
check√
□□□
「孟母三遷」という故事成語の意味は、「母が三回変わったので孟子は偉人になった」ということである。

問29
×
誤りは「湖」で「糊」に直す。「糊」は「のり」と読み、文字通り「澱粉のり」のことで透明ではないイメージである。「曖昧模糊」は「あいまいもこ」と読み、意味は「物事がはっきりしない様」。

問30
○
誤りは「担」で「坦」に直す。「坦」の字には「行動・態度に表裏がない」という意味がある。「虚心坦懐」は「きょしんたんかい」と読み、意味は「心に裏表がなく素直な態度でいること」である。

問31
○
正しくは「依然」。「旧態」は「旧い状態」という意味であり「旧態依然」で、「依然として旧い状態のまま」という意味になる。

問32
×
「興味」が「深い」といったイメージを描いて「深々」を思い浮かべてはならない。「津津」のままで正しい。意味は「興味が絶えずわいてくる様」である。

問33
○
「自家撞着」は「じかどうちゃく」と読む。「自家」はこの場合「自分自身」を指す。「撞着」は「つじつまが合わないこと」。よって、「自家撞着」で「矛盾」と同義の四字熟語になる。

問34
×
「覆水」の「覆」は「覆る」で「くつがえ（る）」と読む。よって、「覆水盆に返らず」は「盆からひっくり返ってこぼれた水は元にはもどらない」ということを指し、「一度してしまったことは取り返せない」という意味になる。「疑われやすい行為は避けた方がよい」は「李下に冠を正さず」である。

問35
○
「烏有」で「烏んぞ有らんや」と読む。意味は「全く無いこと・何も無いこと」。よって、「烏有に帰す」で「皆無になること」になる。特に火災によりすべてを失ったときに使われる。

問36
×
「糸と針で魚は釣るものだが、木という違った手段や方法をとったために魚が釣れないこと」、すなわち「誤った方法では目的が達せられないこと」。「負け惜しみが強いこと」は「石に漱ぎ流れに枕す」である。

問37
×
孟子の母は、最初住居が墓所の近くにあったが、次に市場の近くに、さらには学校の近くにと三度引っ越した。すべては孟子によい教育を受けさせたいがためである。この故事が転じて「子供の教育のためにはよい環境を選択しなくてはならない」という意味で使われる。

国　語

以下の記述を読み、正しいものには〇、誤っているものには×をつけよ。

問38 四字熟語「偕老同穴」の意味は「年寄りは皆、老い果てて同じ墓に入る」
check√
□□□　ということである。

問39 四字熟語「切歯扼腕」の意味は「歯ぎしりをし腕を握りしめて頑張ること」
check√
□□□　である。

問40 「医者の不養生」と同じ意味のことわざは、「弘法筆を選ばず」である。
check√
□□□

問41 「情けは人のためならず」ということわざの意味は、「甘やかすことにな
check√
□□□　るので人には情けをかけてはいけない」ということである。

問42 「春秋に富む」とは、「年が若く、生い先が長いこと」である。
check√
□□□

問43 「余寒なお厳しい折から」は、３月の時候の挨拶である。
check√
□□□

問44 手紙の頭語「拝啓」に対する結びの言葉は、「早々」である。
check√
□□□

問45 「和歌」を数える呼称（単位）は「首」、「俳句」は「句」、「詩」は「篇」
check√
□□□　である。

問46 「箪笥」を数える呼称（単位）は「本」である。
check√
□□□

問 38
×
読み方は「かいろうどうけつ」。「偕老」の「偕」は「ともに」と読み「つれだって・そろって・両方とも」などの意味がある。よって、「偕老」で「夫婦が仲良くともに老いること」、「同穴」で「死んでからも同じ墓に葬られること」を意味する。

問 39
×
「切歯扼腕」は「せっしやくわん」と読む。意味は「切歯」で「歯ぎしりをすること」、「扼腕」で「腕を握りしめること」であるが、これが「頑張ること」ではなく「くやしがること」となる。

問 40
×
「医者の不養生」は「健康に関して人には注意を説く医者が自らの健康には注意を払わないということ」。よって、「紺屋の白袴」とほぼ同義になる。「弘法筆を選ばず」は、「真の名人は、用具の善し悪しを問題にしない」ということ。

問 41
×
「情けは人のためならず」は「人に情けをかけておけばそれが巡り巡って自らによい報いがもたらされる」という意味で、人を甘やかすことを禁ずる意味はない。

問 42
○
「春秋」は、「春と秋・年月・年齢・歴史書」の意味をもつ。したがって、「年が若く、経験の乏しいこと」になるが、これが転じて「生い先が長いこと」あるいは「将来性があること」の意味で使われる。

問 43
×
「余寒」は「よかん」と読み、「立春（＝太陽暦で2月4日ころ）後の寒気」を指す。あるいは、「寒があけてもまだ残る寒さ」を指す。よって、2月の時候の挨拶となる。

問 44
×
手紙の頭語「拝啓」の結びは「敬具」である。結びの語「早々」に対応する頭語は「前略」である。なお、基本的に女性が結びに使うのが「かしこ」である。

問 45
○
小説「編・巻」、書画「点・幅」、書籍「冊・部・巻」、書類「通・部」、手紙「通」、映画「本・巻」、演劇「席・番」、芝居「幕・景・場」、新聞「部・面」、論文「本・編」なども重要。

問 46
×
「箪笥」は「たんす」と読む。タンスは「棹」で数える。他に重要なのは、魚「匹・尾」、机「脚」、田「面・枚」、箸「膳・揃・具」、うさぎ「羽」、鯨「頭」、ざるそば「枚」など。

以下の記述を読み、正しいものには○、誤っているものには×をつけよ。

問47 「弊社の新製品を拝見してください」は、誤った敬語の使い方である。
check√
□□□

問48 「与える」の謙譲語は、「さしあげる」である。
check√
□□□

問49 「お客様、メインディッシュをいただいてください」は、正しい敬語の使い方である。
check√
□□□

問50 古語「おほとのごもる」は、「死ぬ」の尊敬表現である。
check√
□□□

問51 古語の係助詞「ぞ」「なむ」の結びは、活用語の連体形である。
check√
□□□

問52 「これやこのあまの羽衣むべしこそ君がみけしとたてまつり（　　　）」（伊勢物語）の（　　　）の中には「ける」が入る。
check√
□□□

問53 句数が四句（横の行）で一句が五字（縦の文字数）の漢詩の形式を、「五言絶句」という。
check√
□□□

問54 「五言律詩」とは、句数が六句で、一句が五字の漢詩の形式である。
check√
□□□

問55 「花の色は移りにけりないたづらに我が身世にふるながめせしまに」の作者は、小野小町である。
check√
□□□

問56 「若の浦に潮満ちくれば潟をなみ葦辺をさして鶴鳴き渡る」の作者は、柿本人麻呂である。
check√
□□□

問47
○
「拝見する」は「見る」の謙譲語で、お客に対する敬語表現としては不適当。「ご覧（になって）ください」というべきである。

問48
○
たとえば、「社長、さしあげたいものがございます」といえば自然である。「与える」の尊敬語は「くださる」で、「社長がくださった」といえば、これもまた自然である。

問49
×
「いただく」は「食う」の謙譲語なので、「お客様」に対しては使用不可。ここは、「食う」の尊敬語「召し上がる」を使い、「～を召し上がってください」というべきである。

問50
×
漢字を交えれば「大殿篭る」とも書く。これは「寝る」の尊敬語である。「死ぬ」の尊敬語は、基本的には「死に給ふ」と2語で表す。

問51
○
係り結びに使われる助詞には、「ぞ・なむ・や・か・こそ」がある。「ぞ・なむ・や・か」の結びは「連体形」。「こそ」の結びが「已然形」である。意味は「ぞ・なむ・こそ」が強意、「や・か」が疑問・反語である。

問52
×
文章中に「こそ」があることを見落としてはならない。「こそ」の結びは已然形なので、「係り結び」の法則にしたがって過去の助動詞「けり」を已然形の「けれ」としなければならない。

問53
○
漢詩における近体詩（唐代以降に確立）は、絶句と律詩に分類できる。絶句は句数が四句で、一句が五字のものと七字のものがある。

問54
×
近体詩の形式である。律詩は句数が八句。ちなみに、唐代以前に詩形が完成したものを古代詩という。

問55
○
小野小町は、平安前期の歌人で六歌仙の一人。これは、「古今和歌集」に所収されている。絶世の美人だったとする伝説がある。「思ひつつぬればや人の見えつらむ夢と知りせばさめざらましを」も小野小町の有名な歌である。

問56
×
これは、人麻呂と同じ万葉歌人の山部赤人の歌である。人麻呂の有名な歌としては、「東の野にかぎろひの立つ見えてかへり見すれば月傾きぬ」「あしびきの山鳥の尾のしだり尾のながながし夜をひとりかも寝む」などがある。

以下の記述を読み、正しいものには〇、誤っているものには×をつけよ。

問57
check√
□□□
「見渡せば花も紅葉もなかりけり浦の苫屋の秋の夕暮れ」の作者は、西行である。

問58
check√
□□□
「田子の浦にうち出でてみれば白妙の富士の高嶺に雪は降りつつ」は、「小倉百人一首」に入っている。

問59
check√
□□□
「奥山に紅葉踏み分け鳴く鹿の声聞くときぞ秋はかなしき」は、「小倉百人一首」に入っている。

問60
check√
□□□
『万葉集』の編者は、大伴家持である。

問61
check√
□□□
紀貫之が編者となった勅撰和歌集は、『新古今和歌集』である。

問62
check√
□□□
「小倉百人一首」を撰したのは、藤原俊成である。

問63
check√
□□□
「海恋し潮の遠鳴りかぞへては少女となりし父母の家」の作者は、与謝野晶子である。

問64
check√
□□□
「ふるさとの訛なつかし停車場の人ごみの中にそを聴きにゆく」の作者は、斉藤茂吉である。

国語
英語
日本史
世界史
地理
思想
芸術
政治
経済
国際関係
環境問題
数学
物理
化学
生物
地学

問57 ✕
これは『古今和歌集』所収の「三夕の歌(さんせき)」の一つで藤原定家のもの。西行作は「心なき身にもあはれはしられけり鴫(しぎ)立つ沢の秋の夕暮れ」である。「三夕の歌」にはもう一つ寂蓮の「さびしさはその色としもなかりけりまき立つ山の秋の夕暮れ」がある。

問58 ◯
「一、秋の田のかりほの庵の苫を粗みわが衣手は露にぬれつつ（天智天皇）」「二、春すぎて夏来にけらし白妙の衣ほすてふ天の香久山（持統天皇）」「三、あしびきの山鳥の尾のしだり尾の長々し夜をひとりかも寝む（柿本人麻呂）」に続く、山部赤人の歌である。

問59 ◯
五から七番目の歌は、「五、奥山に紅葉踏み分け鳴く鹿の声聞くときぞ秋はかなしき（猿丸太夫）」「六、かささぎの渡せる橋に置く霜の白きを見れば夜ぞ更けにける（中納言家持）」「七、天の原ふりさけ見れば春日なる三笠の山に出でし月かも（安倍仲麻呂）」である。

問60 ◯
『万葉集』は奈良時代の歌集。巻数は20巻。約4500の歌が所収されている。部立として恋歌である「相聞」、死者を悼む「挽歌」、「相聞」「挽歌」以外の「雑歌」がある。

問61 ✕
紀貫之が編者となったのは、最初の勅撰八代集の最初のものである905年成立の『古今和歌集』である。1205年成立の『新古今和歌集』の編者は藤原定家で、これは八番目の勅撰集である。

問62 ✕
「小倉百人一首」は、『新古今和歌集』の編者でもある藤原定家の撰である。成立は鎌倉初期。天智天皇から順徳天皇の時代に至る百人の歌人の歌をそれぞれ一首ずつ撰したものである。藤原俊成の撰は『千載和歌集』。

問63 ◯
与謝野晶子は与謝野鉄幹の妻で、「新詩社」に加わり、雑誌「明星」で活躍した女流歌人である。歌集として『みだれ髪』がある。また、源氏物語を訳したことでも知られている。

問64 ✕
この歌は、石川啄木のものである。歌中の「ふるさと」は啄木の故郷岩手県（渋民村）を指す。啄木は歌を三行書きにし、生活をテーマに歌ったことでも知られる。歌集に『一握の砂』『悲しき玩具』がある。

以下の記述を読み、正しいものには〇、誤っているものには×をつけよ。

問65
check√
□□□
「みちのくの母の命を一目見ん一目見んとぞただにいそげる」の作者は、若山牧水である。

問66
check√
□□□
「くれなゐの二尺伸びたる薔薇の芽の針やはらかに春雨のふる」の作者は、正岡子規である。

問67
check√
□□□
「（　　　　）垂水（たるみ）の上のさわらびの萌えいづるはるになりにけるかも」の（　　　　）の中には、枕詞「あらたまの」が入る。

問68
check√
□□□
「のど赤き玄鳥ふたつ屋梁にいて（　　　　）母はしにたまふなり」の（　　　　）の中には、枕詞「しろたへの」が入る。

問69
check√
□□□
「野辺みれば尾花がもとの思ひ草かれゆくほどになりぞしにける」の傍線部の掛詞を漢字に直すと、「彼・枯れ」である。

問70
check√
□□□
「ながめには袖さへ濡れぬさみだれに下り立つ田子の藻裾ならねど」の傍線部の掛詞を漢字に直すと、「眺め・長雨」である。

問71
check√
□□□
「目には青葉山ほととぎす初松魚（はつがつを）」は、松尾芭蕉の句である。

問72
check√
□□□
「草の戸も住み替る代ぞ雛の家」は、松尾芭蕉の句である。

問73
check√
□□□
「春の海ひねもすのたりのたりかな」は、小林一茶の句である。

解答・解説

国語

英語

日本史

世界史

地理

思想

芸術

政治

経済

国際
関係

環境
問題

数学

物理

化学

生物

地学

問65 ✕
これは、脳病院の医者にして歌人である斎藤茂吉が「死にたまふ母」をテーマとして歌った連作の一つである。「死に近き母に添寝のしんしんと遠田のかはづ天に聞こゆる」なども同連作の一つである。歌集としては、『赤光』『あらたま』がある。

問66 ◯
正岡子規は、四国愛媛の松山出身の俳人・歌人。雑誌『ホトトギス』に拠って写生俳句、写生文を唱えた。また、評論『歌よみに与ふる書』を発表して短歌の革新運動を展開した。

問67 ✕
「垂水」を導く枕詞は「いはばしる」である。「あらたまの」が導くのは「年」他である。なお、「くさまくら（旅）」、「ひさかたの（光）」なども重要である。

問68 ✕
「しろたへの」は「衣」などを導く枕詞。「母」を導くのは「たらちねの」である。なお、あしびきの（山）・あかねさす（紫）なども重要である。

問69 ✕
掛詞とは、一つの言葉に二重の意味をもたせる修辞法のこと。正しくは「枯れ」と「離れ」である。「離れ」で「はなれ（る）」ではなく「か（れ）」と読む。

問70 ◯
重要な掛詞としては他に「待つ・松」「踏み・文」「秋風・飽き」「立つ・立田山」「逢ふ・逢ふ坂の関」「経る・降る」などがある。

問71 ✕
山口素堂の句。季語は「青葉」「山ほととぎす」「初松魚」の３つで、季節は夏である。「ほととぎす」は「時鳥・子規・不如帰・沓手鳥」などの表記がある。

問72 ◯
季語は「雛」で季節は春。「古池や蛙飛びこむ水の音」をはじめとして、芭蕉の句で覚えるべきは、「閑かさや岩にしみ入る蝉の声」「五月雨を集めて早し最上川」「旅に病んで夢は枯野をかけめぐる」などである。

問73 ✕
春の与謝蕪村の句。与謝蕪村は江戸天明期の俳人で、詠みぶりを「天明調」という。句集に『新花摘』がある。一茶は江戸時代化政期の俳人。句集に『おらが春』がある。

21

以下の記述を読み、正しいものには〇、誤っているものには×をつけよ。

問74 「菜の花や月は東に日は西に」は、与謝蕪村の句である。
check√
□□□

問75 「痰一斗<ruby>糸瓜<rt>へちま</rt></ruby>の水もまにあわず」の作者は、正岡子規である。
check√
□□□

問76 「流れゆく大根の葉の早さかな」の作者は中村草田男で、季語と季節は「大根・冬」である。
check√
□□□

問77 「朝顔につるべとられてもらひ水」（加賀千代女）の季語と季節は、「朝顔・夏」である。
check√
□□□

問78 『東海道中膝栗毛』の作者は、式亭三馬である。
check√
□□□

問79 『佳人之奇遇』の作者は、矢野竜渓である。
check√
□□□

問80 明治初期の『八十日間世界一周』の原作者は、サン＝テグジュペリである。
check√
□□□

問81 坪内逍遥が評論『小説神髄』で主張したのは、浪漫主義である。
check√
□□□

問82 二葉亭四迷が『浮雲』で試みた文体上の試みは、口語体である。
check√
□□□

解答・解説

問74
○
蕪村の句としては他に、「牡丹散りて打ちかさなりぬ二三片」「鳥羽殿へ五六騎急ぐ野分かな」「五月雨や大河を前に家二軒」などが有名である。

問75
○
「痰」で作者を察知できる。子規は、肺結核で夭折した俳人・歌人なのである。「糸瓜咲いて痰のつまりし仏かな」「いくたびも雪の深さをたずねけり」「鶏頭の十四五本もありぬべし」「柿食えば鐘が鳴るなり法隆寺」「雪残る頂一つ国境」などが代表的な子規の句である。

問76
×
高浜虚子の句。虚子は子規の弟子で、子規と同じく松山出身の俳人である。「桐一葉日当りながら落ちにけり」「遠山に日の当りたる枯野かな」などが代表的な句である。「万緑の中や吾子の歯生え初むる」が草田男の句として有名である。なお、季語と季節は正しい。

問77
×
「朝顔」は「夏」と間違えやすいが「秋」。他に間違えやすい季語としては「陽炎」がある。これは「夏」ではなく「春」。また「露」も「夏」と間違えやすいが「秋」である。

問78
×
『東海道中膝栗毛』は、江戸時代に十返舎一九が書いた作品。当時は「滑稽本」と呼ばれた。この小説の趣向を模倣した、いわばパロディが、明治時代に仮名垣魯文によって書かれた『西洋道中膝栗毛』である。

問79
×
『佳人之奇遇』の作者は東海散士である。矢野竜渓が著したのは『経国美談』。これらの小説は「政治小説」として、明治10年代中頃から20年代にかけて国会開設運動の熱気とともに流行した。

問80
×
『八十日間世界一周』の作者は、フランスの作家ジュール・ヴェルヌである。明治初期に翻訳された彼の小説には、『月世界旅行』もある。当時の「翻訳小説」として、ジョナサン・スィフトの『ガリヴァー旅行記』、ダニエル・デフォーの『ロビンソン・クルーソー』などがある。

問81
×
明治初期、逍遥が主張したのは「写実主義」、いわゆるリアリズムで、完全な西洋の観念、ないし西洋の文芸思想である。逍遥はこれにより前近代的な勧善懲悪の観念を批判したのである。

問82
×
四迷が試みたのは言文一致体である。ということは、それまで日本では言（喋り言葉）と文（書き言葉）が分離していたということであるが、この文体改革運動は、その分離の「反近代性」への挑戦を意味する。

国　語

以下の記述を読み、正しいものには○、誤っているものには×をつけよ。

問83 『金色夜叉』の作者は、泉鏡花である。
check✓
☐☐☐

問84 『不如帰』の作者は、徳富蘇峰である。
check✓
☐☐☐

問85 『たけくらべ』の作者は、幸田文である。
check✓
☐☐☐

問86 未解放部落出身の教師瀬川丑松の苦悩を中心に人権社会問題を描いた島崎
check✓ 藤村の小説は、『夜明け前』である。
☐☐☐

問87 『蒲団』の作者は、国木田独歩である。
check✓
☐☐☐

問88 『高瀬舟』の作者は、森鷗外である。
check✓
☐☐☐

問89 「則天去私」という理念と密接に関わる作家は、夏目漱石である。
check✓
☐☐☐

問90 芥川龍之介が『羅生門』『鼻』などを描くときに、その題材を採った平安
check✓ 末期の古典作品は、『栄華物語』である。
☐☐☐

問91 『蟹工船』の作者は、葉山嘉樹である。
check✓
☐☐☐

問83
×
尾崎紅葉である。紅葉は、我が国初の文芸結社である「硯友社」を結成し、機関誌『我楽多文庫』を発刊したことでも知られている。

問84
×
『不如帰』は「ほととぎす」と読む。浪漫主義の作家徳富蘆花の明治時代に書かれた悲恋小説である。徳富蘇峰は蘆花の兄で、国家主義的な考えの評論家である。

問85
×
作者は樋口一葉。舞台は明治時代の吉原泉寺町、少年少女の淡い恋を描いた小説である。一葉の作品は他に『にごりえ』『大つごもり』などがある。幸田文は昭和時代（戦後）に活躍した小説家。作品に『流れる』『おとうと』などがある。

問86
×
『夜明け前』も藤村の代表的な小説だが、明治維新前後の時代を背景に国学者青山半蔵の生涯を描いた内容である。瀬川丑松の苦悩を描いた小説は『破戒』である。

問87
×
『蒲団』の作者は田山花袋。花袋は藤村と同じく自然主義小説家であるが、この作品で「主人公＝作者」という構造の小説を日本文学に誕生させたことになる。国木田独歩は浪漫主義の作家で、『武蔵野』が代表作である。

問88
○
『高瀬舟』は、高瀬舟で護送される弟殺しの罪人喜助の身の上話と、それを聞く役人を描いた短編小説で、「安楽死」の問題を扱っている。また、鷗外のいわゆる「歴史小説」の一つで傑作とされる。

問89
○
漱石が小説『明暗』の中で到達した境地が「天に則り、私を去る」という境地「則天去私」だとされるが、異説を唱える評者もいる。

問90
×
平安末期の説話である「今昔物語」から題材を採った。芥川龍之介は大正時代に活躍した新現実主義（新思潮派）の作家で、『地獄変』『河童』『トロッコ』『杜子春』『枯野抄』などの名作を生み出した。

問91
×
『蟹工船』は、葉山嘉樹と同じプロレタリア文学の作家小林多喜二の作品。多喜二は戦前、官憲の拷問により虐殺された。同作品がリーマンショックの際、リバイバル的に見直されたことは記憶に新しい。葉山嘉樹には『セメント樽の中の手紙』という作品がある。

国　語

以下の記述を読み、正しいものには○、誤っているものには×をつけよ。

問 92　『点と線』の作者は、井上ひさしである。
check√
□□□

問 93　『ノルウェイの森』の作者は、よしもとばななである。
check√
□□□

問 94　『限りなく透明に近いブルー』の作者は、村上龍である。
check√
□□□

問 95　『インストール』の作者は、重松清である。
check√
□□□

問 96　『ドン・キホーテ』の作者は、メーテルリンクである。
check√
□□□

問 97　『ファウスト』の作者は、シェークスピアである。
check√
□□□

問 98　『罪と罰』の作者は、トルストイである。
check√
□□□

問 99　『桜の園』の作者は、ツルゲーネフである。
check√
□□□

問 100『審判』の作者は、カフカである。
check√
□□□

解答・解説

問 92
×
『点と線』は推理小説の大家松本清張の作品。『砂の器』も彼の作品である。井上ひさしの代表作は『吉里吉里人』『青葉繁れる』などである。

問 93
×
『ノルウェイの森』は村上春樹の作品。村上春樹は村上龍、よしもとばなななどとともにポスト・モダン型の作家と称される。彼の作品は他に『ねじまき鳥クロニクル』『海辺のカフカ』『1Q84』などがある。よしもとばななは『キッチン』『TUGUMI』『アムリタ』などの作品がある。

問 94
○
村上龍は 70 年代初頭、同作品によって衝撃的デビューをした現代を代表する作家である。彼の作品には他に『コインロッカー・ベイビーズ』『希望の国のエクソダス』などがある。

問 95
×
『インストール』の作者は綿矢りさ。大学在学中に芥川賞を受賞し話題となった。『蹴りたい背中』も彼女の代表作である。重松清は『ナイフ』『エイジ』『ビタミン F』などを著している。

問 96
×
『ドン・キホーテ』はスペインの作家セルバンテスの作品である。主人公ドン・キホーテの猪突猛進型の言動から「空想的理想主義者」の意味で使われることもある。『青い鳥』がメーテルリンクの代表作である。

問 97
×
『ファウスト』はドイツの作家ゲーテの作品である。『若きウェルテルの悩み』もゲーテの作品である。イギリスの劇作家シェークスピアの作品は、四大悲劇である『ハムレット』『オセロ』『リア王』『マクベス』の他、『ロミオとジュリエット』『ヴェニスの商人』などがある。

問 98
×
『罪と罰』の作者はロシアの作家ドストエフスキーである。ドストエフスキーには他に、『カラマーゾフの兄弟』『悪霊』『白痴』などがある。トルストイには、『戦争と平和』『復活』などの作品がある。

問 99
×
『桜の園』は戯曲で、作者はロシア人のチェーホフである。彼の戯曲には他に、『かもめ』『三人姉妹』などがある。ツルゲーネフもロシア人で、『初恋』『猟人日記』などの作品（小説）がある。

問 100
○
カフカはプラハのユダヤ系ドイツ語作家。第二次世界大戦後の文学に大きな影響を及ぼした作家で、代表作の『変身』はある朝、起きてみると巨大な毒虫になっていた男が家族から疎外されやがて死んでゆく話である。

問 1　　次のうち、使用されている漢字の誤っているものを一つ選びなさい。
check√
□□□

　　ア　政権の政策の失敗で地価が騰貴する。

　　イ　彼女への愛情が憎悪に転嫁する。

　　ウ　個々の選手の特長を生かして作戦を練る。

　　エ　チームの敗北は必至の情勢だ。

　　オ　類型的な人物が小説の中に描かれている。

問 2　　次のうち正しいものはいくつあるか、次の1〜5の中から選びなさい。
check√
□□□

　　ア　「流れに棹さす」は、物事の流れに抵抗することである。

　　イ　「地震」「国営」「静聴」「消火」「保守」のうち、「頭痛」と熟語の構成
　　　　が同じものは「地震」と「国営」である。

　　ウ　「砕 □ 同時」の □ の中には、「業」の字が入る。

　　エ　「毎朝」「味方」「本箱」「番組」は、いずれも重箱読みである。

　　オ　「朝三暮四」は、口先で人をうまくだますことである。

　　　1　1つ
　　　2　2つ
　　　3　3つ
　　　4　4つ
　　　5　5つ

問1 正解 イ

ア○ 「騰貴」は物価が高くなることで、漢字も使い方も正しい。

イ× 「転嫁」は間違い。正しくは、変化して他の状態になることを意味する「転化」である。「転嫁」は、自分の責任を他人になすりつけることで、「責任の転嫁」のように使われる。

ウ○ 「特長」か「特徴」か迷うところ。「特長」は、「特別に優れたところ」という意味。「長」は「長所」で連想できるとおり、「すぐれること」である。「特徴」は、他と違って特に目立つしるしのこと。「徴」は「しるし」とも読む。「特徴」は「特長」と違い、それ自体ではいいも悪いもない。

エ○ 「必死」か「必至」で迷うところ。「必死」は「死を覚悟して事に対すること」「全力で当たること」だから、文脈からはずれる。「必至」は「必ず至る」わけだから、意味は、「必ずそうなること」「そうなるのは避けられないこと」で、「敗北は避けられない」となって適合する。

オ○ 「類型」は、特徴の似ているものを集め、その共通点を抽出してまとめあげた型のことで、**オ**の文脈に適合する。

問2 正解 3

ア× 「流れに棹さす」は、流れに棹を突き立てて逆らっているイメージだが、正しい意味はまるで逆で、流れに棹をさして勢いに乗るように物事が思い通りに進行することである。

イ○ 「頭痛」は「頭が痛い」、すなわち前と後ろが主述の関係にある熟語。「地震」は「地が震える」、「国営」は「国が営む」だから「頭痛」と同じ構成である。「静聴」は「静かに聴く」だから後ろを修飾する熟語。「消火」は「火を消す」だから後ろが前の目的となる熟語。「保守」は似た意味の漢字を重ねたもの。

ウ× 「啐啄同時」は「そったくどうじ」と読む。「啐」は鶏の卵がかえる際、殻の中で雛がつつく音、「啄」は母鶏が殻を噛み破ること。すなわち、仏教（禅宗）的には師家と弟子の働きが合致することになる。あるいは、逃がしたらまた得ることが難しい時機ということになる。

エ○ 「重箱読み」とは、「音＋訓」の読み方の組み合わせのこと。4つとも「音＋訓」である。「湯桶読み」は、「訓＋音」で「合図」「手本」「消印」などがある。

オ○ 猿知恵を笑う話に由来する「故事成語」。

問3 次の1〜4のひらがなを漢字に改めたとき、語群の漢字の使われ方がすべて正しいものを一つ選びなさい。
check√
□□□

　1　いぎ
　　　・有意義な経験だ　・全員異義なし　・威儀を正す
　2　いこう
　　　・顧客の意向に従う　・親の威光を利用する　・故人の遺構を整理する
　3　いじょう
　　　・異常気象である　・政権を以上する　・私鉄から市バスへ移乗する
　4　いどう
　　　・車を移動させる　・人事異動　・人の意見には異同がある

問4 次のア〜オの下線部の漢字が適切に用いられているものの組み合わせとして最も適当なものを、1〜5の中から一つ選びなさい。
check√
□□□

　ア　危険を<u>冒</u>して突入する。
　イ　犠牲者を<u>傷</u>む。
　ウ　正しく税金を<u>納</u>める。
　エ　薬がよく<u>利</u>く。
　オ　布地を<u>絶</u>つ。

　1　ア　イ
　2　ア　ウ
　3　イ　オ
　4　ウ　エ
　5　エ　オ

問3　正解 4

1× 「全員異義なし」は間違いである。正しくは、他人とは違った議論や意見という意味の「異議」である。「異義」は異なった意味という意味で、「義」はこの場合「意味」ということである。反対語は「同義」である。「威儀を正す」の「威儀」は、おごそかな振る舞いのことである。

2× 「故人の遺構を整理する」の「遺構」は、残存する旧い建物のことだから文意を成立させない。正しくは「遺稿」で、発表されないまま死後に遺された原稿のこと。これを当てはめれば文意は成立する。

3× 「政権を以上する」は間違い。ここは、他にゆずり移すことを意味する「移譲する」としなくてはならない。

4○ 「人事異動」は「移動」ではなく「異動」のままで正しい。人事を動かすというイメージから「移動」と勘違いするので注意。

問4　正解 2

ア○ 「おか（す）」には、「犯す」「侵す」「冒す」などがある。用例としては、「重罪を犯す」「人の権利を侵す（犯す）」「危険を冒す」など。

イ× 「いた（む）」には、「痛む」「悼む」「傷む」などがある。用例としては、「虫歯が痛む」「犠牲者を悼む」「野菜が傷む」など。

ウ○ 「おさ（める）」には、「収める」「納める」「治める」「修める」などがある。用例としては、「好成績を収める」「税金を納める」「天下を治める」「学問を修める」など。

エ× 「き（く）」には、「聞く」「聴く」「効く」「利く」などがある。用例としては、「悪い噂を聞く」「クラシックを聴く」「薬がよく効く」「気が利く」など。

オ× 「た（つ）」には、「断つ」「絶つ」「裁つ」「立つ」「建つ」などがある。用例としては、「通信網を断つ」「最後の連絡を絶つ」「布地を裁つ」「鳥肌が立つ」「ビルが建つ」など。

したがって、適切に用いられているものの組み合わせは、2のアとウである。

問5
check✓
□□□

次の下線部の語句が慣用句として正しく用いられているものの組み合わせを、1〜5の中から一つ選びなさい。

ア　敵チームながら、彼のプレーには<u>一目置いている</u>。
イ　恋愛に<u>うつつをぬかして</u>いたので試験に落ちた。
ウ　悪人の額に<u>白羽の矢が立った</u>。
エ　妻に先立たれてしばらく<u>冷や飯を食う</u>ことになった。
オ　エースが打たれて<u>満を持して</u>交代した。

1　ア　イ
2　ア　ウ
3　イ　ウ
4　イ　オ
5　エ　オ

解答・解説

問5　正解 1

ア〇　「一目置く」は、相手が自分より優れていると認めて、敬意を払うことである。選択肢の文は、まさにライバルに敬意を払っているので、ぴったり適合する。

イ〇　「うつつをぬかす」の「うつつ」は漢字に直すと「現」、つまり現実である。これが恋愛を対象に「抜かす」状態になるので、「現を抜かす」で「心を奪われる」ことになり適合する。

ウ×　「白羽の矢が立つ」は、多くの人の中からこれぞという人が狙いをつけられることで、ほとんど「抜擢」に近い意味である。たとえば、「太郎に白羽の矢が立つ」だったら、太郎が重要な地位につくとか重要な任務などを命じられるということになる。

エ×　「冷や飯を食う」は、正当な評価を受けず冷遇されることで、実際に「冷や飯」を食うことではない。「太郎は支店に左遷させられて冷や飯を食うこととなった」というように使われる。

オ×　「満を持す」は、十分に準備を整えて時機の来るのを待ち受けることだから、ピンチにエースが登場するような場合に使われる言葉である。

したがって、正しく用いられているものの組み合わせは、1のアとイである。

問6
check✓
□□□
次の故事成語と意味の組み合わせとして最も適当なものを一つ選びなさい。

1　羹に懲りて膾を吹く ——— 一度の失敗に懲りて過剰な用心をすること。

2　河清を俟つ ——————— 川が清くなるまでいつまでも待機していること。

3　眼光紙背に徹す ———— 眼光が鋭い人間は紙の後ろまで見えること。

4　三顧の礼 ————————— 仲が悪いもの同士は偽の礼を繰り返すということ。

5　多岐亡羊 ————————— 失った宝をいつまでも探すこと。

解答・解説

問6　正解 1

1○　「羹」は野菜・肉などの入った熱い吸い物。「膾」は正月にお馴染みの大根・人参を細かく刻み、酢であえた冷たい料理。熱い料理で舌に火傷をおったので、冷たい膾も熱いと思って吹き冷まそうとすることである。

2×　黄河の水が澄むのを待つように、いくら待っても無駄なことで、待機していることではない。実際に黄河の水は昔から濁っていて、清くなることはないことが前提となっている。

3×　眼光が紙の裏まで通るほど書物をよく読むことから、書物を読んで文章の深い意味まで理解するという意味になる。

4×　蜀の劉備が諸葛孔明を軍師として迎えるために、彼の住む草庵を三度も訪れたことから、目上の人が礼を尽くして人に仕事を依頼すること。

5×　逃げ出した羊を追いかけているうちに、分かれ道の多いところでついに羊を見失ったという故事が転じて、方針が多すぎてどれを選んでよいかわからないこと。

問7 次のA～Eの「ことわざ」と似た意味をもつものを、それぞれ下のア
check√ ～クから選ぶ場合、正しい組み合わせを1～5の中から一つ選びなさい。
□□□

A　あとは野となれ山となれ
B　虻蜂捕らず
C　急がば回れ
D　馬の耳に念仏
E　蛙の子は蛙

ア　急いては事を仕損じる
イ　瓜の蔓に茄子はならぬ
ウ　枯れ木も山のにぎわい
エ　二兎を追う者は一兎をも得ず
オ　帯に短し襷に長し
カ　犬に論語
キ　旅の恥はかき捨て
ク　井の中の蛙

```
    A  B  C  D  E
1   キ  エ  ア  カ  イ
2   エ  イ  ア  カ  ク
3   エ  キ  オ  カ  ク
4   キ  エ  オ  カ  イ
5   エ  キ  ア  ウ  イ
```

問8 四字熟語として適切に漢字が使ってあるものを、次の1～5の中から一
check√ つ選びなさい。
□□□

1　厚顔無知
2　絶対絶命
3　快刀乱磨
4　同口異曲
5　粉骨砕身

問7　正解 1

A　「あとは野となれ山となれ」は、「今さえよければ、これから先はどうなってもかまわない」の意。キの「旅の恥はかき捨て」は、「旅先では知っている人がいないから、どんなことをしても恥にはならない」の意。

B　「虻蜂捕らず」は、「二つのものを同時に獲得しようとして結局両方とも得られない」の意。「二つのもの」を「二兎」とすれば、エがほぼ同義となる。

C　「急がば回れ」は、「危険な近道より、たとえ迂回路でも安全な道を通ったほうが、結局は早い」の意。アの「急いては事を仕損じる」は、「あまり事を急ぐとかえって失敗を招きがちだ」の意。

D　「馬の耳に念仏」は、「いくら言い聞かせても無効なこと」。カの「犬に論語」は、「道理を言い聞かせても効果のないこと」。

E　「蛙の子は蛙」は、「何事に関しても子は親に似るものだ」の意。イの「瓜の蔓に茄子はならぬ」は、「平凡な親から非凡な子は生まれない」の意。

　　残りの「枯れ木も山のにぎわい」は、「つまらないものでも無いよりはまし」のたとえ。

　　「帯に短し襷に長し」は、「中途半端で役に立たないこと」。

　　「井の中の蛙」は、「世間知らず・狭い見識のこと」。

したがって、正しい組み合わせは 1 である。

問8　正解 5

1×　「無知」を「無恥」と直す。「こうがんむち」と読む。意味は「恥を知らず厚かましいこと」。

2×　「絶対」を「絶体」に直す。「ぜったいぜつめい」と読む。意味は「体も命も極まれるほどの逃れようのない状態にあること」。「絶対」は「比較するもののないこと」の意の哲学用語で、反対語は「相対」である。

3×　「乱磨」を「乱麻」に直す。「かいとうらんま」と読む。意味は「もつれた麻糸を切れ味のよい刃物で絶つように難問を解決すること」である。

4×　「口」を「工」に直す。「どうこういきょく」と読む。意味は「見かけは異なっているが中身は同じこと」である。

5〇　「ふんこつさいしん」と読む。「骨を粉にし身を砕くほど、力の限り努力すること」。

問 9　次のア〜エの下線部のうち、適切でないものがいくつあるか、1〜5の
check√
☐☐☐　中から選びなさい。

　ア　（社外からの電話に対し）〇〇部長は今社内には<u>いらっしゃいません</u>。
　イ　（訪問先の会社の受付で）〇〇部長は<u>おりますか</u>。
　ウ　（試着室で店員から）こちらのお洋服、<u>お召しになりますか</u>。
　エ　（社員が社長に対して）お手元の書類、<u>ご覧になってください</u>。
　オ　（部下が上司に対して）そろそろ結果を発表<u>なさってください</u>。

　　1　1つ
　　2　2つ
　　3　3つ
　　4　4つ
　　5　5つ

問 10　次の語句の組み合わせのうち、すべて対義語となっているものを一つ選
check√
☐☐☐　びなさい。

　　1　一般⇔特殊　　婉曲⇔露骨　　倹約⇔浪費
　　2　主張⇔義務　　具体⇔抽象　　軽蔑⇔尊敬
　　3　故意⇔任意　　攻撃⇔防御　　肯定⇔否定
　　4　自然⇔機械　　質疑⇔応答　　自由⇔束縛
　　5　主観⇔客観　　創造⇔破壊　　分析⇔蒐集

問9　正解 2

ア×　「おりません」が正しい。日本では、組織外に対して組織内の上下関係は持ち込まず、組織外へ敬意を払うのを優先するので、○○部長が発語者の上司であっても、組織外に対しては尊敬語ではなく謙譲語を使う。

イ×　「いらっしゃいますか」が正しい。訪問者は訪問先の会社を敬う必要があるので、自分の行為は謙譲語、会社には尊敬語を使う。

ウ○　「お召しになる」は「着る」の尊敬語である。「着られる」でも可だが、「れる・られる」という助動詞は「尊敬」の他、「受身」「可能」「自発」にもなるやっかいさがある。また、「お〜になる」として尊敬語が作れる場合があるが、「お着になる」は不自然。

エ○　「ご覧になる」は「見る」の尊敬語。「見る」の謙譲語は「拝見する」である。

オ○　「なさる」は「する」の尊敬語。「する」の謙譲語は「いたす」で、「部長、後の始末は私がいたします」のように使われる。

問10　正解 1

1○　「一般」は「普通であること」「広く認められ成立すること」で、「特殊」は「普通とは異なること」。「婉曲」は「表現などを遠回しにすること」、つまり「露骨ではないこと」。「露骨」は「むきだし」。「倹約」は「無駄使いしないこと」。したがって、「浪費」の対義語となる。

2×　「義務」の対義語は「権利」。「具体」は「全体を具えていること」で、「抽象」は「事象・表象からある側面・性質を引き出して把握すること」。「抽」には「抜く」の意味がある。

3×　「故意」の対義語は「過失」。「任意」は「自由意思に任せること」。似たことばに「随意」がある。

4×　「自然」の対義語は「人工」。「自由」の対義語は「不自由」ではなく、「自由を奪う」という意味で「束縛」になる。

5×　「創造」は「新たに物を造ること」なので、対義語は「模倣」になる。「破壊」の対義語は「建設」。「分析」は「事物を分解して、その成立要素を明らかにすること」。その対義語「総合」は「個々別々のものを一つに合わせてまとめること」。

問 11　下の古文の下線部は時刻と方位を表している。正しい組み合わせのもの
check✓
□□□　を１〜5の中から選びなさい。

「（**ア**）戌の時ばかり、都の（**イ**）たつみより火出で来て、（**ウ**）いぬゐに
至る」

	（**ア**）	（**イ**）	（**ウ**）
1	午後八時	東南	北西
2	午後八時	北東	南西
3	午後八時	東南	南西
4	午後七時	北東	北西
5	午後七時	東南	南西

問 12　例文の中から下線部が副詞でないものはいくつあるか、１〜5の中から
check✓
□□□　選びなさい。

ア　まさに今がチャンスだ。
イ　すでに客は到着している。
ウ　穏やかにうなずいた。
エ　しきりに催促する。
オ　駄犬はむやみに吠える。
カ　母はゆっくり歩く。
キ　たぶん名前を知らないだろう。
ク　とても厳しい。

1　1つ
2　2つ
3　3つ
4　4つ
5　5つ

問11　正解 1

（ア）「戌」は「いぬ」と読む。古時計では時刻を十二等分して、それぞ
れを「一刻」とする。現代の時間では2時間、角度にすると30度で
ある。すなわち、「子」「丑」「寅」「卯」「辰」「巳」「午」「未」「申」「酉」
「戌」「亥」で、「子」が23時から1時の間を示す。以下、同様に円の
周りをめぐるのである。これにより、「戌」は19時から21時という
ことになる。つまり、「午後八時」頃となる。

（イ）「たつみ」は「巽」と書く。古時計でいう「辰」と「巳」の間が「巽」
の方角だから、「東南」ということになる。方角で大事なのは「艮（＝
うしとら）」「巽（＝たつみ）」「坤（＝ひつじさる）」「乾（＝いぬゐ）」
である。「丑」と「寅」の間の「艮」（＝うしとら）は北東。「未」と「申」
の間の「坤」（＝ひつじさる）は南西。「戌」と「亥」の間の「乾」（＝
いぬゐ）は「北西」。

（ウ）「乾」は上記したように「北西」。

したがって、正しいものの組み合わせは1である。

問12　正解 2

副詞でないものはウとオ。どちらも形容動詞の連用形である。

副詞には3種類ある。「程度の副詞」「状態の副詞」「呼応（陳述）の副
詞」である。

「程度」の副詞は、どのくらいかという程度を表すもので、たとえば、「とて
も」「やや」「かなり」「非常に」「ごく」「ずいぶん」などである。

「状態の副詞」は、どんなふうかを表すもので、たとえば、「ゆっくり」
「のろのろと（擬態語）」「ピシャリと（擬声語）」などである。

「呼応（陳述）の副詞」は、呼応する文節に一定の表現を要求するもの
で、たとえば、「決して・まったく・少しも〜ない（打消しの語と呼応）」
「もし・たとえ・かりに・いくら〜ても（仮定条件と呼応）」「まるで・ちょ
うど・あたかも〜ように（たとえの語と呼応）」「たぶん・おそらく〜だ
ろう(推量の語と呼応)」「よもや・まさか〜まい(打消し推量と呼応)」「きっ
と〜だ（断定の語と呼応）」「なぜ〜か（疑問の語と呼応）」などである。

問13 作品とその書き出しの組み合わせとして誤っているものを一つ選びなさ
check√
□□□ い。

1　『破戒』——— 蓮華寺では下宿を兼ねた。瀬川丑松が急に転宿を思
い立って、借りることにした部屋というのは…。

2　『草枕』——— 山路を登りながら、こう考えた。智に働けば角が立
つ。情に棹させば流される。意地を通せば窮屈だ。
兎角に人の世は住みにくい。

3　『舞姫』——— 石炭をば早や積み果てつ。中等室の卓のほとりはい
と静かにて……。

4　『蜘蛛の糸』— 或日の事でございます。御釈迦様は極楽の蓮池のふ
ちを、独りでぶらぶら御歩きになっていらっしゃい
ました。

5　『斜陽』——— 恥の多い生涯を送って来ました。自分には、人間の
生活というものが、見当つかないのです。

解答・解説

問13　正解5

1○　『破戒』は、島崎藤村の作品。未解放部落出身の瀬川丑松が主人公で、
その懊悩がテーマとなっている。藤村には『夜明け前』という重要な作品も
ある。また彼は、『若菜集』という詩集を出した詩人でもあった。

2○　『草枕』は、夏目漱石の短編小説。青年画家と才気に溢れた女性との出
会いが、山里の情景を背景にしながら描かれる。

3○　『舞姫』は、森鷗外が自身のドイツ留学の体験をもとに、エリート青年
の近代的自我とその挫折を描いた浪漫主義的作品である。

4○　『蜘蛛の糸』は、芥川龍之介の作品。かつて善い行いをした盗人を地獄
からお釈迦様が助けてやろうとするが、再び邪悪な行為に及んだので救われ
ない話である。

5×　これは太宰治の『人間失格』の書き出しである。『斜陽』の書き出しは、
「朝、食堂でスウプを一さじすっと吸ってお母さまが、『あ。』と幽かな叫び
をお挙げになった。」である。

国　語

問14 次作品とその書き出しの組み合わせとして誤っているものを一つ選びな
check✓
□□□ さい。

1　臣安万侶言す。夫れ混元既に凝りて、気 ―― 『日本書紀』
象未だ効れず。名も無く為も無し。誰かそ
の形を知らむ。

2　やまと歌は人の心を種として、よろづの ―― 『古今和歌集仮名序』
言の葉とぞなれりける。

3　男もすなる日記といふものを、女もして ―― 『土佐日記』
みむとてするなり。

4　いづれの御時にか、女御更衣あまたさぶ ―― 『源氏物語』
らひ給ひける中に、いとやむごとなききは
にはあらぬが

5　月日は百代の過客にして、行きかふ年も ―― 『おくのほそ道』
また旅人なり。

解答・解説

問14　正解 1

1×　これは『古事記』の冒頭。「安万侶」とは撰録者の「太 安万侶」のこと。
『古事記』は奈良時代の712年に成立した、現存日本最古の文学的史書である。
『日本書記』も奈良時代に書かれた歴史書で、舎人親王の撰である。

2○　これは『古今和歌集』の冒頭にある「仮名の序文」である。紀貫之が書
いたものだが、和歌について論じた日本最初の文学評論ともいわれたりする。

3○　『土佐日記』は紀貫之の作品で、日本最古の日記である。当時は男が漢
字をもっぱらとし、仮名は女性が書くものとされていたので、貫之は自分を
女に仮託して書いている。任国の土佐から京へ戻る船旅の日記である。

4○　『源氏物語』は紫式部の長編物語である。主人公光源氏を中心に、貴族
社会の女性との恋愛遍歴を描いたものである。物語の本質を表す文学理念は
「もののあはれ」である。

5○　『おくのほそ道』は松尾芭蕉の紀行文。元禄2年3月に江戸深川を出発し、
門人曽良とともに奥州を行脚し、北陸へ行き、岐阜大垣に至るまでの足跡が
記されている。

問 15　次の文章を読んで後の設問に答えなさい。
check√
□□□

　　大衆消費社会では、人々は、モノによってしかセルフ・アイデンティティ
を確認できないと述べた。〔　ア　〕、人々は、モノを買うことによって、
自分自身をいわば鏡に映すようにみようとしている。本当に関心があるの
は、モノそれ自体というより、それを身につけ、使い、所有する自分自身
なのである。いってみれば、欲望の対象が自分自身になってしまう。社会
は自分の姿を映しだす鏡だ。モノはそのための〔　Ａ　〕なのである。

　　欲望の「外爆発」の時代には、人は、自分の「外部」にあって容易には
手にはいらないものを欲望の対象とした。今世紀の、欲望の「内爆発」の
時代になると、人は他人をみながら、あるいは過去の自分をみながら、そ
れよりよいモノを求めた。しかし、それも (a) <u>ホウワ</u>状態に近づくと、
人は、いわば自分自身を欲望の対象にする。

　　〔　イ　〕、ファッション。いつの時代もファッションは自己満足的な商
品である。しかし、六〇年代、七〇年代には、ファッションをリードする
モデルがあった。アメリカでは映画スターや上流の社交階級がこのモデル
を提供し、人々はそれを追いかけていた。日本でも同様である。日本では
ニューヨークやパリのモードがこのモデルであった。

　　〔　ウ　〕八〇年代のいわゆる DC ブランドものがブームになった頃か
ら、このようなモデルの役割は急速に低下していった。それぞれが自分の
気に入ったデザインのブランドを選ぶ。モデルは自分自身なのである。

　　〔　エ　〕ファッションは、本質的に、自分を何か別のものにみせよう
とする装置ではある。上流の「ふりをする」、芸術家の「ふりをする」、お
嬢さんの「ふりをする」。しかし、この「ふりをする」ゲームのゆきつく
先は、自分自身の「ふりをする」ということだ。ファッションによって「自
分自身を発見する」とか、「本当の自分」を表現するファッションを選ぶ、
という。

　　〔　　　　　　　　Ｂ　　　　　　　　〕

（佐伯啓思「『欲望』と資本主義」講談社現代新書）

**【1】　空欄〔　ア　〕～〔　エ　〕に当てはまる言葉の組み合わせとして
最も適当なものを選びなさい。**

	ア	イ	ウ	エ
1	したがって	いわゆる	ところで	もちろん
2	いいかえると	たとえば	ところが	もちろん
3	したがって	たとえば	ところで	じっさい
4	いいかえると	たとえば	ところが	じっさい
5	いいかえると	いわゆる	ところが	じっさい

【2】 傍線部（a）を漢字に直しなさい。

【3】 空欄〔 A 〕に入る言葉を選びなさい。
1 相互浸透
2 媒介装置
3 欺瞞処理
4 自己幻想
5 獲得手段

【4】 空欄〔 B 〕に入る一文を選びなさい。
1 そしてファッションの数だけ「本当の自分」がある。
2 そしてぴったりしたファッションの中にこそ「本当の自分」はある。
3 だが「本当の自分」に社会のいたるところに遍満している。
4 だが「本当の自分」は「ふりをする」自分である。
5 だが「本当の自分」などというものはどこにもない。

解答・解説

問15 正解 【1】2 【2】飽和 【3】2 【4】5

【1】「人々は、モノによってしかセルフ・アイデンティティを確認できない」
を換言すると、「人々はモノを買うことによって、自分自身をいわば鏡に映す」
になるので、〔 ア 〕は「いいかえると」になる。
　「ファッション」は例示なので、〔 イ 〕は「たとえば」になる。
　〔 ウ 〕は、「日本ではニューヨークやパリのモードがこのモデルであっ
た」のが「このようなモデルの役割は急速に低下していった」のだから、逆
接の「ところが」になる。
　〔 エ 〕を含む次のセンテンスの冒頭は「しかし」である。よって、「も
ちろん〜。しかし」の構文を思い浮かべることができるので、〔 エ 〕
には「もちろん」が入る。

【3】「欲望の対象が自分自身」になり、「社会は自分の姿を映しだす鏡」になり、
「モノ」はそのための仲立ちである。よって、「媒介装置」が入る。

【4】最大の決め手は、「自分自身の『ふりをする』」という表現である。これ
により、著者は「『本当の自分』などはどこにもない」と考えていることが
わかる。

問16 次の文章を読んで以下の問いに答えなさい。

　丹波に出雲と云ふ所あり。大社を移して、めでたく造れり。しだのな
がしとかや（**ア**）しる所なれば、秋の比、聖海上人、その外も、人数多
さそひて、（**A**）「いざ給へ、出雲拝みに。かひもちひ召させん」とて、具
しもて行きたるに、各拝みて、ゆゝしく信おこしたり。御前なる獅子・
狛犬、背きて、後さまに立ちたりければ、上人いみじく感じて、「あなめ
でたや。この獅子の立ちやう、いとめづらし。深き故あらん」と涙ぐみて、
「いかに殿原、殊勝の事は御覧じとがめずや。無下なり」と言へば、各怪
しみて、「誠に他にことなりけり。都のつとに語らん」など言ふに、上人
なほ（**イ**）ゆかしがりて、（**ウ**）おとなしく物知りぬべき顔したる神官を
呼びて「この御社の獅子の立てられやう、定めて習ひあることに侍らん。
ちと（**エ**）承はらばや」と言はれければ、「その事に候ふ。さがなき童
どもの仕りける、奇怪に候ふことなり」とて、（**B**）さし寄りて、据ゑなほ
して往にければ、（**C**）上人の感涙いたづらになりにけり。

（吉田兼好「徒然草」）

【1】 空欄（ア）〜（エ）の訳の組み合わせとして最も適当なものを選び
なさい。

	（ア）	（イ）	（ウ）	（エ）
1	治める	懐かしくて	年配で思慮深そうな	聞いてほしい
2	治める	知りたくて	年配で思慮深そうな	聞いてほしい
3	治める	知りたくて	年配で思慮深そうな	お聞きしたい
4	知っている	知りたくて	おとなしくて	お聞きしたい
5	知っている	懐かしくて	おとなしくて	お聞きしたい

【2】 傍線部（A）は誰の言葉ですか。
1　しだのなにがし
2　聖海上人
3　御前
4　神官
5　殿原

【3】 傍線部（B）は誰の行動ですか。
1　しだのなにがし
2　聖海上人

3　御前
4　神官
5　殿原

【4】 傍線部（C）「上人の感涙」が「いたづらに」なったのはなぜですか。
1　単に出雲地方の風習に過ぎないと分かったから。
2　神官の言い方がいかにもそっけなかったから。
3　ぼた餅のことが話題にのぼらなかったから。
4　子どもたちがした単なるいたずらとわかったから。
5　深いわけのあることをしたのが子どもたちだとわかったから。

【5】 次の随筆を古い順に正しく並べたものを、次の1〜5のうちから選びなさい。
1　折たく柴の記 → 方丈記 → 徒然草 → 枕草子
2　枕草子 → 方丈記 → 徒然草 → 折たく柴の記
3　枕草子 → 徒然草 → 方丈記 → 折たく柴の記
4　方丈記 → 徒然草 → 折たく柴の記 → 枕草子
5　方丈記 → 折たく柴の記 → 枕草子 → 徒然草

解答・解説

問16　正解　【1】3　【2】2　【3】4　【4】4　【5】2

【1】（ア）「しる」は「領る」「治る」「知る」などとも書き、意味は「治める」である。
　　（イ）形容詞「ゆかし」は重要単語で、「見たい・知りたい・聞きたい・何となく心がひかれる」。「ゆかしがる」は動詞になったもので、文脈上の意味は「知りたい」である。
　　（ウ）「おとなし」は、「思慮分別に富む・穏やかだ・大人びている」で、「おとなしい」という意味はない。
　　（エ）「未然＋ばや」の「ばや」は終助詞で、意味は「〜たいものだ」である。
【2】「その外も、人あまた誘ひて」の主体が「聖海上人」で、台詞も彼のもの。
【3】直前の台詞を言う人がした行動なので、「神官」になる。
【4】その前に「さがなきわらはべども仕りける、奇怪に候ふことなり」（＝いたずらな子どもたちがしたことで、けしからんことです）とある。
【5】『枕草子』は平安時代（1000頃）。『方丈記』は鎌倉初期。『徒然草』は鎌倉末期。『折たく柴の記』は江戸時代。

問 17　次の文章を読んで以下の問いに答えなさい。
check√
□□□

　　〔　A　〕朔日、御山に詣拝す。往昔此御山を「二荒山」と書しを、空海大師開基の時、「日光」と改給ふ。千歳未来をさとり給ふ(B)にや、今此御光一天にかゝやきて、恩沢八荒にあふれ、四民安堵の栖、穏なり。猶、憚多くて、筆をさし置ぬ。

　　あらたうと青葉若葉の〔　C　〕

　　黒髪山は〔　D　〕かゝりて雪いまだ白し。

　　剃捨て黒髪山に衣更　　曾良

　　曾良は河合氏にして惣五郎と云へり。芭蕉の下葉に軒をならべて、(E)予が(F)薪水の労をたすく。このたび松しま・象潟の眺共にせん事を悦び、且は羈旅の難をいたはらんと、旅立暁、髪を剃て墨染にさまをかえ、惣五を改て宗悟とす。仍て黒髪山の句有。「衣更」の二字力ありてきこゆ。
　　廿余丁、山を登つて滝有。岩洞の頂より飛流して百尺千岩の碧潭に落たり。岩窟に身をひそめ入て、滝の裏よりみれば、うらみの滝と申伝え侍る也。

(G)暫時は滝に籠るや夏の初

【1】　空欄〔　A　〕に入る旧暦の月はどれですか。
1　睦月　　　　2　如月　　　　3　弥生　　　　4　卯月　　　　5　皐月

【2】　傍線部(B)の訳として適当なものを選びなさい。
1　であろうか　　　　2　であろう
3　ではないか　　　　4　だったではないか
5　である

【3】　空欄〔　C　〕に入るのに最も適当な言葉を選びなさい。
1　木漏れ日　　　　2　月の光　　　　3　日の光
4　稲光　　　　　　5　葉の光

【4】 空欄〔 D 〕に入る最も適当な雨冠の言葉を選びなさい。
1 霞　　2 雷　　3 霧　　4 露　　5 霰

【5】 傍線部 (E) の「予」とは誰ですか。フルネームを漢字で書きなさい。
また本作品名を漢字で書きなさい。

【6】 傍線部（F）はどういう意味ですか。
1　旅の労苦
2　人生の労苦
3　身体の悪いこと
4　精神の悪いこと
5　台所仕事

【7】 傍線部（G）の読み方として最も適当なものを選びなさい。
1　ざんじ　　　2　ぜんじ　　　3　しばらく
4　しばしば　　5　しばし

<hr>

解答・解説

問 17　正解　【1】 4　【2】 1　【3】 3　【4】 1
**　　　　　　　【5】 松尾芭蕉　おくのほそ道**
**　　　　　　　【6】 5　【7】 3**

【1】「剃捨て黒髪山に衣更」の中の「衣更」に着目。この日は夏の第一日（4月1日）で「衣更」の日というわけである。
【2】「にや」の後に「あらん・ありけん」が省略された定番表現で、「であろうか」あるいは「だったろうか」と訳す。
【3】 文中に「日光」があり、青葉若葉が光る様なので、「日の光」になる。
【4】 地上は「青葉若葉」の夏だが、「黒髪山」は「雪いまだ白し」、つまり「残雪」があり、季節は「春」なので「霞」になる。季語でいうと、「雷」は夏。「霧」「露」は秋。「霰」は冬である。
【5】「このたび松しま・象潟の眺 共にせん事」から、東北を歩いているので作品は松尾芭蕉の『おくのほそ道』とわかる。また、「曾良」は芭蕉の弟子である。
【6】「薪水」とは「たきぎと水」のことで、広く「炊事（台所仕事）」を意味する。
【7】「暫時」は正しくは「ざんじ」だが、「ざんじは」では意味が通らないし、五七五のリズムに照らし合わせると、「しばらく」と読むのが妥当なことが推察される。ちなみに、歌舞伎の演目で「しばらく」と読ませる「暫」がある。

英　語

以下の記述を読み、正しいものには〇、誤っているものには×をつけよ。

問1
check√
□□□
Mary and I am good friends.（メアリーと私は仲の良い友人だ。）

問2
check√
□□□
I saw many ladies walking on the street yesterday. One of them were Nancy's friend.（私は昨日、通りで女性が歩いているのを見た。そのうちの一人はナンシーの友達だった。）

問3
check√
□□□
She studys English every day before she goes to school.（彼女は毎日、学校に行く前に英語を勉強している。）

問4
check√
□□□
The bird flied very high in the sky.（その鳥は、とても空高く飛んだ。）

問5
check√
□□□
What do you say "conference" in Japanese?（"conference" は日本語では何と言いますか。）

問6
check√
□□□
年号 "1988" は、"nineteen eighty eight" と読む。

問7
check√
□□□
電話番号 "3285-7463" は、"thirty-two eighty-five - seventy-four sixty-three" と読む。

問8
check√
□□□
"Mariko should complete this job by next Monday." を受動態に直すと、"This job should be completed by Mariko by next Monday." となる。

問9
check√
□□□
"The board members elected Mr. John Chairman." を受動態に直すと、"Mr. John Chairman was elected by the board members." となる。

問10
check√
□□□
This car what I purchased three weeks ago was broken this morning.（私が三週間前に購入したこの車は、今朝故障した。）

問11
check√
□□□
Mary whose father is Canadian can speak Japanese and English.（父親がカナダ人のメアリーは、日本語と英語が話せる。）

解答・解説

問1 ✕
be 動詞の複数形現在は are、過去形は were である。I に惑わされないように。

問2 ✕
"One of them" は、「彼女らの中の一人」なので、三人称単数で was である。

問3 ✕
三人称単数の動詞の語尾で、子音＋ y は、y を i に変えて -es をつける。よって、"study" は、"studies" となる。

問4 ✕
"fly" の過去形は、"flew" である。日常的に頻繁に使われるものほど動詞は不規則に活用するので注意。

問5 ✕
日本語では、「何と言いますか」と訊くが、英語では「どのように（How）言いますか」と表現する。

問6 ○
年号は 100 の位と 10 の位で区切って読む。

問7 ✕
電話番号は数字を 1 字ずつ読む。よって、"three two eight five - seven four six three" と読む。

問8 ○
受動態の作り方は、「目的語を主語にして be 動詞＋過去分詞＋ by ＋能動態の主語」である。ここでは、助動詞 should があるので、should の後の be 動詞は原形の "be" になる。

問9 ✕
目的格に補語がある場合（この文では Chairman）、補語は主語にはならないので、そのままにしておく。よって、"Mr. John was elected Chairman by the board members. "（ジョン氏は役員会で会長に選出された。）となる。

問10 ✕
先行詞が「事物」で、それが導く節の中では「目的格」なので、関係代名詞は "what" ではなく "which" を用いる。

問11 ○
先行詞 Mary は、それが導く節の中では「所有格」（her）なので、関係代名詞は "whose" を用いる。

英 語

以下の記述を読み、正しいものには〇、誤っているものには×をつけよ。

問12 check√ □□□
The U.S.A. is the first foreign country to which my grandfather visited when he was young. （祖父が若かりし頃、アメリカは祖父が最初に訪れた外国だった。）

問13 check√ □□□
Now I understand why did Mark have to come late yesterday. （マークが昨日なぜ遅れて来なければならなかったか今わかった。）

問14 check√ □□□
I waited for her for an hour in the coffee shop. （私はそのコーヒーショップで彼女を一時間も待ち続けている。）

問15 check√ □□□
You （　　） be very tired. （あなたはとても疲れているに違いない。）の（　　）には、must が入る。

問16 check√ □□□
My elder sister has （　　） in Europe since the end of October. （私の姉は10月末からずっとヨーロッパにいます。）の（　　）には、been が入る。

問17 check√ □□□
Have you ever （　　） to America? （あなたはこれまでに、アメリカに行ったことがありますか。）の（　　）には、gone が入る。

問18 check√ □□□
"I will visit my sister next week to look after her children." は、「私は姉の子供の面倒をみるために、来週姉を訪ねる。」という意味である。

問19 check√ □□□
"It is not permitted to smoke in this room." は、「この部屋でたばこを吸うために、それは許可されていない。」という意味である。

問20 check√ □□□
I am waiting for your reply by E-mail. （私は今、あなたからのE-メールの返事を待っているところだ。）

問21 check√ □□□
"We are going to discuss our company's marketing strategy." は、「我々は、我が社のマーケティング戦略について討論をしに行くところだ。」という意味である。

問22 check√ □□□
Tom's T-shirt is larger than mine. （トムのTシャツは私のより大きい。）

50

問 12
×
visit は他動詞で、at や to はとらない。また、"the first" などの序数詞、最上級の形容詞がついている場合は、関係代名詞 "that" が好んで使われる。よって、"to which" ではなく "that" でつなぐ。

問 13
×
間接副詞 why の後は、平叙文の語順になる。"Now I understand why Mark had to come late yesterday."
「have to ＋ V 原型＝ V をしなければならない」

問 14
×
現在までの動作の継続を表すときには、現在完了進行形 "have ＋ been ＋ -ing" を用いる。"I have been waiting for her for an hour in the coffee shop."

問 15
○
助動詞 must には、「〜に違いない」という意味がある。

問 16
○
現在完了形は "have（has）＋過去分詞" の形で表す。設問文では、状態の継続を表し、「（今まで）ずっと〜である」の意である。

問 17
×
現在完了を用いて経験を表す場合は、"been" が入る。"gone" は結果を表し、「行ってしまった」という意味になる。

問 18
○
to 不定詞の副詞的用法の一つで、目的を表す。"look after 〜 " は、「〜の面倒をみる」という意味。

問 19
×
It は仮主語で、真主語は to 以下。to 不定詞の名詞的用法であり、「この部屋で喫煙することは許可されていない。」という意味である。

問 20
○
現在進行形は、be 動詞＋ -ing でつくり、現在進行中の動作を表す。過去進行形をつくる場合は、be 動詞を過去形にする。

問 21
×
"be going to" は口語でよく用いられ、近い未来、予定などを表す。よって、「我々は近々、我が社のマーケティング戦略について討論をする。」という意味である。to の後は動詞の原形を伴う。

問 22
○
比較級をつくるときは、一音節の形容詞・副詞の場合原形に -er をつける。mine は所有代名詞で、私の物の意。この場合は、my T-shirt を指す。

英 語

以下の記述を読み、正しいものには〇、誤っているものには×をつけよ。

問23
check✓
□□□

In this town there was used to having an old building called "haunted house". (この町にはかつて「お化け屋敷」と呼ばれた古い建物があった。)

問24
check✓
□□□

A parcel my mother sent by domestic courier last week may be delivered by now. (先週、母が宅配便で送ってくれた小包は、もう届いていてもいいはずだが届いていない。)

問25
check✓
□□□

You don't have to finish this assignment by tomorrow. (あなたは明日までにこの課題を終わらせる必要はない。)

問26
check✓
□□□

She ( ) pass an entrance exam, or she ( ) fail. (彼女は入試に受かるかもしれないし、落ちるかもかもしれない。) の ( ) には、can が入る。

問27
check✓
□□□

He looks very old, but he ( ) not be over thirty. (彼は年をとって見えるが、30 歳を超えているはずがない。) の ( ) には、can が入る。

問28
check✓
□□□

I recognize his face. I ( ) have met him before. (彼の顔に見覚えがある。前に会ったことがあるに違いない。) の ( ) には、could が入る。

問29
check✓
□□□

Ann enjoys to cook Japanese food for her mother. (アンは、彼女の母親に日本料理をつくるのが楽しい。)

問30
check✓
□□□

The lady shaken hands with Mr. Brown is Ms. Yamaguchi. (ブラウン氏と握手をしている女性は山口さんだ。)

問31
check✓
□□□

No knowing what to do, I just sat there for an hour. (何をしたらよいかわからなかったので、私はただ、そこに 1 時間座っていた。)

問32
check✓
□□□

The city where he was born is located at the center of Japan. (彼が生まれた街は日本の中央にある。)

問 23
×
"used to 動詞の原形 " で、過去の習慣・状態を表す。"be used to -ing" は、「〜に慣れている」の意である。よって、"In this town there used to be an old building called "haunted house"." である。

問 24
×
"should have ＋過去分詞 " で、「〜するはずだ・するべきであった（でも実際にはしていない）」の意となる。よって、"A parcel my mother sent by domestic courier last week should have been delivered by now." である。

問 25
○
「〜する必要はない」は、"do not ＋ have to 動詞の原形 "。

問 26
×
この場合、may が入る。助動詞 may の推量・可能性は can よりも弱く、日本語では「〜かもしれない、〜だろう」くらいのニュアンス。

問 27
○
助動詞 can の否定文は、強い否定的推量「〜のはずがない」を表す。

問 28
×
この場合、must が入る。" 助動詞＋ have ＋過去分詞 " は、過去について現在の推量を表し、使う助動詞によって強さが異なる。must は当然の推量を表す助動詞なので、「〜したにちがいない」という意味になる。

問 29
×
enjoy は to 不定詞をとらないので、"Ann enjoys cooking Japanese food for her mother." となる。

問 30
×
動詞の性質をもちながら形容詞として用いるのが分詞である。能動的な内容の場合は、現在分詞（-ing）を用いる。この場合、彼女は「握手をしている」＝能動的な動作をしているので "shaking" である。

問 31
×
分詞構文は、接続詞などを用いるかわりに、分詞に導かれる節を使って文章を作る。分詞構文の表す意味は、文中から読み取る。分詞構文の否定文は、分詞の前に not をつける。よって、"Not knowing 〜 " となる。

問 32
○
この where は関係副詞で、接続詞と副詞の働きをする。先行詞が場所なので、where を用いる。この文章は、"The city which he was born in is located at the center of Japan. " と関係代名詞を用いて表現することもできる。

英　語

以下の記述を読み、正しいものには〇、誤っているものには×をつけよ。

問33
check√
□□□
Who is the fastest of all the athletes in that group?（そのグループのすべてのアスリートの中で一番速いのは誰か？）

問34
check√
□□□
Which city has little rainfall, Seattle or Tokyo?（シアトルと東京、降水量が少ないのはどちらか？）

問35
check√
□□□
The house was for "for sale" for more than two years when I purchased it.（私が購入するまでの２年以上、その家はずっと「売り家」のままだった。）

問36
check√
□□□
She showed me what she bought in the shopping mall.（彼女はショッピングモールで買った物を私に見せてくれた。）

問37
check√
□□□
He has forgotten to discuss this project completely.（彼はこのプロジェクトについて議論したことを完全に忘れてしまった。）

問38
check√
□□□
"Being rich, she was able to go abroad to study music." は、「金持ちになるために、彼女は外国で音楽を学んだ。」という意味である。

問39
check√
□□□
"The escaped prisoner was arrested by the brave policeman." は、「脱獄囚は勇敢な警官によって逮捕された。」という意味である。

問40
check√
□□□
If I was a student, I would go abroad for studying.（もし、私が学生だったら、外国に勉強に行くだろうに。）

問41
check√
□□□
If I had not spilled coffee in that coffee shop, we would not have got married.（もし、私がそのコーヒーショップでコーヒーをこぼしていなかったら、私たちは結婚していなかっただろう。）

問 33 ○ 比較の対象を表すときは、"of ＋比較の対象" や "in ＋比較の範囲" で表現することが多い。

問 34 × little の比較級 "less" を用いる。little は不規則変化で、"little less least"。ちなみに反対語は、"much more most"。

問 35 × 過去の状態・動作の継続を表しているので、過去完了 "had ＋過去分詞" で表す。よって、"The house had been for "for sale" for more than two years when I purchased it." である。

問 36 × 過去の一定時の動作よりも以前の動作・状態を表すときには、過去完了を用いる。彼女がショッピングモールで買ったのは、彼女が買ったものを見せたときよりもさらに前の過去（大過去）なので、過去完了にする。よって、"She showed me what she had bought in the shopping mall." また、buy は不規則動詞（buy bought bought）である。

問 37 × 「したことを忘れている」は、"forget ＋ -ing"。"forget ＋ to 不定詞" は、「するのを忘れる」の意。よって、"to discuss" は、"discussing" となる。

問 38 × 分詞構文で原因・理由を表す。よって、「彼女は裕福だったので、外国に音楽を学びに行くことができた。」である。なお、接続詞を用いる場合は、"as, since, because" などを用いる。

問 39 ○ 分詞の形容詞的用法である。"escape" のように、過去分詞を用いながら能動的な意味を表す自動詞もある。

問 40 × 仮定法過去は、現在の事実に反することを表すときに使う。「If 主語＋ were または過去形〜, 主語＋（would, could, might, should）＋動詞の原形〜」。be 動詞は、一人称でも "were" を用いる。よって、"If I was" は、"If I were" となる。

問 41 ○ 仮定法過去完了は、過去の事実に反することを表すときに使う。「If 主語＋ had ＋過去分詞〜、主語＋（would, could, might, should）＋ have ＋過去分詞〜」。よって、設問文は、「実際にはコーヒーをこぼしたので、（それが縁で）結婚した。」の意になる。

問 1
check√
□□□

次の英文を読んで以下の問いに答えなさい。

S : Hello.　This is the principal office of Fukasawa Elementary School.
　　May I help you?
B : Hello.　This is Bob Benson calling.
　　May I speak to Mr. Hayashi, the Principal of your school?
S : I am sorry, Mr. Hayashi is (　ア　) office.　He will be back next Monday.
　　Can I take a message?
B : Thank you.　I am (　イ　) teaching English as ALT at your school.
　　I believe that I can be the best candidate.
S : Are you seeking for an interview with him?
B : Yes.
S : In that case, may I have your phone number, please.
B : Thank you.　My phone No. is 445-3215.
S : Thank you for your call, Mr. Benson.

【1】（　ア　）と（　イ　）に入る語句として正しいものを、それぞれ選びなさい。
ア　a) at　　　　　　　b) in　　　　　　　c) out of
イ　a) bored with　　　b) interested in
　　　c) interesting in

【2】　Why is Mr. B. Benson calling?
a) Because he wants to be a student.
b) Because he wants to be a journalist.
c) Because he wants to be a teacher.

【3】　What is Mr. B. Benson going to do?
a) He is going to meet Mr. Hayashi.
b) He is going to write an article about Mr. Hayashi.
c) He is going to write a complaint letter to Mr. Hayashi.

問1 正解【1】ア c) イ b)
【2】c)
【3】a)

〔訳〕

S：もしもし、深沢小学校校長室です。どういったご要件でしょうか？

B：もしもし。ボブ・ベンソンと申します。そちらの学校の林校長先生 とお話がしたいのですが。

S：申し訳ございませんが、外出中でございます。来週の月曜日には戻 ります。ご伝言を承りましょうか？

B：ありがとうございます。私はそちらの学校で ALT として教えるのに 興味があります。最適な志願者と存じます。

S：面接をご希望ですか？

B：はい。

S：その場合、お電話番号をうかがってもよろしいでしょうか？

B：ありがとうございます。私の電話番号は 445-3215 です。

S：ベンソンさん、お電話ありがとうございます。

【1】 ア："out of ～" で「～の外へ」の意。"out of office" は外出中の ときに使う。

 イ："be interested in ～" で「～に興味がある」の意。"be bored with ～" は「～がつまらない」の意。

【2】 ベンソン氏は、ALT（Assistant Language Teacher：外国語指導助手） として教えるのに興味があるのだから、正解は c) である。

 candidate は「立候補者、志願者」。"seek for ～" で「～を捜す、 得ようとする」。

【3】 ベンソン氏は、林校長との面接を希望しているのだから、正解は a) である。interview には就職などの面談・面接の意もある。

 article は新聞や雑誌の記事。complaint letter は苦情の手紙。

問2 次の英文の（　ア　）～（　エ　）に入る語句の組み合わせとして正し
check√
□□□ いものを、1～5の中から一つ選びなさい。

I will（　ア　）Fujisawa Elementary School（　イ　）the first of
April. Mr. Watanabe will（　ウ　）my position. He will also be
（　エ　）basketball club.

ア	a) be transferring to	b) transfer to	c) be transferred to
イ	a) on	b) in	c) at
ウ	a) succeed in	b) succeed with	c) succeed to
エ	a) charge to	b) in charge of	c) charge off

	ア	イ	ウ	エ
1	c)	c)	a)	a)
2	a)	a)	b)	c)
3	b)	a)	a)	c)
4	b)	b)	a)	b)
5	c)	a)	c)	b)

問2　正解5

〔訳〕

　私は藤沢小学校に4月1日付で転勤になります。渡辺先生が私の席を引き
継ぎます。彼はバスケットボール部の担当者にもなります。

ア　c) be transferred to：“be transferred to ～ ”で「～に転勤する、異
動する」の意。

イ　a) on：“the first of April”は4月1日。日付の前置詞は“on”。

ウ　c) succeed to：“succeed to ～ ”で「～を引き継ぐ」。“succeed in ～ ”
は「～に成功する」である。

エ　b) in charge of：“in charge of ～ ”で「～の担当」。“charge to”は「費
用をつけにする」、“charge off”は「損失として記入する」。

　したがって、組み合わせとして正しいものは5である。

英語

国語

英語

日本史

世界史

地理

思想

芸術

政治

経済

国際関係

環境問題

数学

物理

化学

生物

地学

本試験型問題 　　　　　　　**英　語**

問 3 次の英文の（　ア　）～（　エ　）に入る語句の組み合わせとして正し
check✓
□□□ いものを、1～5の中から一つ選びなさい。

Since the bridge was still （　ア　） construction, we took （　イ　）
route to cross the river. On （　ウ　） side of the river, （　エ　）
shops were already closed.

ア　a) on　　　　　b) under　　　c) of
イ　a) others　　　b) other　　　c) another
ウ　a) the other　b) another　　c) other
エ　a) almost　　　b) most　　　c) most of

	ア	イ	ウ	エ
1	a)	a)	b)	c)
2	b)	c)	a)	c)
3	a)	b)	a)	c)
4	b)	a)	c)	b)
5	c)	c)	c)	a)

解答・解説

問 3　正解 2

〔訳〕

　その橋はまだ工事中だったので、私たちは別の道を通り、川を渡りました。
川の向こう側は、ほとんどの店がすでに閉まっていました。

ア　b) under：under は「～のもとに、～下で」の意。"under
construction" で「工事中」となる。
イ　c) another：another は「もう一つの、別の」の意。others は「不特
定多数の～する（～な）もの」。
ウ　a) the other：2 つのものを並べるとき、もう一方を "the other" で表す。
ここでは、川のこちら側と対岸。
エ　c) most of："most of ～" で「～の大部分は」の意。of の後は名詞、
名詞形がくる。

　したがって、組み合わせとして正しいものは 2 である。

59

問4 次の英文を読んで以下の問いに答えなさい。
check√
□□□

Nancy gets at 06:00 AM and has breakfast. After that, she takes 07:00-AM bus to work. She is a part-time-job worker at Ishikawa Law Office. Her hourly wage is 920 yen. She usually works for 6 hours every day from Monday to Friday.
Today, she has an appointment with her Japanese friend, Kyoko. So, she will work only for 4 hours.

【1】 What is her job?
a) lawyer　　b) office clerk　　c) banker

【2】 How much does she earn weekly?
a) ¥27,600　　b) ¥37,800　　c) ¥18,000

【3】 What does she have with Kyoko today?
a) an appointment　　b) an interview　　c) a contract

【4】 次の文の（　　）に入る語句として正しいものを選びなさい。
Today's Nancy's wage is （　　） of a regular day.
a) two thirds　　b) three fifths　　c) three quarters

問5 次の各文が説明しているものを、それぞれ選びなさい。
check√
□□□

【1】 A person trained in exercises and games requiring physical strength and skill
a) athlete　　b) astronaut　c) architect

【2】 A game played with a ball without using hands by two teams consisting of eleven persons
a) American football　　b) rugby football　　c) soccer

【3】 A person who makes music
a) competitor　　b) composer　　c) completist

【4】 A musical instrument play with a bow
a) flute　　b) violin　　c) trumpet

問4　正解【1】b)　【2】a)　【3】a)　【4】a)

〔訳〕
　ナンシーは6時に起きて朝食をとります。それから、7時のバスに乗り、働きに行きます。彼女は石川弁護士事務所のパート事務員です。時給は920円です。通常月曜日から金曜日まで毎日6時間勤務します。
　今日は日本人の友人、京子との約束があります。ですから、4時間だけ働きます。

【1】　ナンシーの職業は弁護士事務所のパート事務員だから、office clerk 事務員が正解である。lawyer は弁護士、banker は銀行員。

【2】　ナンシーの時給は920円で、毎日6時間・週5日勤務だから、920 × 6 × 5 = 27600。週に¥27,600の稼ぎとなる。wage は賃金、earn は働いて稼ぐこと。

【3】　appointment は、今ではすっかり日本語として使われている。日時・場所を決めて会う約束、予約のこと。contract は契約、契約書である。

【4】　いつもは1日6時間働くナンシーだが、今日は約束があるので4時間勤務である。つまり、いつもの3分の2なので、"two thirds"である。分数の読み方は、分子を基数、分母を序数で読む。また、日本語とは反対に、分子から読んでいく。分子が2以上の場合は、分母を複数形にする。

問5　正解【1】a)　【2】c)　【3】b)　【4】b)

【1】〔訳〕身体的強さと技術を求められ、練習やゲームで鍛えられている人：athlete「運動選手」である。astronaut は「宇宙飛行士」、architect は「建築家」。

【2】〔訳〕1チーム11人で構成され、2チームで手を使わずにボールを用いてするゲーム：soccer「サッカー」である。
"consisting of ～"で「～で成っている」。

【3】〔訳〕音楽を創る人：composer「作曲家」である。
competitor は「競合者・競争相手」、completist は「完全主義者」。

【4】〔訳〕弓を用い引く楽器：violin「ヴァイオリン」である。
bow は「弓」、musical instrument は「楽器」。

問 6
check✓
□□□
次の英文を読んで、(【1】) ～ (【3】) の空欄に最も適するものを選び
なさい。

M : Excuse me, do you know how to use this copy machine? It
　　looks (【1】) .
　　Should I call a repairman?
K : Let me see. Oh, it is (【2】) paper.
M : Really? Which size of paper, Kathy?
K : A-3 size, the largest size (【3】) in this stock room.

【1】 a) out of work 　　 b) out of order 　　 c) out of the question
　　 d) out of control 　 e) out of office

【2】 a) running after 　 b) running over 　　 c) running out of
　　 d) running away 　　 e) running across

【3】 a) than any other 　 b) in all 　　　　 c) more than
　　 d) of which 　　　　 e) of all

問 7
check✓
□□□
次の英文を読んで、空欄に最も適するものを選びなさい。

A : Hi, John! How have you been?
J : I visited my elder sister.
A : Oh, where does she live?
J : She lives in NY with her family. She has two kids, Mary and
　　Mike.
A : I have my elder brother who has two kids in NY. He lives in
　　his wife's father, too.
(A: Amanda 　 J:John)

【1】 Mary is John's (　　).
　　　 a) sister 　　　　　 b) cousin 　　　　 c) niece
　　　 d) step-daughter 　 e) nephew

【2】 Amanda's brother lives with his (　　).
　　　 a) step-father 　　 b) grandfather 　　 c) father-in-law
　　　 d) uncle 　　　　　 e) cousin

問6　正解【1】b)　【2】c)　【3】e)

〔訳〕
M：すみません、このコピー機の使い方を知っていますか？　故障しているみたいなの。
K：見せて。あら、紙切れね。
M：本当に？　キャシー、紙のサイズはどれですか？
K：A-3サイズ、倉庫にある全部の（紙の）中で一番大きいサイズ。

【1】"out of order" で「故障中」である。
　"out of work" は「失業中」、"out of control" は「制御不可能」、"out of the question" は「問題外」である。
【2】"run out of ～" で「～を切らす、不足する」。
　"run after" は「追いかける」、"run over" は「あふれる、いっぱいになる」、"run away" は「逃走する」、"run across" は「出会う、偶然に会う」である。
【3】"of all" で「すべての中で」。
　"than any other" は「どれよりも～」、"more than" は「～よりもっと」。

問7　正解【1】c)　【2】c)

〔訳〕
A：ハイ！ジョン。しばらくぶりね。
J：お姉さんを訪ねていたんだよ。
A：そぉ、どこにお住まいなの？
J：家族とニューヨークに住んでいるよ。メアリーとマイクという2人の子どもがいるよ。
A：私も2人の子持ちの兄がニューヨークにいるわ。奥さんのお父さんとも一緒に暮らしているの。

【1】メアリーはジョンの "niece（姪）" である。
　"nephew" は「甥」。"cousin" は「いとこ」、"step-daughter" は「まま娘」である。
【2】アマンダの兄は奥さんのお父さんと一緒に暮らしているので、"father-in-law（義理の父親）" が入る。
　"step-father" は「まま父」。「まま母」は、"step-mother" である。ちなみに、「まま父」「まま母」は、いずれも自分の親の再婚相手。

問8 次の英文の（　ア　）～（　オ　）に入る語の組み合わせとして正しい
check√
□□□ ものを、1～5の中から一つ選びなさい。

C : I would like to remit money to America today.　What is an
exchange rate（　ア　）US $ today?
B : Today's rate is ¥120.45（　イ　）.
C : I want to convert ¥200,000 into US$.
B : It would be $1,660.44（　ウ　）. And we recover ¥2,500 as
our overseas remittance（　エ　）.
　　Please（　オ　）this application form.

ア　**a)** in
　　b) against
　　c) on
イ　**a)** one hundred twenty point four five
　　b) one hundred twenty dot forty five
　　c) one hundred twenty period four five
ウ　**a)** sixteen sixty dollars four four cents
　　b) one thousand six hundred sixty dollars forty four cents
　　c) one thousand six hundreds sixty dollars forty four cents
エ　**a)** fare
　　b) charge
　　c) fee
オ　**a)** fill in
　　b) fill up
　　c) be full of

	ア	イ	ウ	エ	オ
1	c)	c)	b)	a)	b)
2	b)	a)	b)	b)	a)
3	a)	a)	c)	c)	a)
4	b)	a)	a)	a)	c)
5	a)	b)	a)	b)	b)

問8　正解 2

〔訳〕
C：今日アメリカに送金したいのですが。今日の対ドル為替レートはいくらですか？
B：今日のレートは120円45銭です。
C：20万円をドルに替えたいのですが。
B：1,660ドル44セントですね。海外送金手数料として2,500円いただきます。
　こちらの申込書に記入してください。

ア　b) against：対通貨には against を用いる。

イ　a) one hundred twenty point four five：数字を読む時の小数点は point を用いる。ちなみに、メールアドレスなどは dot、文章の終わりに使う点は period。

ウ　b) one thousand six hundred sixty dollars forty four cents：お金の読み方は、千以上はカンマを区切りにする。また、hundred、thousand は複数にしない。

エ　b)charge：各種サービスに対しての手数料は charge。fare は運賃、fee は医者や弁護士など専門職に対しての報酬、授業料などである。

オ　a) fill in：記入するは "fill in"。"fill up" は「満タンにする」、"be full of" は「〜でいっぱいである」の意。

したがって、組み合わせとして正しいものは2である。

問 9
check√
□□□
次の A 群 B 群の中で似た意味を表すものの組み合わせとして正しいものを、1〜5の中から選びなさい。

A 群
1) A friend in need is a friend indeed.
2) Anything is better than nothing.
3) It is no use crying over spilt milk.
4) Losers are always in the wrong.
5) So many men, so many minds.

B 群
a) 十人十色
b) 覆水盆に返らず
c) 枯木も山の賑わい
d) まさかの時こそ真の友
e) 勝てば官軍

	A 群	B 群
1	5)	d)
2	1)	a)
3	2)	b)
4	4)	e)
5	3)	c)

問 10
check√
□□□
次の A 群 B 群の中で似た意味を表すものの組み合わせとして正しいものを、1〜5の中から選びなさい。

A 群
1) Birds of a feather flock together.
2) Practice makes perfect.
3) Two heads are better than one.
4) The early bird catches the worm.
5) Easy come, easy go.

B 群
a) 習うより慣れろ
b) 悪銭身につかず
c) 早起きは三文の得
d) 三人寄れば文殊の知恵
e) 類は友を呼ぶ

	A 群	B 群
1	1)	b)
2	2)	a)
3	3)	c)
4	4)	e)
5	5)	d)

問9 正解 4

1) A friend in need is a friend indeed. ── d) まさかの時こそ真の友
2) Anything is better than nothing. ── c) 枯木も山の賑わい
   （無いよりまし）
3) It is no use crying over spilt milk. ── b) 覆水盆に返らず
   （こぼれたミルクを嘆いても無駄）
4) Losers are always in the wrong. ── e) 勝てば官軍
   （敗者はつねに悪者）
5) So many men, so many minds. ── a) 十人十色
   （人の数だけ考えがある）

したがって、組み合わせとして正しいものは4である。

問10 正解 2

1) Birds of a feather flock together. ── e) 類は友を呼ぶ
   （同じ羽の鳥は群れる）
2) Practice makes perfect. ── a) 習うより慣れろ
   （練習が完成を生む）
3) Two heads are better than one. ── d) 三人寄れば文殊の知恵
   （一人の考えより二人の考え）
4) The early bird catches the worm. ── c) 早起きは三文の得
   （早起きの鳥は虫にありつく）
5) Easy come, easy go. ── b) 悪銭身につかず
   （たやすく手に入ったものはすぐになくなる）

したがって、組み合わせとして正しいものは2である。

日本史

以下の記述を読み、正しいものには〇、誤っているものには×をつけよ。

問1
check√
□□□
日本においては、先土器文化の存在が、未だ明らかにされていない。

問2
check√
□□□
縄文時代の遺跡としては、大森貝塚と三内丸山遺跡が代表的な遺跡として挙げられる。

問3
check√
□□□
弥生時代の遺跡としては、登呂遺跡と吉野ヶ里遺跡が代表的な遺跡として挙げられる。

問4
check√
□□□
中国の歴史書『漢書』地理志に、中国の皇帝（光武帝）が、北九州の奴国に金印を授けたとされる記述がある。

問5
check√
□□□
中国の歴史書である『三国志』の中の「魏書」に、邪馬台国の記述が見られる。

問6
check√
□□□
大規模な墳丘をもつ墓である古墳からは、棺や副葬品（鉄製武器、鏡など）の他に、土偶が出土している。

問7
check√
□□□
1968年、稲荷山古墳から出土した鉄剣に刻まれた文字から、5世紀後半には、大王の権力が九州から東国まで及んでいたと考えられている。

問8
check√
□□□
中国の歴史書の『宋書』倭国伝に、478年、倭王武が魏に使者を送り、上表文を奉献したとされる記述がある。

問9
check√
□□□
593年に厩戸王（聖徳太子）は、推古天皇の摂政に就任し、有力な豪族であった蘇我氏と協力して、天皇を中心とした中央集権国家体制を確立しようとした。

問10
check√
□□□
飛鳥文化は、藤原京を中心とした、天皇や貴族中心の華やかな仏教文化であり、初唐文化の影響や朝鮮半島、インド、西アジア、中央アジアの文化の影響も見られる。

解答・解説

問1
×
1949年、相沢忠洋が群馬県の岩宿で、関東ローム層から石器を発見し、日本における先土器文化の存在を明らかにした。

問2
○
大森貝塚は、モースが発見したので、モース貝塚とも呼ばれている。日本考古学、発祥の地とされている。青森県の三内丸山遺跡は、大規模集落跡で注目された遺跡。

問3
○
静岡県にある登呂遺跡からは、水田跡や井戸の跡、竪穴式住居・高床式倉庫の遺構などが発掘された。佐賀県の吉野ヶ里遺跡は、大規模な環濠集落で注目された遺跡。

問4
×
『後漢書』東夷伝である。『漢書』地理志には、紀元前1世紀の日本が小国に分かれ、朝鮮半島の楽浪郡に朝貢を行っていたことが記述されている。

問5
○
三国は魏・蜀・呉を指し、邪馬台国の記述は「魏書」第30巻烏丸鮮卑東夷伝倭人条（魏志倭人伝）に記載されている。

問6
×
土偶ではなく、埴輪である。土偶は縄文時代の土製品であるのに対し、埴輪は古墳にならべるために作られた土製の焼き物のこと。

問7
○
銘文の意味は、「獲加多支鹵大王（わかたけるのおおきみ）」が「斯鬼宮（しきのみや）」で天下を治めたとき、長年仕えてきた者が、これを記念して剣を作らせたとするものである。

問8
○
『宋書』は南朝の宋の歴史書。その倭国伝に、倭の五王（讃・珍・済・興・武）の記事が記載されている。

問9
○
厩戸王（聖徳太子）は、推古天皇のもと、蘇我馬子と協調して政治を行い、遣隋使を派遣し、大陸の進んだ文化や制度を採り入れ、冠位十二階や十七条憲法を定めた。

問10
×
藤原京を中心に栄えたのは、白鳳文化である。飛鳥文化は、一部の豪族と朝廷に限られたものであったが、当時の飛鳥地方を中心に栄えた日本初の仏教文化。

以下の記述を読み、正しいものには〇、誤っているものには×をつけよ。

問11
check√
□□□
中大兄皇子、後の天智天皇は、645年に蘇我入鹿・蝦夷を倒し、大化の改新を行った。

問12
check√
□□□
高向玄理は、大化の改新後に成立した孝徳朝の新政権で国博士になり、唐の諸制度を輸入し制度化するために努めた。

問13
check√
□□□
班田収授法が実施され、律令制度が整備されてくると、もともと都での労役であった調が、布・綿・米・塩などを代わりに納めることになった。

問14
check√
□□□
672年、天智天皇の死後、大友皇子と大海人皇子の皇位をめぐる争いである壬申の乱が起きた。

問15
check√
□□□
741年、聖武天皇は世情不安を鎮撫するため、国分寺建立の詔を出した。

問16
check√
□□□
三世一身法の制定により、私有地である荘園が認められるようになった。

問17
check√
□□□
天平文化は、唐の文化の影響を強く受けた、貴族中心の仏教文化で、インドやペルシャ、アラビアなどの文化の影響を受けた国際色豊かな仏教文化である。

問18
check√
□□□
桓武天皇は、律令政治を建て直すために、平安遷都を行った。

問19
check√
□□□
平安時代に入ると、桓武天皇と嵯峨天皇は、奈良仏教に対抗しうる新しい仏教として、最澄が唐から持ち帰った真言宗と空海が持ち帰った天台宗を保護した。

問20
check√
□□□
平安仏教の特徴として、山岳仏教の発展と加持祈祷を行う密教があったことが挙げられる。

問 11
○
蘇我入鹿・蝦夷を滅ぼした事件を乙巳（いっし）の変と呼ぶ。都を飛鳥から難波宮に移し、豪族連合政権から中央集権国家体制への移行に着手した。

問 12
○
高向玄理（たかむこのくろまろ）は、遣隋使小野妹子に従って渡海し、645 年からの大化改新で新政権が成立すると、僧旻（みん）とともに国博士に任ぜられ、政府の最高顧問となった。

問 13
×
布・綿・米・塩などを代わりに納めることが認められたのは、庸である。調は男子に賦課された。繊維製品の納入（正調）が基本であるが、代わりに地方特産品による納入も認められていた。

問 14
○
壬申の乱の結果、大海人皇子は天武天皇に即位すると、政権中枢を皇子らで占める皇親政治を開始し、律令国家体制を確立していく。

問 15
○
この当時、天然痘などの疫病が流行り、貴族の反乱も起きて、世情は不安定であった。そこで、聖武天皇は仏法によって国家の安泰を祈願するために、諸国に寺院を建立した。

問 16
×
私有地である荘園を認めたのは、墾田永年私財法である。三世一身法は、長屋王政権の良田百万町歩開墾計画を実施するために制定された。

問 17
○
天平文化は、聖武天皇の天平年間（729 ～ 749 年）を中心に栄えた奈良時代の文化である。律令国家の発展を反映した壮大・華麗な仏教文化で、平城京を中心に栄えた。

問 18
○
桓武天皇は仏教勢力の影響を避けるために、当初、平城京から長岡京を造営して遷都したが、長岡京の造宮使である藤原種継の暗殺事件などから、平安京に再遷都した。

問 19
×
最澄が唐から持ち帰ったのは天台宗、空海が持ち帰ったのは真言宗である。前半部分の記述は正しい。

問 20
○
南都六宗の奈良仏教が都市仏教であるのに対し、修行の場として比叡山と高野山に寺院を建てた。さらに、現世利益をかなえるために加持祈祷を行い、天台宗の密教は台密、真言宗の密教は東密と呼ばれ、互いに覇を競った。

以下の記述を読み、正しいものには〇、誤っているものには×をつけよ。

問21
check√
□□□
10世紀前半、承平天慶の乱と呼ばれる武士の反乱が相次いで起こり、地方政治は動揺した。

問22
check√
□□□
天皇の外戚であった藤原氏は、代々摂政あるいは関白となって、政治の実権を独占する摂関政治を行った。

問23
check√
□□□
1086年、白河上皇は天皇に代わって政治を行う、執権政治を開始した。

問24
check√
□□□
源頼義は、後三年の役（1083年～1087年）で清原氏の内紛を収め、東北地方を平定した。

問25
check√
□□□
平清盛は、保元の乱・平治の乱で政権を獲得し、1167年に太政大臣になった。

問26
check√
□□□
平清盛は、日宋貿易に積極的に取り組み、大輪田泊を修築して、瀬戸内海の海運を盛んにした。

問27
check√
□□□
国風文化は、平安時代の中期から後期にかけて発達し、日本の風土や生活にあった文化を形成した。

問28
check√
□□□
1221年、朝廷は幕府に奪われた政治を取り戻すために、後白河上皇が中心となって承久の乱が起きたが、朝廷方の敗北に終わった。

問29
check√
□□□
鎌倉六宗とは、浄土宗・浄土真宗・法華宗（日蓮宗）・曹洞宗・臨済宗・律宗を指す。

解答・解説

問 21
〇
承平天慶の乱と称されるのは、関東で起きた平将門の乱と、瀬戸内海で起きた藤原純友の乱である。当初は単なる私戦にすぎなかったが、国衙(こくが)を襲うに至り、反乱とみなされた。

問 22
〇
外戚(がいせき)とは、母方の親類のこと。藤原氏は天皇に自分の娘を嫁がせ、次の天皇になる皇子を産ませてその皇子を擁立し、外祖父として一族の政治力を強化・維持した。

問 23
×
白河上皇は、院政を開始した。院政は、在位する天皇の直系尊属である上皇が、天皇に代わって政務を行う政治形態。執権政治は、将軍を補佐する執権に、代々北条氏が就任して、幕府の実権を掌握した政治体制。

問 24
×
後三年の役で清原氏の内紛を収めたのは、源義家である。源頼義は前九年の役（1051 年〜 1062 年）で安倍氏を滅ぼした。後三年の役によって、東北地方に覇を唱えていた清原氏が消滅し、奥州藤原氏が登場するきっかけとなった。

問 25
〇
平清盛は、保元の乱・平治の乱で源氏を抑えて中央政界に進出し、太政大臣となると、娘を天皇の后として皇子を産ませ、その皇子を天皇に即位させると、外祖父として権力をふるった。

問 26
〇
大輪田泊は現在の神戸港。宋との貿易が盛んになると、宋銭が日本で流通するようになった。

問 27
〇
平安時代の初期までは、唐の文化を強く受けていたが、9 世紀末に遣唐使が廃止されてからは、日本人の生活や考え方に根ざした文化が形成されていった。

問 28
×
承久の乱を起こしたのは、後鳥羽上皇である。後白河上皇は、1155 年に天皇に即位したが、この即位をめぐって崇徳上皇と争い、保元の乱を起こし、1158 年からは院政を敷いた。

問 29
×
鎌倉六宗とは、浄土宗・浄土真宗・法華宗（日蓮宗）・曹洞宗・臨済宗・時宗である。律宗は、南都六宗と呼ばれた奈良仏教の宗派の一つ。日本律宗の開祖は鑑真である。一遍が開いた時宗は遊行宗とも呼ばれ、阿弥陀仏への信・不信は問わず、念仏さえ唱えれば往生できると説いた。

日本史

以下の記述を読み、正しいものには〇、誤っているものには×をつけよ。

問30 鎌倉文化は、本格的な武家政権の誕生により、それまでの優雅な公家文化
check√
□□□ と素朴で力強い武家文化が共存して、新しい文化が発展した。

問31 1334年、後醍醐天皇は天皇親政を目指して、建武の新政を行った。
check√
□□□

問32 1392年、室町幕府の三代将軍足利義満は、南北朝の合一に成功し、全
check√
□□□ 国支配を確立した。

問33 日本と明の貿易は、朱印船貿易とも呼ばれている。
check√
□□□

問34 東山文化は、室町幕府の三代将軍足利義満が、京都の北山に建てた鹿苑寺
check√
□□□ の金閣に代表される文化である。

問35 応仁の乱は、将軍家と管領家の跡目争いを発端として、京都を中心に
check√
□□□ 1467年から11年間続いた。

問36 豊臣秀吉は、土地の生産力を米の標準収穫量に換算して表示する貫高制を
check√
□□□ 実施するために、全国的に検地を行った。

問37 桃山文化は、大名と豪商たちの財力を背景として生み出された豪華雄大な
check√
□□□ 文化で、大坂城・聚楽第・伏見城などの城郭が建設された。

問38 鎖国体制が完成したことによって、通商については清とオランダのみとは
check√
□□□ 貿易を行ったが、外国との通交は完全に断たれることになった。

問39 江戸時代中期の儒学者である新井白石は、侍講として六代・七代将軍に仕
check√
□□□ え、貨幣の改鋳、朝鮮通信使の待遇改訂、海舶互市新例（長崎新令）を定
めるなど幕政の改革にあたった。

国語

英語

日本史

世界史

地理

思想

芸術

政治

経済

国際
関係

環境
問題

数学

物理

化学

生物

地学

問 30
〇
宋との交流が活発化した時期でもあり、宋から禅宗や朱子学が伝わり、日本の文化に強い影響を与えた。

問 31
〇
後醍醐天皇は、有力御家人である新田義貞や足利尊氏らの支援で鎌倉幕府を滅ぼし、建武新政権を樹立した。しかし、公武の不和から親政は失敗し、尊氏らも離反して、吉野に移り南朝を立てた。

問 32
〇
1392 年、後亀山天皇が北朝の後小松天皇に三種の神器を譲って退位し、南北朝の合一が実現した。

問 33
×
日本と明の貿易は、勘合貿易と呼ばれている。正式な遣明使船である事が確認できるように、勘合符を使用したことが名の由来。朱印船貿易は、朱印状という渡航許可書をもった船による海外貿易のことで、豊臣秀吉のとき本格的に始まり、鎖国まで続いた。

問 34
×
金閣に代表されるのは、北山文化である。東山文化は、室町幕府の八代将軍足利義政が、京都の東山に建てた慈照寺銀閣に代表される文化である。

問 35
〇
応仁の乱は、八代将軍足利義政の跡目争いと、管領家の斯波氏と畠山氏の跡目争いが発端となって、東軍は細川勝元、西軍は山名持豊（宗全）が中心になって争った。

問 36
×
石高制の導入が、秀吉の全国統一の基礎になった。一方、貫高制は、田畑から徴収する年貢を銭の量で示したもの。

問 37
〇
城郭の他には、障壁画・茶の湯・浄瑠璃・阿国歌舞伎などが発展した。桃山文化が包摂する時代は、戦国末期から鎖国の形成期までとされ、南蛮文化の影響も受けている。

問 38
×
鎖国完成後においても、朝鮮国王が将軍の代替わりや世継ぎの誕生を祝うために、外交使節（朝鮮通信使）を派遣していた。

問 39
〇
新井白石のこのような幕政改革は、正徳の治と呼ばれている。幕府財政健全化のために、貨幣の改鋳・朝鮮通信使の待遇改訂・海舶互市新例（長崎新令）などを行った。

日本史

以下の記述を読み、正しいものには○、誤っているものには×をつけよ。

問40 八代将軍の徳川吉宗は、幕府の統制を強めるために、昌平坂学問所に対し、
check√ 朱子学以外の教授を禁止した。
□□□

問41 老中の田沼意次は、株仲間の奨励や新田開発など積極的な経済政策をとっ
check√ たが、天明の大飢饉対応の失敗と賄賂政治を批判されて失脚した。
□□□

問42 天保の改革では、貨幣経済に対応するために、株仲間を奨励して幕府財政
check√ を建て直そうとした。
□□□

問43 1858年、日米和親条約の締結によって日本は開国したが、条約の内容
check√ は不平等なものだった。
□□□

問44 1860年、大老の井伊直弼は、安政の大獄により反対派を弾圧したこと
check√ から、坂下門外の変により暗殺された。
□□□

問45 1881年、伊藤博文を中心とする薩長系参議が、参議板垣退助を罷免す
check√ る明治十四年の政変が起きた。
□□□

問46 ポーツマス条約では、日本がロシアから賠償金が得られなかったために民
check√ 衆が激高し、日比谷焼打事件が起きた。
□□□

問47 外交上の長年の懸案であった条約改正は、日清戦争直前にイギリスとの間
check√ で治外法権の撤廃に成功し、日露戦争後に関税自主権を回復した。
□□□

問48 1912年、軍備拡張を主張する第三次桂内閣が成立すると、政友会・国
check√ 民党・新聞記者らが中心となって、「閥族打破・憲政擁護」をスローガン
□□□ に掲げ、第三次桂太郎内閣の打倒を目的とした第二次護憲運動が展開され
た。

問40 × 寛政異学の禁（1790年）で、昌平坂学問所に対し、朱子学以外の教授を禁止したのは、老中の松平定信である。松平定信は、幕府の思想統制の一環として、開幕以来正学と定めてきた朱子学を復興させようとした。

問41 ○ 田沼政治には、天明の大飢饉対応の失敗、賄賂の増加に対する批判はあるが、冥加金や運上金という形で商人から金を集め、幕府財政の貨幣収入の道を開いた点では功績がある。

問42 × 天保の改革では、物価騰貴の原因とみなされた株仲間は解散させられた。株仲間を奨励したのは、田沼政治の時代。商工業者への営業税である運上・冥加によって、幕府財政を建て直そうとした。

問43 × 1858年に締結されたのは、日米修好通商条約である。1854年に締結された日米和親条約は、物資の補給のために下田と箱館（函館）を開港し、下田に領事館を置くことを認めたものだが、通商は含まれていなかった。

問44 × 大老井伊直弼が暗殺されたのは、桜田門外の変である。坂下門外の変は、1862年に尊攘派の水戸浪士6人が、老中安藤信正を襲撃し、負傷させた事件。

問45 × 明治十四年の政変で失脚したのは、大隈重信である。板垣退助は、征韓論で対立した明治六年政変（1873年）のときに、参議を辞任している。

問46 ○ 日本はポーツマス条約により、南樺太の割譲と南満州鉄道の譲渡、韓国に対する優越権の承認などを得られたが、賠償金については獲得できなかった。

問47 ○ 日本は、1894年にイギリスとの間で治外法権の撤廃に成功し、日露戦争後の1911年に関税自主権を回復した。

問48 × 第三次桂太郎内閣の打倒を目的としたのは、第一次護憲運動である。第二次護憲運動は、立憲政友会・憲政会・革新倶楽部の護憲三派が政党政治を主張して政府に対抗し、加藤高明内閣を誕生させた。

以下の記述を読み、正しいものには○、誤っているものには×をつけよ。

問49
check✓
☐☐☐
美濃部達吉は、『中央公論』に「憲政の本義を説いて其有終の美を済すの途を論ず」を発表して民本主義を説き、大正デモクラシーの代表的な論客となった。

問50
check✓
☐☐☐
1918年、米騒動の後に、本格的な政党内閣である浜口雄幸内閣が誕生した。

問51
check✓
☐☐☐
1922年、ワシントン海軍軍縮条約が締結され、日本を含めた列強諸国の海軍力増強は制限された。

問52
check✓
☐☐☐
五・一五事件後の斉藤実内閣以後、軍部の発言権が増し、政党は無力となった。

問53
check✓
☐☐☐
1936年に起きた二・二六事件を契機に、軍部ファシズム体制が確立されていく。

問54
check✓
☐☐☐
1937年の日独伊三国同盟締結後、1940年に日独伊防共協定が締結された。

問55
check✓
☐☐☐
戦後、経済復興を図るために傾斜生産方式を採用し、資金の一部には復興金融金庫が発行する復興金融債券（復金債）が充てられたが、激しいインフレを招いた。

問56
check✓
☐☐☐
日本の高度経済成長期の大型景気は、岩戸景気・神武景気・オリンピック景気・いざなぎ景気の順に続いた。

問57
check✓
☐☐☐
吉田茂首相は、国内政治においては保守合同を成し遂げ、外交では、日ソ国交回復と国際連合への加盟を果たした。

解答・解説

問49 × 「憲政の本義を説いて其有終の美を済すの途を論ず」を発表したのは、吉野作造である。美濃部達吉は、天皇機関説を主張し、大正デモクラシーにおける代表的理論家であったが、後に天皇機関説事件により、貴族院議員を辞職した。

問50 × 1918年に誕生したのは、原敬内閣である。浜口内閣は、1930年、輸出振興のために金解禁を実施したが、アメリカを襲った大恐慌の影響で失敗した。

問51 ○ この条約は発効した時点で、各国が建造中の主力艦すべての建造を中止し、廃棄処分とした上で、主力艦の保有比率を米・英5、日3、仏・伊1.67とした。

問52 ○ 昭和恐慌により社会的危機が高まったが、政党が打開策を講じられなかったことから、急速に国民の支持を失い、軍部の台頭を許した。

問53 ○ この事件以降、軍部は政治的実権を掌握し、国家総動員体制の樹立という形で、上からのファシズム体制の確立を図った。

問54 × 1937年に日独伊防共協定が、1940年に日独伊三国同盟が締結された。防共協定は、三国間の協力がコミンテルンに対抗する共同防衛を目的としたのに対し、三国同盟では軍事同盟に深化した。

問55 ○ 傾斜生産方式は、鉄鋼・石炭などの基幹産業に資材・資金を重点的に投入して、循環的拡大を促し、それを契機に産業全体の拡大を図る狙いがあったが、復興金融債券を日銀が全額引き受けたため、激しいインフレを招いた。

問56 × 岩戸景気と神武景気の順番が逆である。岩戸景気は、神武景気を上回る景気拡大期間であることから、神武天皇よりさらに遡って「天照大神が天の岩戸に隠れて以来の好景気」として名付けられた。

問57 × 日ソ国交回復と国際連合への加盟を果たしたのは、鳩山一郎首相である。吉田茂首相は、サンフランシスコ平和会議に臨んで平和条約を締結し、日本の主権を回復した。

問 1
check√
□□□
次の土地制度に関する法律の成立順序として正しいものを、1～5の中から選びなさい。

A　三世一身法
B　班田収授法
C　墾田永年私財法
D　荘園整理令

1　B → A → C → D
2　B → C → D → A
3　B → D → C → A
4　C → A → D → B
5　C → B → A → D

問 2
check√
□□□
荘園に関する記述として誤っているものを、1～5の中から一つ選びなさい。

1　摂関政治のもとでは、摂関家に荘園が集中する寄進地系荘園が一般的であった。
2　8～9世紀頃に多く設けられたのは、寺院・貴族の所有する自墾地系荘園であった。
3　平安時代に入ると、増大する荘園を抑制するために、荘園整理令が度々出された。
4　国に田租を納めるのが建前であったが、荘園領主は不輸・不入の権を獲得していった。
5　国司が直接支配する土地を国衙領と呼ぶが、ここは開発領主によって私領化されることはなかった。

解答・解説

問1　正解 1

　公地公民を目的とした「B 班田収授法」は、大化の改新（645年）以降採り入れられたもので、大宝律令（701年）に定められて確立した。その後、良田百万町歩開墾計画を実施するために、「A 三世一身法（723年）」が定められた。しかし、思うような開墾の成果が得られなかったので、「C 墾田永年私財法（743年）」が制定され、急速に私有地である荘園が拡大していく。平安時代に入ると、荘園の増大を抑えるために、醍醐天皇が制定した延喜の「D 荘園整理令（902年）」以降、平安時代に度々発令された。

　したがって、B 班田収授法 → A 三世一身法 → C 墾田永年私財法 → D 荘園整理令の順となり、正しいものは1である。

問2　正解 5

1○　摂関政治のもとでは、摂関家に荘園が集中するようになったが、院政が開始されると、摂関家から院に荘園が集中するようになっていく。

2○　743年の墾田永年私財法によって、寺院・貴族が自ら開墾する荘園が拡大していく。

3○　醍醐天皇が制定した延喜の荘園整理令（902年）以降、度々発令された。

4○　不輸・不入の権を得るのは、中央の貴族や大寺院である。在地領主は、国司の干渉を回避する意図から、名義上の領主になってもらうために年貢の一部を納めて寄進し、自らは荘官になるという構図が形成されてくる。

5×　私領である荘園以外の公領（国衙領）も、11世紀頃から開発領主が在庁官人となって私領化していく。

問3
check✓ □□□
　鎌倉幕府の成立期にとられた政策に関する記述として最も適切なものを、1〜5の中から一つ選びなさい。

1　幕府は、戦乱により衰退した農業を盛んにし、税収を安定させるために荘園制を廃止し、全国に知行国を置いた。
2　幕府は、将軍の補佐役として、朝廷から招いた貴族を執権に就かせ、朝廷との融和を図った。
3　幕府は、治安の維持や年貢の徴収などのために、御家人を守護や地頭に任命した。
4　幕府は、武士と農民の身分を明確にし、特に農民の生活に質素倹約を徹底させることを目的として御成敗式目を定めた。
5　幕府は、貴族文化にはない力強い人間性を表現した『日本書紀』や『古事記』の編集を行い、学問や芸術の振興を図った。

問4
check✓ □□□
　鎌倉新仏教の宗派と開祖に関する組み合わせとして誤っているものを、1〜5の中から一つ選びなさい。

1　浄土宗 ──────── 法然
2　浄土真宗 ────── 親鸞
3　法華宗 ──────── 日蓮
4　曹洞宗 ──────── 栄西
5　時宗 ───────── 一遍

問3　正解 3

1× 鎌倉幕府は、それまでの荘園制を基盤にした経済構造をとること
に変わりがない。荘園制が、法制上消滅したのは、豊臣秀吉の太閤検
地による。

2× 将軍の補佐役たる執権には、代々北条氏が就任した。将軍職には、
三代将軍源実朝の死後、朝廷から招いた貴族が就任していたが、承久
の乱以後は、皇族が就任した。

3○ 治安の維持は守護、年貢の徴収は地頭の役割であった。

4× 御成敗式目は、武家法である。選択肢文の記述は、慶安の御触書
の目的である。

5× 『日本書紀』、『古事記』とも、奈良時代に朝廷が編集した歴史書。
鎌倉時代に成立した歴史書は、『吾妻鏡』・『愚管抄』などである。

問4　正解 4

　鎌倉新仏教は、本問で記述されている宗派の他に、臨済宗を加えて鎌
倉六宗ともいう。庶民や武士でもできる易行・専修を説いたことに、そ
の特徴が見られる。易行とは一つの道を選び取り、専修とは選び取った
一つの道をひたすら修行することである。

1○ 法然は、阿弥陀仏を信じ、ひたすら念仏（南無阿弥陀仏）を唱え
れば、平等に往生できると説いた（専修念仏）。

2○ 親鸞は、悪人こそ救う相手とした悪人正機を説き（悪人正機説）、
信心を重視した。阿弥陀仏を信じるだけで往生は約束され、念仏は仏
恩報謝の行であると説いた。

3○ 日蓮は、法華経こそが唯一の釈迦の教えであり、題目「南無妙法
蓮華経」唱和により救われると説いた。

4× 曹洞宗の開祖は、道元である。栄西は、臨済宗の開祖。道元は、
只管打坐（ひたすら坐禅すること）を説き、その教えは地方の下級武士、
一般民衆に広まった。一方、栄西は中国から臨済宗を伝え、座禅の他
に公案を重視し、その教えは上級武士を中心に信仰された。

5○ 一遍は、阿弥陀仏への信心がなくても、念仏さえ唱えれば往生で
きると説き、その教えは下層の民を中心に広まった。

問5 鎖国に関する記述として誤っているものを、1～5の中から一つ選びなさい。
check√ □□□

1　幕府が鎖国政策の一環として最初に出した法令は、奉書船以外の渡航と、海外に5年以上居留する日本人の帰国を禁じた寛永10年（1633年）の鎖国令である。

2　幕府が鎖国完成に踏み切った決定的な事件は、1637年に起こった島原の乱である。

3　鎖国体制の完成後も、通商と外国との通交を完全に断ったわけではなかった。

4　鎖国は、幕藩体制の確立と封建社会の存続には、マイナス面よりもプラス面の影響が大きかった。

5　幕府は、貿易と布教を一体として考える新教（プロテスタント）国とその国内の信者には脅威を感じていた。

問6 寛政の改革に関して説明した記述として正しいものを、1～5の中から一つ選びなさい。
check√ □□□

1　大名に対して、石高の100分の1の米を献上させ、その代わりに参勤交代を半減（江戸在府期間を1年から半年）した。

2　農村から江戸への出稼ぎを禁じ、江戸に住む貧民を農村に帰らせる人返し令を出した。

3　公事方御定書を編纂して刑事裁判の基準とし、裁判を停滞させないために金銭貸借に関する訴訟は、原則として取り上げないことにした。

4　幕政改革の一環として、幕府の昌平坂学問所に対し、朱子学以外の教授を禁止した。

5　物価騰貴の原因になっているとして、流通を独占している株仲間の解散を命じた。

問5　正解 5

　鎖国は、幕府が日本人の海外渡航を禁止し、外交・貿易を制限した政策である。
1〇　この1633年の鎖国令以降、1639年のポルトガル船来航禁止に至るまで、5次にわたって鎖国令が出された。
2〇　島原の乱の後、幕府は1639年に第5次鎖国令を出して、ポルトガル船の入港を禁止した。翌年の1640年、マカオから通商再開依頼のためポルトガル船が来航したが、幕府は使者61名を処刑した。
3〇　清とオランダについては、長崎の出島で貿易を行っていた。また、朝鮮からは通信使が派遣されていた。
4〇　封建社会の存続の観点から見れば、貿易が盛んに行われることによって、貨幣経済の流通が促進されることは好ましくないから、プラス面の影響が大きかった。
5×　幕府が脅威を感じていたのは、貿易と布教を一体とするポルトガルやスペインなどの旧教（カトリック）国である。新教国のオランダとは、鎖国完成後も貿易を継続している。

問6　正解 4

1×　上米の制という（1722年）。八代将軍の徳川吉宗が、享保の改革の際に創設した制度。
2×　人返し令は、生活苦から都市に出てくる農民が増加し、田畑が荒れて年貢が減少したため、1843年、天保の改革で出された法令。
3×　公事方御定書は、1742年、八代将軍の徳川吉宗が評定所に命令して、刑事裁判の基準として編纂させたもの。「御定書百箇条」ともいう。後半部分は、金銭貸借に関する訴訟を原則受け付けず、当事者間の話し合いによる解決を命じた相対済令の記述。
4〇　寛政異学の禁という（1790年）。松平定信は、低下した幕府の指導力を取り戻すために、開幕以来正学と定めてきた朱子学を復興させようとした。
5×　天保の改革のときに出された株仲間の解散令（1841年）。江戸の十組問屋や三都の問屋・株仲間の名称による商取引を一切禁止して、一般の商人の自由な取引を許した。しかし、従来の流通機構が解体した結果、経済が混乱して失敗に終わった。

問7　　条約改正に関して記述された次の文の空欄（　A　）～（　C　）に当
check√　てはまる語句の組み合わせとして正しいものを、1～5の中から一つ選び
□□□　なさい。

　　幕末、1858年に結ばれた（　A　）条約は、日本にとって不平等な条
約であった。明治政府になると、この不平等条約を改める交渉を重ねてき
たが、ようやくイギリスとの間で1894年に（　B　）の撤廃がなされ、
1911年にはアメリカとの間で（　C　）の回復が実現された。

	A	B	C
1	日米修好通商	領事裁判権	関税自主権
2	日米通商航海	関税自主権	領事裁判権
3	日英通商航海	外国人居留地	領事裁判権
4	日米和親	領事裁判権	関税自主権
5	日英和親	関税自主権	領事裁判権

解答・解説

問7　正解 1

A　日米修好通商（条約）が入る。1854年に結ばれた日米和親条約で開国に
ふみきった幕府が、アメリカ総領事ハリスとの間で調印したもの。内容は外
交代表の交換、下田・箱館（函館）の他、新たに神奈川（横浜）・長崎・新潟・
兵庫（神戸）の開港、外国人居留地の設定、領事裁判権（治外法権）の承認、
関税自主権の否認などを定めている。その後、オランダ・ロシア・イギリス・
フランスとの間にも、同様の通商条約が締結された（安政の五ヵ国条約）。
B　領事裁判権が入る。領事裁判権とは、外国人が現在住んでいる国の裁判権
に服さず、本国の領事が本国の法に基づいて裁判をする権利を指す。日英通
商航海条約により、領事裁判権の撤廃が実現された。
C　関税自主権が入る。関税を自由に決められる権利である。この権利がない
と、外国から安い物品が無制限に入ってきてしまうため、自国の産業の発展
が図れない。日米通商航海条約により、関税自主権の回復が実現された。

　したがって、組み合わせとして正しいものは1である。

日本史

問8
check√
□□□
自由民権運動の展開に関する記述として誤っているものを、1〜5の中から一つ選びなさい。

1　自由民権運動は、当初不平士族が中心となっていたが、西南戦争の後は、地方の商工業者・農民の反政府運動として広がっていった。

2　板垣退助・大久保利通らの前参議は、江藤新平らをさそい、民撰議院設立建白書を提出した。

3　国会開設請願書の提出とともに、1880年、愛国社を国会期成同盟と改め、全国的な請願署名運動を展開した。

4　自由民権運動の高まりに対して、政府は集会条例を制定し、国会期成同盟の大会開催を阻止しようとしたが、果たせなかった。

5　1883年の高田事件以降になると、自由党の支持基盤である豪農層出身の自由党党員は、民権運動の激化とともに自由党から離れていった。

解答・解説

問8　正解 2

　　自由民権運動は、明治時代の日本において行われた政治運動・社会運動である。一般的には、1874年の民撰議院設立建白書を契機に始まったとされ、それ以降、薩長藩閥政府による政治に対して、憲法制定・議会の開設・地租の軽減・不平等条約の改正・言論と集会の自由の保障などの要求を掲げた。

1○　当初、自由民権運動は、政府に反感を持つ士族中心の士族民権であったが、西南戦争の後は、商工業者や農民（豪農）層へと、運動の中心が移っていった。

2×　大久保利通は、藩閥政府の中心人物であったので誤り。征韓論で下野した板垣退助は、後藤象二郎・江藤新平・副島種臣らと愛国公党を結成し、民撰議院設立建白書を政府に提出した。

3○　1875年に結成された愛国社はすぐに消滅したが、1878年に再興し、1880年の第4回愛国社大会で国会期成同盟が結成された。

4○　政府は集会条例を制定して運動を弾圧したが、国会期成同盟は非合法のうちに開催し、憲法草案を持ち寄ることを決議した。

5○　豪農層の離反により、運動の中心は、生活に困窮した貧農層へと移っていった。

問9
check✓
□□□
立憲政治の成立過程の順序として正しいものを、1〜5の中から選びなさい。

A　立憲改進党の結成
B　国会開設の勅諭
C　内閣制度の創設
D　大日本帝国憲法の発布

1　B → A → C → D
2　B → A → D → C
3　B → D → C → A
4　C → A → D → B
5　C → B → A → D

解答・解説

問9　正解 1

A　立憲改進党は、1882年、大隈重信が中心となって結成した政党。イギリス流の議会政治と漸進的改革を主張し、自由党とともに自由民権期を代表する政党である。

B　自由民権運動の高まりを受けて、政府内でもプロイセン型の憲法を目指す伊藤博文などの薩長系参議と、イギリスの政党内閣制を採り入れたものにしようとする大隈重信との対立が急速に表面化した。1881年、薩長系参議は、大隈を罷免する事態に至った（**明治14年の政変**）。同年、政府は国会開設の勅諭を出して、1890年に国会を開設することを約束し、それまでに憲法を制定する準備に入った。

C　太政官制では制度上の権力と実際上の権力が分離しており、参議（国務大臣）と卿（行政事務長官）の関係が曖昧であるなどの問題点が指摘された。これを解消するために、伊藤博文の主導により、1885年に内閣制度が創設された。

D　大日本帝国憲法は、1889年2月11日に発布された。伊藤博文が中心となって、君主権の強いプロイセン憲法を手本にして作成した。

したがって、B 国会開設の勅諭（1881年）→ A 立憲改進党の結成（1882年）→ C 内閣制度の創設（1885年）→ D 大日本帝国憲法の発布（1889年）の順となり、正しいものは1である。

本試験型問題　　　**日本史**

問10 日清戦争と日露戦争に関する記述として誤っているものを、1〜5の中から一つ選びなさい。
check✓ □□□

1　日清戦争後、下関条約が締結されたが、この条約で朝鮮の独立は認められたものの、賠償金が得られなかったために、民衆の不満が爆発し、日比谷焼打事件が起きた。

2　下関条約調印後、ロシアはフランスとドイツとともに、遼東半島の返還を日本に要求してきたが、三国に対抗する軍事力のない日本は、この要求に従った。

3　日清戦争後、列強の進出に苦しんでいた清の民衆の間で排外運動が盛んになり、義和団の乱が発生して、各国公使館が包囲されたので、日本をはじめとする連合軍が、北京を占領して治めた。

4　日清戦争後、日本政府内では、日露協商論を唱える伊藤博文らと、日英同盟を唱える桂太郎首相や山県有朋らの意見が対立したが、後者の意見が多数を占めて、1902年に日英同盟が成立した。

5　日露戦争は、日本海海戦の結果、勝敗の帰趨がほぼ決定したが、日本の国力では長期にわたる戦争の継続は困難であったため、アメリカ大統領セオドア＝ローズヴェルトの斡旋によりポーツマス条約を締結した。

解答・解説

問10　正解 1

1×　前半部分の記述は適切であるが、後半部分の記述は誤り。日本は、2億両（テール）という巨額の賠償金を清から得た。日比谷焼打事件が起きたのは、下関条約ではなく、ロシアから賠償金が得られなかったポーツマス条約のときである。

2○　ロシアは三国干渉によって、その後、清から遼東半島の旅順を租借地として得た。この三国干渉は、日露戦争のきっかけに、直接・間接の影響を与えた。

3○　当初、義和団という秘密結社による排外運動であったが、1900年に清国政府がこの反乱を支持して欧米列国に宣戦布告をしたため、国家間の戦争となった。

4○　伊藤博文の日露協商論は、満州でのロシアの権利を認める代わりに、朝鮮半島での日本の権利を認めてもらおうという満韓交換論であった。

5○　陸戦での奉天会戦、海戦での日本海海戦によって、日本の優勢は明らかであったが、ロシアはシベリア鉄道で兵力を補充しており、戦いをあきらめたわけではなかった。

問 11 大正から昭和にかけての政党政治に関する記述として最も適切なもの
check√ を、1〜5の中から一つ選びなさい。
☐☐☐

1　議会の第一党が内閣を組織する、いわゆる憲政の常道が続いたのは、
第2次護憲運動から2・26事件までであった。
2　第二次護憲運動を起こした政党は、立憲政友会・憲政会・立憲民政党
の3党であった。
3　政党内閣に代わった挙国一致内閣では、軍部の発言権がいっそう強ま
り、政党は無力となった。
4　米騒動による責任をとって、寺内内閣が総辞職した後に、日本最初の
政党内閣である原敬内閣が誕生した。
5　護憲三派内閣によって普通選挙法は成立したが、同時に社会主義思想
を取り締まるための治安警察法も成立した。

問 12 歴代内閣の成果に関する記述と内閣総理大臣の組み合わせとして誤って
check√ いるものを、1〜5の中から一つ選びなさい。
☐☐☐

1　敗戦後の経済復興を主導し、外交ではサンフラン ——— 吉田茂
シスコ平和会議に臨んで平和条約を締結し、日本の
主権を回復した。
2　国内政治においては保守合同を成し遂げ、外交に ——— 鳩山一郎
おいては、東西冷戦下で、日ソ国交回復と国際連合
への加盟を果たした。
3　日本の社会保障制度の中心である「国民皆年金」「国 ——— 岸信介
民皆保険」の道を開き、外交では日米安全保障条約
の改定を果たした。
4　経済政策の中心に国民所得倍増計画を掲げ、国際 ——— 池田勇人
的には IMF8 条国への移行と OECD 加盟を果たし
た。
5　高度経済成長の歪みに対処するための重要公害防 ——— 田中角栄
止立法を制定し、外交では沖縄の本土復帰を果たし
た。

解答・解説

問 11　正解 3

1×　憲政の常道が行われたのは、1924 年の第二次護憲運動から 1932 年の 5・15 事件までの間である。5・15 事件で犬養毅首相が暗殺されると、犬養に代わって組閣した斎藤実内閣以降、終戦まで**挙国一致内閣**が続くことになる。

2×　護憲三派を形成したのは、立憲民政党ではなく、革新倶楽部である。立憲民政党は、1927 年に憲政会と政友本党とが合同し、浜口雄幸を総裁に結成された政党。

3○　**昭和恐慌**による深刻な社会危機に陥っていたが、政党はこの難局を打開できる術がなく、急速に国民の支持を失い、軍部の台頭を許した。

4×　日本最初の政党内閣は、1898 年に成立した第 1 次大隈内閣（隈板内閣）である。

5×　治安警察法ではなく、治安維持法である。治安警察法は、日清戦争後に高まった労働運動を取り締まるために、1900 年に制定された法律。

問 12　正解 5

1○　当時の苦しい経済状況から、再軍備よりも経済復興を優先するべきと考え、日米安全保障条約を締結した。

2○　国内政治においては、政権与党の自由民主党と野党第一党の日本社会党の体制、いわゆる 55 年体制が誕生し、以後確立されていく。

3○　日米安全保障条約の改定において、国内における条約改定の反対運動による社会的混乱の責任をとって、総辞職した。

4○　国民所得倍増計画により、1961 年度から 1970 年度までの 10 年間で、年率平均 7.2% 増の実質国民総生産（実質 GNP）を果たし、国民所得を倍増しようとした。

5×　田中角栄ではなく、佐藤栄作である。田中内閣は、戦後長らく途絶えていた中国（中華人民共和国）との国交回復を果たした。

世界史

以下の記述を読み、正しいものには〇、誤っているものには×をつけよ。

問1
check√
☐☐☐
紀元前 13 世紀頃、中央アジアからアーリヤ人がインドに侵入し、そこでヴェーダを根本聖典とする、バラモン教を成立させた。

問2
check√
☐☐☐
アテネの民主政は、市民による直接民主政を実現したものであったが、女性と奴隷には参政権がなかった。

問3
check√
☐☐☐
紀元前 6 世紀初頭、グラックス兄弟は、アテネに貨幣経済が浸透していく中で、貴族と平民の対立が深刻になっていく状況を解消するために、両者の調停役として諸改革を行った。

問4
check√
☐☐☐
紀元前 6 世紀末、アテネの政治家であるペリクレスは、執政官としてオストラシズム（陶片追放）の制定や血縁的部族の解体など軍事・行政の改革を行い、民主政の基礎を固めた。

問5
check√
☐☐☐
紀元前 478 年頃、ペルシア帝国の脅威に備えて、アテネを中心としたポリス間の軍事同盟であるペロポネソス同盟が結成された。

問6
check√
☐☐☐
紀元前 4 世紀、マケドニア王のアレクサンドロス 3 世（アレクサンドロス大王）は、全ギリシアを征服後、東征し、東はインダス川に達する大帝国を建設した。

問7
check√
☐☐☐
紀元前 3 世紀～紀元前 2 世紀にかけて、古代ローマとカルタゴの間で、西地中海の覇権をめぐり、前後 3 回にわたって戦われた。

解答・解説

問1 ○
ヴェーダとは、紀元前1000年頃から紀元前500年頃にかけて、インドで編纂された一連の宗教文書の総称。バラモンとは司祭階級の意味であり、階級制度である四姓制をもつ。1世紀頃にバラモン教の勢力は衰えていったが、他のインドの民族宗教などを取り込み再構成され、ヒンドゥー教へと発展・継承された。

問2 ○
市民（成年男子）が直接参加して開かれる集会である民会は、当初はアゴラと呼ばれる広場で行われたが、後にはアクロポリスの東方のプニュクスの丘がその会場となった。

問3 ×
ソロンの改革についての記述である。グラックス兄弟の改革は、紀元前2世紀の後半、ローマ共和政の維持を図ろうとした土地改革。ソロンの改革は、負債の帳消し・債務奴隷の禁止・平民の財産に応じた参政権と兵役を負わせる財産政治の実施を主な内容としたが、両者の不満を買い、失敗に終わった。

問4 ×
クレイステネスについての記述である。オストラシズム（陶片追放）は、僭主（せんしゅ）の出現を防ぐために行われた。ペリクレスは、紀元前5世紀のアテネの政治家。彼は貴族会議の権限を奪い、民会・評議会・民衆裁判所に分権して、民主政を完成した。

問5 ×
デロス同盟である。ペロポネソス同盟は、紀元前6世紀末にスパルタを盟主とするペロポネソス半島の諸ポリスからなる同盟。ペロポネソス同盟とデロス同盟の対立は、やがてペロポネソス戦争（紀元前431年～紀元前404年）へと発展し、ペロポネソス同盟の勝利で終結した。

問6 ○
アレクサンドロス3世（アレクサンドロス大王）は、東方遠征の途に赴き、アケメネス朝ペルシア帝国を滅ぼして、ギリシア・エジプトからインド北西部に至る、広大な世界帝国を実現した。

問7 ○
古代ローマとカルタゴの間の戦争を、ポエニ戦争と呼んでいる。ポエニとは、フェニキアのローマ読みで、カルタゴがフェニキアの植民市であったことに由来する。ローマはこの戦争に勝ち、多くの属州を獲得し、世界帝国への道を歩み始めた。

以下の記述を読み、正しいものには〇、誤っているものには×をつけよ。

問8
check√
□□□
紀元前221年、戦国時代の漢王・政は、中国の統一を成し遂げた後に、始皇帝と名乗った。

問9
check√
□□□
紀元前3世紀、マウリヤ朝第3代の王であるカニシカ王は、南端部を除くインドを統一し、仏教を篤く信仰し保護した。

問10
check√
□□□
内乱を収めた功績により、カエサルには元老院から多くの要職とアウグストゥスの尊称が与えられ、紀元前27年に帝政が開始された。

問11
check√
□□□
後漢の末期には、紅巾の乱が起き、乱は鎮圧されたものの、その後群雄が割拠して、後漢は滅亡し、三国時代となる。

問12
check√
□□□
新は前漢の外戚であった王莽が、長安を都として建国し、復古主義政策を実施した。

問13
check√
□□□
313年、ローマ皇帝のテオドシウスとリキニウスは、他のすべての宗教とともに、キリスト教を公認したミラノ勅令を出した。

問14
check√
□□□
北インドを統一したグプタ朝第3代の王チャンドラグプタ2世（在位376年〜415年）の時代、中国から玄奘が仏典を求めて赴いた。

問15
check√
□□□
隋王朝は、後漢滅亡後の長い分裂期を経て、中国を再統一した。

問16
check√
□□□
李世民は、隋末の混乱の中で長安を落として根拠地とし、618年に隋の皇帝から禅譲を受けた形で唐を建国した。

問8
×
政は、秦王である。秦末に漢王を名乗ったのは劉邦。後に楚の項羽を破って、漢帝国の初代皇帝（高祖）となる。

問9
×
アショーカ王である。カニシカ王とは、2世紀に中央アジアからガンジス川中流域を支配したクシャーナ朝第4代の王であるカニシカ1世を指す。その治世下で、第4回仏典結集が行われた

問10
×
オクタウィアヌスについての記述である。内乱により、すでに元老院中心の共和政は崩壊していたが、カエサル暗殺後の内乱を収束したオクタウィアヌスに、元老院から多くの要職とアウグストゥスの尊称が与えられ、帝政が開始されたとされている。

問11
×
黄巾の乱である。紅巾の乱は、元末期に起こった、白蓮教を中心とした宗教的農民反乱。黄巾・紅巾とも、衆徒が目印として着用した布。

問12
○
新は王莽の建てた王朝（8年～23年）。王莽は周代の治世を理想として政治を行ったが、現実に即してない各種政策は短期間で破綻し、民衆の生活は前漢末以上に困窮した。

問13
×
テオドシウスではなく、コンスタンティヌス1世である。キリスト教を公認したことは、後年キリスト教がヨーロッパへ浸透するきっかけとなった。テオドシウスは、392年にキリスト教を国教とした皇帝。

問14
×
法顕についての記述である。法顕は東晋時代の僧侶。399年に長安を出発し、戒律の原典を探すために西域を通ってインドに赴き、仏典を手に入れた後に海路で帰国した。玄奘は唐の時代の僧侶。629年に西域経由でインドに赴いたが、当時のインドはハルシャ＝ヴァルダナ（在位606年～647年）の統治するヴァルダナ朝の時代であった。

問15
○
後漢滅亡後は、中国を統一できる強力な王朝が存在しない魏晋南北朝時代（220年～589年）が続いたが、589年に北周から出た隋の楊堅（文帝）が再統一を実現した。

問16
×
唐を建国したのは、李淵である。李世民は、唐王朝の2代皇帝。626年の玄武門の変で、皇太子であった兄の李建成を殺害して皇帝（太宗）となった。太宗の治世は、貞観の治と呼ばれる善政を行い、唐王朝の基礎を固めた。

以下の記述を読み、正しいものには〇、誤っているものには×をつけよ。

問17
check√
□□□
610年頃、唯一絶対の神アッラーを信仰し、神が最後の預言者たるムハンマドを通じて人々に下したとされるクルアーン（コーラン）の教えを信じ従うイスラーム教が興った。

問18
check√
□□□
751年、中央アジアのタラス地方をめぐって、唐とウマイヤ朝のイスラーム帝国の間で戦いが起こった。

問19
check√
□□□
800年、フランク王国の国王カール1世は、西ローマ皇帝の位に就き、ローマ教会を東ローマ帝国の支配から解放した。

問20
check√
□□□
セルジューク朝の手から聖地イェルサレムを奪回しようというローマ教皇アレクシオス1世の呼びかけにより、1096年に第一回十字軍の遠征が行われ、イェルサレムを奪回した。

問21
check√
□□□
14世紀のイタリアで興ったルネサンス（再生）とは、ギリシアやローマの古典文化の復興を意味している。

問22
check√
□□□
ルネサンス期のヨーロッパで発明されたものとしては、火薬（火砲）・活版印刷・羅針盤がある。

問23
check√
□□□
14世紀のイタリアで興ったルネサンス（再生）は、イタリアのフィレンツェなどの都市で盛んになったが、他の地域に対する影響は少なかった。

問24
check√
□□□
ポルトガルの援助を受けたバルトロメウ＝ディアスが、1488年にアフリカ南端の喜望峰に達した。

問25
check√
□□□
ポルトガルの援助を受けたヴァスコ＝ダ＝ガマが、1498年に喜望峰を経由してインドに到達した。

問26
check√
□□□
スペイン王イサベル1世の援助を受けたコロンブスが、1492年にサンサルバドル島に上陸し、その後、新大陸を発見して、アメリカと名付けた。

問 17
○

ムハンマドが、メッカの支配者層から迫害を受けるようになるとメディナに移り（ヒジュラ）、ウンマと呼ばれる宗教的共同体を作ったが、それは同時に政治的・軍事的・商業的性格をももっていた。630 年にメッカを占領すると、カーバ神殿にあったあらゆる偶像を破壊して、そこを聖地に定めた。

問 18
×

アッバース朝である。アッバース朝は、ウマイヤ朝に次ぐ第 2 の世襲王朝。このタラス河畔の戦いで、アッバース朝が中央アジアの覇権を手に入れるとともに、唐軍の捕虜から製紙法がイスラーム世界に伝わった。

問 19
○

カール 1 世の外征と内政両面にわたる多大な功績に対して、ローマ教皇レオ 3 世からローマ帝国を統治する帝冠が授けられた。

問 20
×

十字軍を呼びかけたのは、ウルバヌス 2 世である。アレクシオス 1 世コムネノスは、ビザンツ帝国（東ローマ帝国）の皇帝で、セルジューク朝の侵攻に対し、ウルバヌス 2 世に傭兵の提供を申し出た。十字軍の遠征は、その後、1270 年まで行われたが、結局、聖地回復は失敗に終わった。

問 21
○

ルネサンスは「文芸復興」とも訳されており、ギリシアやローマの古典文化の研究を通して、人間性の発見に努めることにあった。

問 22
×

すでに活字印刷は宋で、金属印刷は高麗で実用化されていた。羅針盤と火薬は、中国から伝来したものである。正しくは、発明ではなく、改良である。

問 23
×

15 世紀末から 16 世紀には、ルネサンスの文化はアルプス以北の西ヨーロッパと東ヨーロッパの一部にも波及していった。

問 24
○

ポルトガル王は、アジア交易路確立のためのアフリカ周回航海の遠征隊長に、バルトロメウ＝ディアスを任命した。

問 25
○

この結果、ポルトガルは、主にアジアに進出して、インドのゴアと中国のマカオを拠点に、香辛料などの貿易を行い、大きな利益を上げた。

問 26
×

コロンブスは、死ぬまでインドに到着したと思い込んでいたが、アメリゴ＝ヴェスプッチは測量を繰り返し、到達したのがインドではなく、新大陸であることを確認した。アメリカという名称は、アメリゴという彼の名に由来する。

世界史

以下の記述を読み、正しいものには〇、誤っているものには×をつけよ。

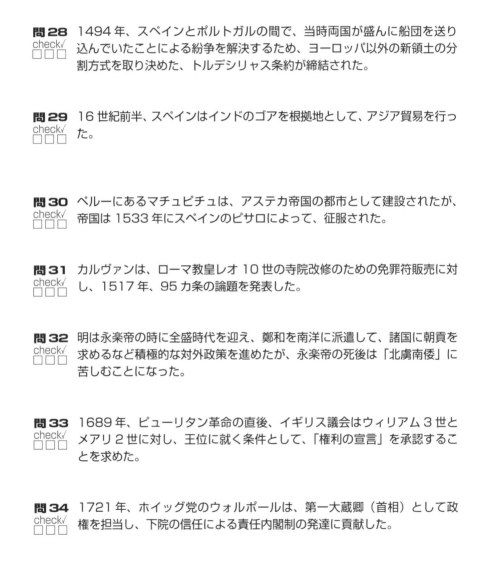

問27
check√
☐☐☐
コロンブスのインド到達の知らせを聞いたローマ教皇アレクサンデル6世は、1493年にポルトガル・スペイン両国の植民地分割線を設定した。

問28
check√
☐☐☐
1494年、スペインとポルトガルの間で、当時両国が盛んに船団を送り込んでいたことによる紛争を解決するため、ヨーロッパ以外の新領土の分割方式を取り決めた、トルデシリャス条約が締結された。

問29
check√
☐☐☐
16世紀前半、スペインはインドのゴアを根拠地として、アジア貿易を行った。

問30
check√
☐☐☐
ペルーにあるマチュピチュは、アステカ帝国の都市として建設されたが、帝国は1533年にスペインのピサロによって、征服された。

問31
check√
☐☐☐
カルヴァンは、ローマ教皇レオ10世の寺院改修のための免罪符販売に対し、1517年、95カ条の論題を発表した。

問32
check√
☐☐☐
明は永楽帝の時に全盛時代を迎え、鄭和を南洋に派遣して、諸国に朝貢を求めるなど積極的な対外政策を進めたが、永楽帝の死後は「北虜南倭」に苦しむことになった。

問33
check√
☐☐☐
1689年、ピューリタン革命の直後、イギリス議会はウィリアム3世とメアリ2世に対し、王位に就く条件として、「権利の宣言」を承認することを求めた。

問34
check√
☐☐☐
1721年、ホイッグ党のウォルポールは、第一大蔵卿（首相）として政権を担当し、下院の信任による責任内閣制の発達に貢献した。

問27
○
教皇子午線ともいう。アフリカのヴェルデ岬西方の子午線で、大西洋のアゾレス諸島とヴェルデ諸島の間の海上を通過する経線の東をポルトガル、その西をスペインの勢力圏とした。

問28
○
1493年に教皇が設定した植民地分割線は、ポルトガルにとって不利なものであった。そこで、ポルトガル王ジョアン2世は、スペインのフェルディナンド2世と直接交渉してトルデシリャス条約を締結し、この設定をくつがえして境界線をさらに西側に移動することに成功した。

問29
×
ポルトガルである。インド航路を開拓したポルトガルは、1510年にインドのゴアを占領し、ゴアをアジア貿易の拠点とし、後にマカオを中国貿易の拠点とした。スペインは、16世紀末、マニラを根拠地としてアジア貿易を行った。

問30
×
インカ帝国である。アステカ帝国は、1428年頃から1521年まで北米のメキシコ中央部に栄えたメソアメリカ文明の国家。スペインのコルテスによって滅ぼされた。

問31
×
ルターである。この95ヵ条の論題は、宗教改革のきっかけとなった。カルヴァンは、ジュネーヴにおいて神権政治を行い、市民の日常生活にも厳しい規律・戒規を求めた。

問32
○
鄭和の南海大遠征は、マラッカ、南インドのカリカット、イランのホルムズ、アラビア半島のアデンとメッカ、東アフリカ沿岸にまで及んだ。北虜とは、明の北辺を侵略したモンゴル人、南倭とは、南東沿海地方を略奪した倭寇を指す。

問33
×
名誉革命である。ピューリタン革命は、1642年に起きた、国王チャールズ1世の専制政治に対する市民革命。後に議会は、「権利の宣言」を「権利の章典」として制定し、国王は「君臨すれども統治せず」の原則に従う立憲君主であることが確定した。

問34
○
17世紀の市民革命によって、イギリスの議会政治の基礎は固まったが、ウォルポールの責任内閣制（議院内閣制）の確立によって、議会政治は盤石なものとなっていく。

以下の記述を読み、正しいものには〇、誤っているものには×をつけよ。

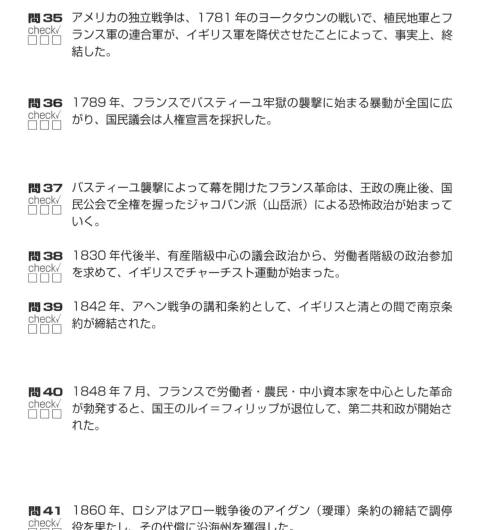

問35
check√
□□□
アメリカの独立戦争は、1781年のヨークタウンの戦いで、植民地軍とフランス軍の連合軍が、イギリス軍を降伏させたことによって、事実上、終結した。

問36
check√
□□□
1789年、フランスでバスティーユ牢獄の襲撃に始まる暴動が全国に広がり、国民議会は人権宣言を採択した。

問37
check√
□□□
バスティーユ襲撃によって幕を開けたフランス革命は、王政の廃止後、国民公会で全権を握ったジャコバン派（山岳派）による恐怖政治が始まっていく。

問38
check√
□□□
1830年代後半、有産階級中心の議会政治から、労働者階級の政治参加を求めて、イギリスでチャーチスト運動が始まった。

問39
check√
□□□
1842年、アヘン戦争の講和条約として、イギリスと清との間で南京条約が締結された。

問40
check√
□□□
1848年7月、フランスで労働者・農民・中小資本家を中心とした革命が勃発すると、国王のルイ＝フィリップが退位して、第二共和政が開始された。

問41
check√
□□□
1860年、ロシアはアロー戦争後のアイグン（璦琿）条約の締結で調停役を果たし、その代償に沿海州を獲得した。

問35
○　その後、1783年にイギリスはアメリカとパリ条約を締結し、アメリカの完全独立を承認した。これによって、イギリスはアメリカにミシシッピ川以東のルイジアナを割譲し、イギリスとアメリカの友好関係が樹立された。

問36
○　このバスティーユ襲撃を契機として、フランス全土に騒乱が発生し、第三身分（平民）による国民議会（後に憲法制定国民議会）が発足、フランス革命の基本原則となる人権宣言を採択し、革命の進展とともに王政と封建制度は崩壊した。

問37
○　立法議会の後を受けて開かれた国民公会で、山岳派独裁による恐怖政治が行われたが、1794年のテルミドールの反動を経て、1795年に総裁政府を設立して解散した。

問38
○　チャーチスト運動の名称は、運動の要求書「人民憲章」に由来する。運動自体は、内部対立や政府の弾圧によって1850年代には消滅した。

問39
○　南京条約の内容としては、香港の割譲・賠償金の支払い・5港開港・公行の廃止による貿易完全自由化が定められた。その後、南京条約の附属協定により、領事裁判権の容認と協定関税（関税自主権の喪失）などが締結された。

問40
×　フランス二月革命に関する記述なので、1848年2月である。フランス七月革命は、1830年に起きた大資本家（金融資本）を中心とした市民革命。1815年の王政復古で復活したブルボン朝が打倒され、大資本家が推すルイ＝フィリップが王位に就いて、立憲君主制が行われた。しかし、労働者・農民・中小資本家には選挙権が与えられず、普通選挙の要求も政府によって弾圧された。

問41
×　1860年に締結されたのは、北京条約である。アロー戦争に関する清と列強の間で結ばれた条約は、1858年の天津条約と1860年の北京条約が一連の条約。アイグン（璦琿）条約は、1858年にロシアと清との間で締結された条約。沿海州については、両国の共同管理地とされていた。

世界史

以下の記述を読み、正しいものには〇、誤っているものには×をつけよ。

問42
check✓
☐☐☐
19世紀末から20世紀初頭にかけて、イギリスはアフリカにおいて、スエズ運河の経営を足がかりにして、縦断政策を意図していた。

問43
check✓
☐☐☐
19世紀末から20世紀初頭にかけて、イギリスとフランスは、アフリカにおける植民地分割を進めていたが、両国はモロッコ事件を引き起こして衝突した。

問44
check✓
☐☐☐
19世紀末から20世紀初頭にかけて、イギリスは3C政策をとって、植民地の拡大を図った。

問45
check✓
☐☐☐
1912年、社会主義革命の実現を目指したロシア社会民主労働党は、方針の違いから、レーニンが指導するメンシェヴィキとプレハーノフらのボリシェヴィキに分裂した。

問46
check✓
☐☐☐
1914年、サライェヴォ事件をきっかけに、ドイツ・オーストリア・イタリアの三国同盟側と、イギリス・フランス・ロシアの三国協商側の間で第一次世界大戦が始まった。

問47
check✓
☐☐☐
1917年にロシアで三月革命（ロシア暦二月革命）が起きると、翌年ロシア革命政権は、ドイツおよびその同盟国とブレスト＝リトフスク条約を締結して、連合国側から離脱した。

問48
check✓
☐☐☐
1919年、パリで第一次世界大戦の戦後処理のための国際会議が開かれ、連合国がドイツとの平和条約であるヴェルサイユ条約を締結した。

問49
check✓
☐☐☐
アメリカ大統領セオドア＝ローズヴェルトの十四カ条の原則の中で提案された国際平和機構は、国際連盟としてヴェルサイユ条約の第1編でその規約が定められ、1920年に成立した。

解答・解説

問 42
○
イギリスは、スエズ運河の経営を足がかりにして、南ア戦争によって南アフリカに勢力を伸ばし、両地域を結ぶアフリカ縦断政策を意図していた。

問 43
×
ファショダ事件である。イギリスは縦断政策、フランスはモロッコを足がかりに横断政策を進めており、両国は 1898 年にファショダ事件を引き起こした。このときは、フランスが譲歩して、英仏協商が成立した。モロッコ事件は、ドイツとフランスを主な当事者とする国際紛争。

問 44
○
3C はカイロ・ケープタウン・カルカッタ（コルカタ）の各都市を指し、それらの都市を結んだ地帯への進出を図った。これに対し、ドイツは、ベルリン・ビザンティウム（イスタンブール）・バグダッドを鉄道で結んで、勢力を伸ばそうと 3B 政策をとって、イギリスに対抗した。

問 45
×
ボリシェヴィキとメンシェヴィキの記述が逆である。ボリシェヴィキとは「多数派」の意味。元来、ボリシェヴィキは党内では少数派であったが、一時期党内の人事と要職を握っていたので、自ら「多数派」を名乗ったにすぎない。

問 46
×
イタリアは、オーストリアとの間で領土問題があったことから、開戦当初は中立を宣言していた。その後、1915 年にイギリスとの間で締結したロンドン秘密条約により三国同盟を離脱し、オーストリアに対して宣戦した。

問 47
○
1917 年に三月革命（ロシア暦二月革命）が起きるが、それによって成立した臨時政府は、依然戦争を継続する政策をとった。しかし、ロシア軍の攻勢が失敗に終わると、食料危機などで一気に民衆の不満が高まり、ボルシェヴィキの指導する十一月革命（ロシア暦十月革命）によって倒された。

問 48
○
ヴェルサイユ条約は 1920 年に発効し、これ以降この条約に基づくヨーロッパの国際秩序を、ヴェルサイユ体制と呼んでいる。このヴェルサイユ体制の下で、ドイツは賠償金や領土の割譲による苛酷な負担を強いられることになった。

問 49
×
ウッドロー＝ウィルソンである。しかし、アメリカはヴェルサイユ条約の承認が上院で得られなかったために批准せず、国際連盟には加盟しなかった。セオドア＝ローズヴェルトは、日露戦争の講和を仲介した大統領。1912 年の大統領選挙で、ウィルソンに敗れた。

以下の記述を読み、正しいものには〇、誤っているものには×をつけよ。

問50
check√
□□□
1929年、ニューヨーク株式取引所で空前の株価大暴落が発生し、これが「世界恐慌」の始まりとなった。

問51
check√
□□□
1945年2月、クリミア半島のヤルタ近郊で、アメリカ・イギリス・ソ連の三国首脳による戦後処理構想に関する会談が行われた。

問52
check√
□□□
1973年の第三次中東戦争をきっかけに、石油危機が起きた。

問53
check√
□□□
1989年、ブッシュ大統領とエリツィン大統領の米ソ首脳がマルタ島で会談し、冷戦終結を宣言した。

問54
check√
□□□
東欧革命とバルト三国の独立によって、1991年にワルシャワ条約機構は解散した。

問55
check√
□□□
イラクがクウェートに侵攻したのをきっかけに、1991年に米軍主体の「有志連合」軍がイラクを攻撃し、サダム＝フセイン政権を倒した。

問56
check√
□□□
1993年、イスラエルのラビン首相とPLO（パレスチナ解放機構）アラファト議長との間で、相互承認を行い、ワシントンで「パレスチナ暫定自治に関する原則宣言」が調印された。

問50
○
1929 年 10 月 24 日の「暗黒の木曜日」、10 月 29 日の「悲劇の火曜日」の大暴落をきっかけに、アメリカ国内の経済不況が一挙に深刻になって、およそ 1200 万人の失業者が出たとされている。また、この恐慌が世界に波及し、恐慌からの脱出策を模索する中で各国の利害対立が深まっていった。

問51
○
ヤルタ会談では、イギリス首相チャーチル、アメリカ大統領フランクリン＝ローズヴェルト、ソ連首相スターリンの三国首脳が、国際連合の設立・ドイツの戦後処理問題・東欧諸国問題などを協議したが、ポーランド・バルカン半島の処置をめぐっては、イギリスとソ連の意見が対立した。

問52
×
第四次中東戦争である。OPEC（石油輸出国機構）に加盟する国々が、原油生産量の削減と原油価格を引き上げた結果、石油に依存する先進国の経済は混乱し、軒並みマイナス成長を強いられた。第三次中東戦争は、1967 年に起きた「六日戦争」を指す。

問53
×
ブッシュ大統領とマルタ島で会談したのは、ゴルバチョフ書記長（当時）である。この会談によって第二次大戦後の東西冷戦という枠組み（ヤルタ体制）が終わりを告げた。エリツィン大統領は、ロシア連邦の初代大統領。

問54
○
ワルシャワ条約機構は、1955 年にソ連と東欧諸国が NATO（北大西洋条約機構）に対抗する軍事同盟として発足したが、ゴルバチョフ政権が冷戦終結を背景に主導権を放棄したため、1991 年に解散した。

問55
×
米軍主体の「有志連合」軍がイラクを攻撃し、サダム＝フセイン政権を倒したのは、2003 年のイラク戦争である。1991 年の湾岸戦争のときには、国際連合が多国籍軍の派遣を決定し、イラクを攻撃したが、その後もサダム＝フセイン政権は存続している。

問56
○
この合意が、ノルウェーのホルスト外相の仲介によって、オスロの秘密交渉で生まれたことから、「オスロ合意」と呼ばれている。1995 年には、自治区を拡大するオスロ合意 II が調印され、1996 年にパレスチナ暫定自治政府が成立した。

問 1
check✓
□□□
古代ローマに関する記述として最も適切なものを、1〜5の中から一つ選びなさい。

1　キリスト教は、当初迫害を受けていたが、313年、皇帝テオドシウスのミラノ勅令によって公認された。

2　ローマ最古の成文法典は、民会の権限強化を図ったホルテンシウス法である。

3　カエサルの死後、アウグストゥスはローマ帝国の領土を最大にしたが、トラヤヌスの時に辺境の防備を固めるために縮小した。

4　ローマ文化は、土木・建築などの実用的な分野と文芸・学問の分野両面において、非常に独創性の高いものであった。

5　属州で奴隷を使用する大土地所有経営（ラティフンディア）が発展するようになると、中小農民層の没落に拍車をかけることになった。

問 2
check✓
□□□
唐の盛衰に関する記述として誤っているものを、1〜5の中から一つ選びなさい。

1　隋の末期には群雄割拠の状態となり、その中で李淵が勢力を拡大し、唐を建てた。

2　高宗は、匈奴の侵入を防ぐために万里の長城の建設に着手し、また、遠征隊をオルドス地方へ派遣した。

3　玄宗が即位すると、国政を改革して安定した時代を迎えたが、晩年には政治が乱れて安史の乱を招いた。

4　唐の時代には文化が栄え、特に詩歌においては、中国詩歌史上最高の存在とされる李白と杜甫を頂点として、数多くの詩人が活躍した。

5　黄巣の乱が起きると、唐は長安一帯を治める一地方政権にすぎなくなり、節度使である朱全忠によって滅ぼされた。

解答・解説

問1 正解5

1× ミラノ勅令は、コンスタンティヌス1世とリキニウスが、連名で発布したとされている。テオドシウスは、392年にキリスト教を国教とした皇帝。

2× 紀元前287年に制定されたホルテンシウス法ではなく、紀元前450年頃に制定された十二表法である。ホルテンシウス法は、平民会での決議は、元老院の承認がなくても国法とされる、とした内容であった。

3× 領土が最大になったのは、トラヤヌスの時代である。後に、ハドリアヌスが、辺境の防備を固めるために、帝国の領土を縮小しようと試みたが、元老院の反対で果たせなかった。

4× ローマ文化の中で、実用的な土木・建築や法律は独創的であったが、文芸・学問の分野においては、ギリシア文化を継承したにすぎなかった、と評価されている。

5○ ポエニ戦争を契機として、長期にわたる従軍から中小農民層の没落は始まっていた。さらに、属州で奴隷を使用する大土地所有経営(ラティフンディア)が発展すると、安価な農産物がイタリア半島に流入するようになって、中小農民層の没落に拍車をかけることになった。

問2 正解2

1○ 李淵は唐の初代皇帝。隋末の混乱の中で長安を落として根拠地とし、618年に隋の皇帝から禅譲を受けた形で唐を建国した。

2× 秦の始皇帝に関する記述である。オルドス地方は、中国の内モンゴル自治区南部の黄河屈曲部。高宗のときには、高句麗征伐が成功している。

3○ 玄宗の治世の前半は開元の治と謳われ、唐の絶頂期であったが、安史の乱を契機に唐帝国は衰退期に入った。

4○ 李白は「詩仙」、杜甫は「詩聖」と称されている。

5○ 朱全忠は黄巣の部下であったが、唐に恭順した後は、黄巣の乱の鎮圧にあたり武功を立てた。やがて、朝廷内で実権を掌握すると、唐の皇帝から禅譲を受けた形で後梁を建国したが、再統一する力はなく、中国は五代十国の分裂時代に入った。

問3
check√
□□□

イスラーム世界に関して記述された次の文の空欄（　A　）～（　C　）に当てはまる語句の組み合わせとして正しいものを、1～5の中から一つ選びなさい。

　イスラーム世界を統一していた（　A　）が滅亡すると、イスラーム帝国は、イベリア半島を除いて、アッバース朝が統一したが、9世紀に入ると地方が自立し始め、統一が失われてきた。11世紀には（　B　）が中央アジアから小アジアに進出したことをきっかけに、イスラーム世界は、十字軍の遠征に直面することになる。13世紀にはモンゴル帝国によって、アッバース朝は滅ぼされたが、14世紀に入ると、ティムール朝と（　C　）がイスラーム世界をほぼ二分することになった。当初（　C　）はアンカラの戦いでティムール朝に敗れ、危機に陥ったが、その後勢いを盛り返し、1453年にビザンツ帝国（東ローマ帝国）を滅ぼした。

	A	B	C
1	後ウマイヤ朝	セルジューク朝	オスマン帝国
2	アッバース朝	セルジューク朝	オスマン帝国
3	ウマイヤ朝	セルジューク朝	オスマン帝国
4	アッバース朝	オスマン帝国	セルジューク朝
5	ウマイヤ朝	オスマン帝国	セルジューク朝

解答・解説

問3　正解 3

A　ウマイヤ朝が入る。メッカの指導層であった、ウマイヤ家によるイスラーム史上最初の世襲王朝である（661年～750年）。750年にアッバース朝によって滅ぼされるが、ウマイヤ朝の一族がイベリア半島に逃れ、後ウマイヤ朝を建てた。

B　セルジューク朝が入る。セルジューク朝は、中央アジアから興ったトルコ系スンナ派の王朝（1038年～1194年）。西アジア一帯を支配し、小アジアに進出して、ビザンツ帝国を圧迫したことが、十字軍遠征の発端になったとされている。

C　オスマン帝国が入る。オスマン帝国は、小アジアからバルカンを征服したトルコ系部族が建てたイスラーム国家（1299年～1922年）。1922年、ケマル＝アタチュルクのトルコ革命によって滅亡した。

したがって、正しい組み合わせは3である。

問4 宗教改革に関する記述として誤っているものを、1～5の中から一つ選びなさい。

check√
□□□

1　フランスでは、カルヴァン派とカトリック教徒の間で殺戮と内乱が続いた。

2　新教に対抗するために、イエズス会が組織され、海外にも宣教師が派遣された。

3　ドイツでは、カトリックを支持する皇帝と諸侯に対し、ルター派を支持する諸侯が同盟して対抗した。

4　ドイツでは、ルター派とカトリック派の争いは、ナントの勅令で終結した。

5　ヘンリー8世は、国王を首長とするイギリス国教会を作った。

解答・解説

問4　正解 4

1○　カルヴァンの思想がフランスで勢力を持ち、プロテスタントはカトリック側からユグノーと呼ばれた。ユグノーには貴族も加わり、弾圧にもかかわらず勢力を広げていった。ヴァシーでのユグノー虐殺事件（ヴァシーの虐殺）が契機となり、内乱状態になった（ユグノー戦争 1562年～1598年）。

2○　16世紀の宗教改革運動に対するカトリック教会側の改革を、反宗教改革あるいは対抗宗教改革と呼んでいる。

3○　ドイツでは、ザクセン選帝侯などルター派諸侯がシュマルカルデン同盟を結び、皇帝を中心としたカトリック勢力と争った（シュマルカルデン戦争）。両派の間で戦闘が続いたが、1555年にアウグスブルクの宗教和議が結ばれ、ルター派諸侯の信仰は容認された。

4×　ナントの勅令が発せられたのは、フランスである。ナントの勅令とは、1598年にアンリ4世が発布したものを指す。カルヴァン派などの新教徒に対して、カトリック教徒とほぼ同じ権利を与え、近代ヨーロッパでは初めて個人の信仰の自由を認めた。この勅令によって、フランスのユグノー戦争が終結した。

5○　イギリス国教会は、イギリス国王ヘンリー8世によって創始された教会である。成立の契機となったのは、国王の離婚問題であった。王は王妃の離別と再婚を望んだが、その許可がローマ教皇から得られなかったため、イギリスの教会をローマ教会より分離独立させ、その権威をもって再婚を正当化した。

問 5
check√
□□□

次の A ～ C は、15 世紀末から 16 世紀前半の新航路の発見について説明したものである。発見の年代の古い順に並べた組み合わせとして正しいものを、1～5 の中から一つ選びなさい。

A　ヴァスコ＝ダ＝ガマが、喜望峰を経由して、インドに到達した。
B　コロンブスが、インドを目指し、サンサルバドル島に上陸した。
C　マゼラン船隊が、太平洋と大西洋を結ぶ南アメリカ大陸南端の海峡を発見し、世界一周を達成した。

1　A → B → C
2　A → C → B
3　B → A → C
4　B → C → A
5　C → B → A

問 6
check√
□□□

中国の歴代王朝に関する次の a ～ d の記述について正しいものを、1～5 の中から一つ選びなさい。

a　宋は趙匡胤が開封を都として建国し、武断政治から文人官僚による文治政治を行って、皇帝独裁体制を確立した。
b　元はモンゴル帝国の第 5 代皇帝に即位したフビライが、モンゴル帝国の国号を大元と改め、大都（北京）を都として建国した。
c　明は朱元璋が応天府（南京）を都として建国し、宋代以来の皇帝独裁体制を継承した。
d　清は満州族（女真族）のヌルハチ（太祖）が建国した後金を前身とする中国最後の王朝で、明滅亡後の中国大陸を 300 年近くにわたって支配した。

1　a だけが誤りである。
2　b だけが誤りである。
3　c だけが誤りである。
4　d だけが誤りである。
5　すべて正しい。

問5　正解 3

A　ポルトガル王ジョアン2世の援助を受けたバルトロメウ＝ディアスが、1488年にアフリカ南端の喜望峰に達した。その後、1498年にヴァスコ＝ダ＝ガマが、喜望峰を経由して、インドに到達した。この結果、ポルトガルは、主にアジアに進出して、インドのゴアと中国のマカオを拠点に、香辛料などの貿易を行い、大きな利益を上げた。

B　スペイン王イサベル1世の援助を受けて、コロンブスはインドを目指し、1492年にカリブ海のサンサルバドル島に上陸した。その結果、スペインは主にアメリカに進出し、先住民を武力で制圧し、植民地化した。

C　1519年、マゼラン船隊は、スペインの援助を受けて航海に出て、1520年にマゼラン海峡を発見し、1522年に世界一周を成し遂げた。マゼラン自身は、フィリピンで戦死したが、彼の船隊はその後も航海を続け、スペインに帰還した。

したがって、B→A→Cの順となり、正しいものは3である。

問6　正解 5

a○　宋は趙匡胤が建てた王朝（960年～1279年）。一般的に、金に華北を奪われ南遷した1127年以前を北宋、以後を南宋と呼び分けている。南遷後の首都は臨安。

b○　元はフビライが建てた王朝（1271年～1368年）。南宋を征服して中国を統一し、さらにビルマ、ベトナム、朝鮮半島（高麗）等を征服したが、日本とジャワの征服には失敗した。

c○　明は朱元璋が建てた王朝（1368年～1644年）。1421年、永楽帝のときに、応天府（南京）から北京に遷都した。

d○　清は後金のヌルハチ（太祖）を始祖とする王朝（1616年～1912年）。1636年、ヌルハチの子のホンタイジ（太宗）が、後金から国号を清と改め、その子順治帝が1644年に盛京（瀋陽）から北京を都とし、次の康熙帝が1683年に中国を統一した。

したがって、正しいものは5である。

問7　イギリスにおける立憲政治の発展に関する記述として誤っているもの
check✓　を、1～5の中から一つ選びなさい。
☐☐☐

　　1　国王が議会から出された「権利の請願」を守らなかったことから、
　　　ピューリタン革命が起きた。
　　2　名誉革命後、王政復古を主張するホイッグ党と議会主義を唱えたトー
　　　リー党が誕生した。
　　3　ロックの『市民政府二論』は、名誉革命を擁護した著書である。
　　4　18世紀になると、ホイッグ党のウォルポールが責任内閣制を確立し
　　　て、政党政治発展の礎をつくった。
　　5　1689年、ウィリアム3世が即位し、「君臨すれども統治せず」とい
　　　う英国王室の伝統を築いた。

問7　正解2

1○　1628年、議会から臣民の自由と権利の再確認を求める「権利の請願」
　　に対し、国王チャールズ1世がこれを無視したことからピューリタン（清教
　　徒）革命が起きた。
2×　イギリスにおける2大政党政治の起源は、名誉革命以前の王政復古の
　　時代(1660年～1688年)に求めることができる。チャールズ2世の治世下、
　　王位継承者である王弟ジェームズ（後のジェームズ2世）はカトリックを支
　　持した。これに対し、下院の一議員が、ジェームズの王位継承を阻むための
　　法案を提出したことの賛否から、王権と議会のあり方をめぐる議論につなが
　　り、2つの党を生んだ。
3○　ロックは名誉革命の正当性を、『市民政府二論』で擁護した。
4○　1721年、ウォルポールが第1大蔵卿（事実上の首相）のとき、下院で
　　単独過半数を占めていたホイッグ党が、政権を担当する責任内閣制（議院内
　　閣制）の基礎が作られた。
5○　議会とジェームズ2世の対立が深まるなかで、議会の要請を受けてオ
　　ランダから来たウィリアム3世は「権利の宣言」を承認し、妻のメアリ2
　　世とともに王位に就くことになった。

本試験型問題

問8
check√
□□□
　アメリカ合衆国の独立に関する記述として最も適切なものを、1～5の中から一つ選びなさい。

　1　イギリスが課税を強化したことに対し、イギリス議会に代表を持たない植民地議会は、「代表なくして課税なし」と唱えて抵抗し、1773年に独立戦争を起こした。

　2　1776年、13の植民地の代表はフィラディルフィアにおいて、ジョージ＝ワシントンが中心となって起草した独立宣言を発した。

　3　アメリカの独立戦争に際し、ヨーロッパ諸国は中立の立場を貫いて静観し、植民地軍に対して冷淡だった。

　4　独立戦争当初、独立を支持する世論に盛り上がりを欠いたが、1776年、トマス＝ペインが『コモン・センス』でアメリカ独立を訴えてベストセラーとなり、以後、独立派が世論の多数を占めるようになった。

　5　イギリスはウェストファリア条約で、アメリカ合衆国の独立を承認するに至った。

解答・解説

問8　正解 4

1×　1775年のレキシントン＝コンコードの戦いが、独立戦争の開始とされている。そのきっかけとなったのが、1773年のボストン茶会事件である。

2×　独立宣言の起草は、初代大統領のワシントンではなく、3代大統領のトマス＝ジェファソンが中心となって、まとめたものである。

3×　フランスはアメリカ独立戦争当時、財政的に困難な状況にあったが、この戦争をイギリス弱体化の好機として捉え、同盟国であるスペインと共に参戦するに至った。

4○　独立戦争当初、自営農民や商工業に携わる人々が愛国派として独立を目指していたが、その数は植民地人口のおよそ3分の1程度だった。その他に、本国への依存を続けようとする忠誠派や中立派といった人々も相当数いたため、植民地の世論は様々であった。

5×　1783年、イギリスはアメリカとパリ条約を締結し、アメリカの完全独立を承認した。これによって、イギリスはアメリカにミシシッピ川以東のルイジアナを割譲し、イギリスとアメリカの友好関係が樹立された。ウェストファリア条約は、1648年にフランス・スウェーデン・ドイツの諸国間で締結された三十年戦争（1618年～1648年）の講和条約。

問9
check√
□□□
清朝後期の中国をめぐる情勢に関する次のa～dの記述について正しいものを、1～5の中から一つ選びなさい。

a　アヘン戦争に勝利したイギリスは、清と南京条約を結び、マカオを割譲させた。

b　アロー戦争に勝利したイギリスとフランスは、清と北京条約を結び、天津を開港させた。

c　「滅満興漢」を掲げ、拝上帝会を組織した洪秀全を指導者とする太平天国の乱が起きたが、列強諸国は乱が収束するまで、中立の立場をとり続けた。

d　義和団事件に介入したロシアは、清との間に北京条約を結んで、沿海州を獲得した。

1　aだけが正しい。
2　bだけが正しい。
3　cだけが正しい。
4　dだけが正しい。
5　すべて誤り。

問10
check√
□□□
1880年代から第一次世界大戦直前にかけての世界情勢に関する記述として最も適切なものを、1～5の中から一つ選びなさい。

1　ロシアとオスマン帝国との間で戦争が起こったが、イギリスとフランスはロシアに対抗するために、オスマン帝国側に立って参戦した。

2　アメリカでは、南北戦争が起こり、リンカン大統領が奴隷解放宣言を行った。

3　フランスでは、ナポレオン1世が大軍を率いてモスクワ遠征を企てたが、失敗に終わった。

4　ドイツ・オーストリア・イタリアとの間で、フランスを孤立させるために三国同盟が結ばれた。

5　ロシアでは、近代化を進めるために、アレクサンドル2世が農奴解放令を出した。

問9 正解 2

a× 南京条約で割譲されたのは、香港である。マカオは、1845年から1999年まで、ポルトガルの植民地であった。

b○ アロー戦争に関する清と列強の間で結ばれた条約は、英仏との間に締結された天津条約（1858年）と、英仏露との間に締結された北京条約（1860年）が一連の条約。北京条約では、天津の開港・賠償金の支払い・イギリスへの九竜割譲などが定められた。

c× 列強諸国は、太平天国がキリスト教を標榜していたことから、当初は中立を保っていた。しかし、しだいに民族主義的な太平天国を危険視するようになると、アメリカ人のウォードやイギリス人ゴードンの指導した常勝軍のように、その弾圧に協力するようになる。

d× ロシアが清との間に北京条約を結んで、沿海州を獲得したのは、アロー戦争が原因であるので誤り。義和団事件は、1899年から1900年に起きた事件。ロシアは、1901年の北京議定書で定められた列強諸国の撤兵後も、満州を占領し続けた。

したがって、正しいものは2である。

問10 正解 4

1× クリミア戦争に関する記述であるが、この戦争は1853年から1856年の出来事。イギリスとフランスは、ロシアの南下政策に対抗するために、オスマン帝国側に立って参戦した。

2× リンカン大統領が、奴隷解放宣言を行ったのは、南北戦争中の1863年の出来事。

3× ナポレオン1世が、大軍を率いてモスクワ遠征を失敗したのは、1812年の出来事。

4○ 三国同盟は、1882年に締結された。宰相のビスマルクは、プロイセン゠フランス（普仏）戦争で敗北したフランスの復讐を断念させる目的で、三国同盟を締結した。

5× 農奴解放令が出されたのは、1861年の出来事。クリミア戦争の敗北によって、ロシアの支配層は、農奴制がロシアの近代化を妨げていると判断して、農奴解放令が発せられた。

問 11
check√
□□□

次のＡ～Ｃは、第一次世界大戦後の条約について説明したものである。それぞれの条約を年代の古い順に並べた組み合わせとして正しいものを、１～５の中から一つ選びなさい。

A　スイスのロカルノで、イギリス・フランス・ドイツ・イタリアなど７ヵ国による一連の欧州相互安全保障条約が締結された。
B　日本を含めた列強諸国の海軍力増強を制限するために、ワシントンD.C. で海軍軍縮条約が締結された。
C　日本を含めた列強諸国の海軍力増強を制限するために、ロンドンで海軍軍縮条約が締結された。

1　Ａ→Ｂ→Ｃ
2　Ａ→Ｃ→Ｂ
3　Ｂ→Ａ→Ｃ
4　Ｃ→Ａ→Ｂ
5　Ｃ→Ｂ→Ａ

解答・解説

問11　正解 3

A　ロカルノ条約。1925 年、スイスのロカルノで、イギリス・フランス・ドイツ・イタリア・ベルギー・ポーランド・チェコスロヴァキアの７ヵ国が締結した一連の欧州相互安全保障条約。イギリス・フランス・ドイツ・イタリア・ベルギーがラインラント非武装化と現国境の維持を取り決めた条約、フランス・ベルギー・ポーランド・チェコスロヴァキアがドイツと締結した仲裁裁判条約、チェコスロバキア・ポーランドがフランスと締結した相互保障条約が含まれる。1936 年、ロカルノ条約はヒトラーによって破棄された。
B　ワシントン海軍軍縮条約。1922 年に締結されたこの条約は、発効した時点で、各国が建造中の主力艦全ての建造を中止し、廃棄処分とした上で、主力艦の保有比率を米・英５、日３、仏・伊 1.67 とした。なお、この当時の主力艦とは、戦艦と巡洋戦艦を指すものとされていた。
C　ロンドン海軍軍縮条約。1930 年に日本・アメリカ・イギリスとの間で、主力艦以外の補助艦（巡洋艦・駆逐艦・潜水艦など）増強などを制限した条約。補助艦保有比率は、米 100：英 100：日 69.75 とされた。

したがって、Ｂ→Ａ→Ｃの順となり、正しいものは３である。

世界史

問 12
check√
□□□

20世紀における中国統一の過程に関する記述として誤っているものを、1～5の中から一つ選びなさい。

1　西安事件を契機にして、共産党と蒋介石の国民政府が和解し、第一次国共合作が成立した。

2　盧溝橋事件の後も、日中間で断続的な戦闘状態が続き、戦火は華北にとどまらず、華中にも移っていった。

3　当初、中国共産党が抗日民族統一戦線を主張していたが、蒋介石の国民政府もこれに応じる形で、第二次国共合作が成立した。

4　満州事変以降でも、蒋介石の国民政府は日本に対する抵抗よりも、共産党を掃討することを優先した。

5　日中戦争が始まると、徹底抗戦を貫く蒋介石に対し、汪兆銘は和平グループの中心的存在となった。

解答・解説

問 12　正解 1

1×　西安事件とは、1936年に西安で起きた張学良・楊虎城による蒋介石監禁事件。この事態に際して、共産党の周恩来等が西安に入り、国民政府側の蒋介石等の間に合意ができて、蒋介石は解放された。翌年、日中戦争が勃発すると、第二次国共合作が成立する。第一次国共合作は、軍閥および北京政府に対抗する共同戦線。1924年に広東で開催された第一次全国代表大会で、第一次国共合作が成立した。

2○　盧溝橋事件により始まった華北での戦闘は、いったんは停戦協定が結ばれたものの、その後停戦協定が破られると、第二次上海事変が起きて、華中においても戦火が拡大した。

3○　1937年、盧溝橋事件と上海で起きた日本軍との軍事的衝突の矢面に立たされた蒋介石の国民政府は、中国共産党の抗日民族統一戦線を結成する呼びかけに応じて、第二次国共合作が成立した。

4○　1927年の上海クーデターによって第一次国共合作が崩壊した後、蒋介石の国民政府は、五次にわたる共産党掃討作戦を展開して、共産党を追い詰めていった。しかし、西安事件をきっかけに、第二次国共合作の道が開かれていく。

5○　汪兆銘は蒋介石の方針に反対し、1938年に蒋介石の中華民国政府から離反し、1940年には親日政権である南京国民政府を樹立したが、民衆の支持は受けられなかった。

地　理

以下の記述を読み、正しいものには○、誤っているものには×をつけよ。

問1
check√
□□□
地球儀は、方位・角度・距離・面積のすべてを同時に正しく示している。

問2
check√
□□□
16世紀の地理学者メルカトルが考案した図法によって描かれた地図は、経線と緯線が直交しており、かつ経線と緯線の比率は一定に保たれている。

問3
check√
□□□
地表における陸地と海の面積の割合は、およそ4：6である。

問4
check√
□□□
三角州は、河口に土砂が堆積してできた平坦な地形である。

問5
check√
□□□
扇状地は、土砂などが山側を頂点として堆積した地形である。

問6
check√
□□□
リアス海岸は、山地や谷の沈降により、のこぎりの歯のように複雑に入り組んだ海岸である。

問7
check√
□□□
フィヨルドは、氷河による浸食作用によって形成された複雑な地形の湾・入り江である。

問8
check√
□□□
海嶺は、両側に急斜面をもち、細長く連なる海底の大山脈である。

問9
check√
□□□
海溝は、細長い溝状の海底地形のうち、最深部の水深が6,000mを超えるものをいう。

問10
check√
□□□
海洋プレートは、細長い海底盆地のうち、深さが6,000mより浅いものをいう。

解答・解説

問1
○
平面に描かれた地図では、すべてを同時に正しく表すことはできない。地球儀は地球と同じ球体なので、方位・角度・距離・面積のすべてを同時に正しく示すことができる。

問2
○
メルカトル図法は、直線上の方向が正確なので、航路図に適している。ただし、必ずしも最短距離を進むものではなく、距離・面積に関しても不正確である。

問3
×
地表における陸地と海の面積の割合は、およそ3：7である。地球の表面は大量の水で覆われており、それが降水現象や浸食作用などを起こしている。

問4
○
三角州は、河口付近で見られる地形で、三角形に近い形をしている。ギリシア文字のデルタ（Δ）に似ていることから、デルタ（地帯）とも呼ばれている。

問5
○
扇状地は、河川が山地から平野や盆地に移る所などに見られる。扇子の形と似ていることが、この名の由来である。

問6
○
リアス海岸は、波が低く水深が深いため、港として古くから使われた。しかし、湾口に較べて奥の方が狭くなっている入り江では、しばしば津波による被害が発生する。

問7
○
フィヨルドは、氷河によって形成されたU字谷が沈水して形成されたもの。そのため、寒帯の地域に多く形成される。

問8
○
海嶺は、マントル（固体）が地下深部から上がってくる場所。九州‐パラオ海嶺、西マリアナ海嶺などがある。

問9
○
海溝の世界最深部は、マリアナ海溝南西端の水深1万911m。海洋プレートが屈曲して斜めに沈み込む境界である。

問10
×
トラフである。プレートは、地球の表面を覆う厚さ100kmほどの岩盤で、地殻とマントルの最上部を合わせたもの。

地 理

以下の記述を読み、正しいものには〇、誤っているものには×をつけよ。

問11 カルスト地形は、水による石灰岩の浸食地形である。
check√
□□□

問12 アスピーテは、粘着性の強い溶岩が流出したドーム状の火山である。
check√
□□□

問13 カルデラは、火山の活動によってできた大きな凹地である。
check√
□□□

問14 アンデス山脈は、南アメリカの太平洋側を走る大山脈である。
check√
□□□

問15 ピレネー山脈は、チェコとポーランドの国境地帯にあり、石炭や鉄鉱石の
check√ 鉱産資源に富んでいる。
□□□

問16 アパラチア山脈は、北アメリカの東北部に位置し、北東から南西方向に全
check√ 長約 2,600km にわたって延びる山脈である。
□□□

問17 ロッキー山脈は、北アメリカ大陸西部を北西から南東に走る山脈である。
check√
□□□

問18 ウラル山脈は、ヨーロッパとアジアの境に位置し、鉱産資源の宝庫として
check√ 知られている。
□□□

問19 ヒマラヤ山脈は、インドとパミール高原との境を東西に連なる世界最高の
check√ 大山脈である。
□□□

問20 ミシシッピ川は、アメリカ合衆国内においては一番長い川であり、北アメ
check√ リカ中央部を南北に貫流してメキシコ湾に注ぐ。
□□□

問21 アマゾン川は、ブラジルとその周辺国の熱帯雨林を流れ、大西洋に注ぐ世
check√ 界最大の河川である。
□□□

解答・解説

問11 ○ カルスト地形という名称は、スロベニア西部のカルスト地方に多く見られることに由来する。鍾乳洞やポリーネなど特異な地形が形成される。

問12 × トロイデである。アスピーテは、噴火のときねばりの少ない溶岩が流れ出してできた、傾斜がゆるくて、高さも低い火山。

問13 ○ カルデラは、山が陥没してできた地形である。阿蘇山などがその例。

問14 ○ アンデス山脈は、南北7500km、幅750kmにわたる世界最大の褶曲山脈である。

問15 × ズデーテン山脈である。ピレネー山脈は、フランスとスペインの国境が走る山脈であり、ヨーロッパ大陸とイベリア半島を分ける山脈でもある。

問16 ○ アパラチア山脈の西部では、石油・石炭が盛んに採掘されており、地下資源が豊富である。山脈の東側には、ニューヨーク、ワシントンD.C、ボストンなどの大都市が発達している。

問17 ○ ロッキー山脈の長さは、4,800kmを超えている。全域にわたって植生や生態系が豊かで、国立公園や世界遺産に登録されている自然遺産も多い。

問18 ○ ウラル山脈は、ロシアを南北に縦断する山脈であり、ユーラシア大陸をヨーロッパとアジアに分ける境界線の北側を形成している。金、銀、プラチナ、石炭、鉄鉱石、ニッケルなどの大きな鉱床が見られる。

問19 × ヒマラヤ山脈が隔てているのは、インドとチベット高原である。パミール高原は、タジキスタン共和国を中心に、アフガニスタンと中国にまたがり、「世界の屋根」と呼ばれている。

問20 ○ ミシシッピ川の名の由来は、インディアンの言語で「大きな川」という意味。北アメリカ最大の水系をなす。下流には、ルイジアナ州最大の都市であるニューオーリンズがある。

問21 ○ アマゾン川の流域面積は世界最大であり、ジャングルや大湿原などの自然のダムや地下に含まれている水の量は、世界の全河川の約3分の2にあたる膨大な量である。

国語 英語 日本史 世界史 地理 思想 芸術 政治 経済 国際関係 環境問題 数学 物理 化学 生物 地学

以下の記述を読み、正しいものには〇、誤っているものには×をつけよ。

問22 プレーリーは、アルゼンチンに分布する肥沃な黒土の草原地帯である。
check√
☐☐☐

問23 レグールは、インドのデカン高原に分布しており、玄武岩が風化してでき
check√　た黒色土である。
☐☐☐

問24 ラテライトは、サバナや熱帯雨林に分布し、鉄・アルミニウムの水酸化物
check√　を多く含んだ紅色の土である。
☐☐☐

問25 地中海沿岸地方に見られるテラローシャは、石灰岩が風化したできた赤色
check√　の土である。
☐☐☐

問26 黒土地帯は、肥沃な黒色土が広く分布し、主に小麦の産地になっている地
check√　帯をいう。
☐☐☐

問27 チェルノーゼムは、ウクライナ地方からシベリア南部まで広がる地味豊か
check√　な黒色土である。
☐☐☐

問28 ラトゾルは、ロシアシベリア地方のタイガ地域などに見られる土である。
check√
☐☐☐

問29 熱帯に属するサバナ気候は、雨季と乾季の区別がはっきりしている。
check√
☐☐☐

問30 乾燥帯に属するステップ気候は、農業や牧畜が可能である。
check√
☐☐☐

問31 温帯に属する地中海性気候は、1年を通して降水量、気温の大きな変化が
check√　ない。
☐☐☐

問32 温帯に属する西岸海洋性気候は、冬に降雨が多く、夏は日差しが強く乾燥
check√　する。
☐☐☐

問22
×
パンパである。プレーリーは、北アメリカ大陸中央部、中央平原西側に広がる長草の温帯草原地帯。肥沃な土壌で、穀倉地帯となっている。

問23
○
インドのデカン高原は、黒土地帯の一つであり、レグール土は地味が豊富で、綿花の栽培に適している。

問24
○
ラテライト（ラトゾル）は、高温多雨のため岩石が著しく風化して生じ、地味に乏しく耕作に適さない。

問25
×
テラロッサである。テラローシャは、ブラジル高原に分布する玄武岩などの火山岩が風化してできた赤紫色の土である。

問26
○
代表的な黒土地帯としては、ウクライナを中心とする地域、北アメリカのプレーリー、アルゼンチンのパンパなどが挙げられる。

問27
○
特にウクライナからシベリア南部にかけて分布する黒土がチェルノーゼムと呼ばれ、小麦の栽培地として適している。

問28
×
ポトゾルである。ラトゾルはラテライトの別名。ポトゾルは、寒冷なタイガ地方に生成される腐植土で、強い酸性の土で、地味に乏しく耕作には不向きである。

問29
○
サバナ気候は、熱帯雨林気候の外側（緯度10°〜15°）地域に分布。乾燥に強い樹木がまばらに生える草原サバナ（サバンナ）が、気候区の名の由来になっている。

問30
○
ステップ気候は、ステップと呼ばれる丈の短い草原が、気候区の名の由来。サヘル、中央アジア、アメリカ西部、オーストラリア中部に分布する。

問31
×
西岸海洋性気候である。西岸海洋性気候は、緯度40°〜60°の大陸西岸に分布。高緯度でも温暖なのは、暖流が近くを流れているからである。

問32
×
地中海性気候である。地中海性気候は、緯度30°〜45°の大陸西岸に分布。乾燥に強いオリーブやブドウなどの果物、柑橘類などが栽培されている。

地　理

以下の記述を読み、正しいものには○、誤っているものには×をつけよ。

問33
check√
□□□
フェーン現象は、湿った空気が山を越えて平地へ吹き下ろす際に、高温・乾燥した風となる現象をいう。

問34
check√
□□□
稲作中心のアジア式農業は、モンスーン地域に属する地域で営まれている。

問35
check√
□□□
混合農業は、西岸海洋性気候に属する地域で広く行われている。

問36
check√
□□□
アメリカ合衆国南部、ほぼ北緯 37°以南の温暖な地域は、日照時間が長いことからサンベルトと呼ばれている。

問37
check√
□□□
尖閣諸島の魚釣島は、日本の最西端にある領土である。

問38
check√
□□□
日本の中央部には、日本アルプスと呼ばれている 3 つの山脈が連なっている。

問39
check√
□□□
日本の山脈は、中央地溝帯を境として、東は南北に、西は東西に走っている。

問40
check√
□□□
初夏から夏の時期に、東北地方の太平洋岸に吹く冷たく湿った北東風または東風をやませという。

問41
check√
□□□
シラス台地は、九州南部一帯に分布しており、白色の火山噴出物が堆積してできた台地である。

問42
check√
□□□
ローム層は、関東地方を広く覆っており、火山灰が堆積してできた赤土の地層である。

問43
check√
□□□
中部地方にある天竜川は、日本三大急流の一つに数えられている。

解答・解説

問 33
○ フェーン現象の名は、アルプス山中で吹くフェーンという局地風に由来する。

問 34
○ アジア式農業は、小さな経営規模の集約農業で、土地の作物生産性は高いが、労働生産性は低いのが特徴である。

問 35
○ 混合農業とは、家畜飼育と作物栽培を組み合わせた農業。ヨーロッパ中緯度地域の農業の基本形態である。土地利用は、穀物類と飼料用作物との輪作を特色とする。

問 36
○ サンベルトと呼ばれる地域は、もともと農業が盛んであったが、近年は石油・航空機・電子などの産業が発達し、また、経済だけでなく政治的にも重要な地域になってきている。

問 37
× 日本の最西端にある領土は、与那国島である。最南端の島は沖ノ鳥島、最北端は択捉島、最東端は南鳥島。

問 38
○ 日本アルプスと称されるのは、北から飛驒・木曽・赤石山脈である。

問 39
○ 中央地溝帯は、フォッサマグナともいう。西縁は糸魚川静岡構造線（糸静線）で異論がないところだが、東縁についてはいまだ定説がない。

問 40
○ やませとは、親潮と黒潮の潮目で濃霧が発生し、その霧を運んでくる風。やませが、稲の開花時期に長く吹き付けて日照時間減少と気温低下をもたらすと、冷害になる。

問 41
○ シラス台地は、宮崎県の南部から鹿児島にかけて広がっている台地。白色の粒状の土で水はけが悪く、水を多量に含むとがけ崩れを引き起こしやすい。

問 42
○ ローム層は、強い酸性の土のために、岩宿でも石器以外の遺跡は発見されていない。

問 43
× 日本三大急流と呼ばれているのは、富士川、最上川、球磨川である。

国語 英語 日本史 世界史 地理 思想 芸術 政治 経済 国際関係 環境問題 数学 物理 化学 生物 地学

125

以下の記述を読み、正しいものには〇、誤っているものには×をつけよ。

問44
check√
□□□
木曽川・長良川・揖斐川下流域に広がる濃尾平野では、輪中集落が見られる。

問45
check√
□□□
信濃川と阿賀野川下流域に広がる庄内平野は、日本の重要な米の単作地帯となっている。

問46
check√
□□□
最上川の中流域に広がる山形盆地では、サクランボなどの果樹栽培が盛んである。

問47
check√
□□□
筑後川の中・下流域に広がる筑紫平野は、有数の米作地帯である

問48
check√
□□□
二期作は、同じ農地で1年の間に2種類の異なる作物を栽培する。

問49
check√
□□□
東海工業地域では、楽器・オートバイなどの機械工業や製紙・パルプ工業が盛んである。

問50
check√
□□□
京浜工業地帯では、印刷・出版業などの情報通信産業が盛んである。

問51
check√
□□□
太平洋岸の帯状の工業地域を、太平洋ベルト地帯と呼んでいる。

問52
check√
□□□
日本で1番面積の広い都道府県は北海道であるが、2番目に広いのは福島県である。

問53
check√
□□□
広島県南西部にある宮島（厳島）は、日本三景の一つに数えられている。

問54
check√
□□□
世界遺産はその内容によって、文化遺産・自然遺産・複合遺産に分類されている。

国語

英語

日本史

世界史

地理

思想

芸術

政治

経済

国際
関係

環境
問題

数学

物理

化学

生物

地学

問 44
○
濃尾平野は、岐阜県（美濃）南西部から愛知県（尾張）北西部にかけて広がる平野。旧国名である美濃と尾張が、その名の由来である。輪中は、堤防で囲まれた集落。

問 45
×
信濃川と阿賀野川下流域に広がるのは、越後平野または新潟平野である。庄内平野は、主に最上川と赤川の堆積作用により形成された平野。どちらの平野も、日本有数の米の単作地帯となっている。

問 46
○
山形盆地の水はけのよい扇状地や自然堤防では、サクランボの他にブドウ、西洋ナシ、リンゴなどが栽培されている。

問 47
○
筑紫平野は、福岡県・佐賀県の南部、有明海に面する九州最大の平野。かつてはクリーク（水路）が張りめぐらされていたが、農業の機械化を進めるために、大部分が埋め立てられた。

問 48
×
二毛作である。同じ農地で同じ作物を作ることを二期作、年に1回だけ作物を作ることは単作という。

問 49
○
東海工業地域は、京浜工業地帯と中京工業地帯の中間に位置し、浜松の楽器・オートバイ、富士・富士宮の製紙・パルプ工業などが有名である。

問 50
○
情報通信産業の立地は、政治・経済の中心地にある京浜工業地帯が適している。

問 51
○
太平洋ベルト地帯は、京浜・中京・阪神の三大工業地帯と、京葉・東海・瀬戸内工業地域、北九州工業地帯が連続している。

問 52
×
2番目に面積が広いのは岩手県である。第3位が福島県である。面積の小さい順では、第1位は香川県、第2位は大阪府、第3位が東京都である。

問 53
○
宮島にある厳島神社は、ユネスコの世界文化遺産に登録されている。日本三景のあとの2つは、宮城県中部の松島、京都府北部の天橋立である。

問 54
○
複合遺産とは、文化と自然の両方について、顕著な普遍的価値を兼ね備えるものとされている。

地　理

問1
check√
□□□
日本標準時間で「12月21日午前10時」のとき、アメリカ合衆国の
ニューヨーク（西経75度）の時間として正しいものを、1〜5の中から
一つ選びなさい。

1　12月20日午後10時
2　12月21日午後8時
3　12月22日午前0時
4　12月21日午前0時
5　12月20日午後8時

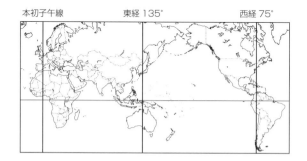

本初子午線　　　　　東経135°　　　　　西経75°

解答・解説

問1　正解5

　日本の日本標準時子午線は東経135°で、ニューヨークが西経75°の位置に
あるので、135°＋75°＝210°の差がある。360°÷24（時間）＝15°で1時
間当たり15°の差があるので、210°÷15°＝14となり、14時間の時差がある。
　したがって、日本標準時間で「12月21日午前10時」のとき、ニューヨー
ク時間は、日本標準時間より14時間前の12月20日午後8時となる。
　なお、サマータイム期間中は、時差が13時間になる。

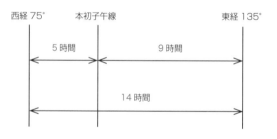

西経75°　　　本初子午線　　　　　　　　東経135°

5時間　　　　　　　9時間

14時間

地　理

問2
check√
□□□

年齢別人口構成のグラフは、形から別名「人口ピラミッド」と呼ばれている。下の図を参考にして、少子高齢社会の進展と人口ピラミッドの関係を説明した次の文の（　ア　）〜（　ウ　）に当てはまる語句の組み合わせとして正しいものを、1〜5の中から選びなさい。

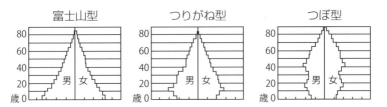

老年人口の比率（65歳以上の人口が総人口に占める割合）が7%を超えると、人口の高齢化が進むといわれるが、我が国では、すでに超高齢社会の目安とされる21%を突破しており、今後よりいっそう高齢化が進むと予想されている。また、出生率は年々低下し、いわゆる少子化も進んでいる。その結果、福祉を支える15歳以上65歳未満の（　ア　）人口が減っていくため、1人当たりの負担が（　イ　）する。このような社会では、（　ウ　）型の人口ピラミッドとなっている。

	ア	イ	ウ
1	労働力	増加	つりがね
2	生産年齢	増加	つぼ
3	労働力	減少	富士山
4	生産年齢	減少	つぼ
5	年少	増加	つりがね

解答・解説

問2　正解 2

ア　生産年齢
イ　増加
ウ　つぼ

　一般的には、高齢化率（65歳以上の人口が総人口に占める割合）によって、高齢化率7%超〜14%以下を高齢化社会、14%超〜21%以下を高齢社会、21%を超えたものを超高齢社会と呼んでいる。

　なお、労働力人口は、15歳以上の人口のうち就業者と失業者の合計を指す。

　国・地域の人口構成は、発展途上段階から経済成長とともに、多産多死型 → 多産少死型 → 少産少死型と変化し、これに対応して、人口ピラミッドは、富士山型 → つりがね型 → つぼ型へと変化していく。

問3
check√
□□□

次の図 A ～ E は、下の地図中の各都市の雨温図である。それぞれの都市とその雨温図の組み合わせとして正しいものを、1～5の中から一つ選びなさい。

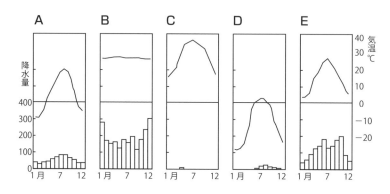

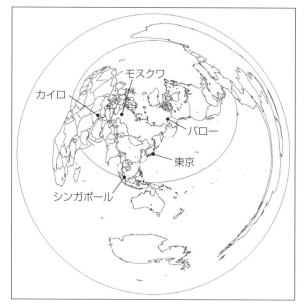

1　東京 ――――――― A
2　カイロ ――――――― B
3　シンガポール ――― C
4　バロー ――――――― D
5　モスクワ ――――― E

問3 正解 4

A　亜寒帯湿潤気候（冷帯湿潤気候）の雨温図。東ヨーロッパ‐西シベリアおよび中央シベリア、北アメリカ大陸・サハリン・北海道などに広く分布している。モスクワが代表的な都市。

B　熱帯雨林気候の雨温図。アフリカのコンゴ盆地からギニア湾岸、インド洋の島々、中米、南米のアマゾン川流域、東南アジアから太平洋の島々などに広く分布している。シンガポールが代表的な都市。

C　砂漠気候の雨温図。アトラス山脈付近を除く、北緯15°以北のアフリカ、アフリカ南西部、アラビア半島からシリア・イラク、イランのペルシャ湾岸地域、オーストラリア中西部、カリフォルニア半島からロッキー山脈南部の一部、中央アジア西部（アラル海周辺）、モンゴル高原からタリム盆地にかけてなど広く分布している。カイロが代表的な都市。

D　ツンドラ気候の雨温図。気候が森林の生育に不適格なため樹木が成長せず、永久凍土が広がっていることが多い。主に北半球の大陸北部およびグリーンランド周辺に分布し、一年のほとんどは氷雪に覆われているが、夏には永久凍土がとけ、蘚苔類や地衣類などの植物により、ごくわずかではあるが覆われる。バローが代表的な都市。

E　温帯（温暖）湿潤気候の雨温図。東アジア一帯、アメリカ合衆国の東部・南部一帯、黒海沿岸、カスピ海西部沿岸、イタリア北東部、南アメリカの湿潤パンパ、オーストラリア東部、南アフリカ東部など広く分布している。東京が代表的な都市。

したがって、正しい組み合わせは4である。

《ケッペンの気候区分》

	気候区分	記号	代表的な都市
熱帯	熱帯雨林気候	Af	シンガポール
	熱帯モンスーン気候	Am	マイアミ
	サバナ気候	Aw	コルカタ
乾燥帯	ステップ気候	BS	ダカール
	砂漠気候	BW	カイロ
温帯	地中海性気候	Cs	ローマ
	温暖冬季少雨気候	Cw	香港
	温暖湿潤気候	Cfa	東京
	西岸海洋性気候	Cfb	ロンドン
冷帯	亜寒帯湿潤気候	Df	モスクワ
	亜寒帯冬季少雨気候	Dw	イルクーツク
寒帯	ツンドラ気候	ET	バロー
	氷雪気候	EF	南極

問4
check√
□□□

1～5の雨温図は、地図上に示された A ～ E のいずれかの地点のもの
である。E 地点の雨温図を 1 ～ 5 の中から一つ選びなさい。

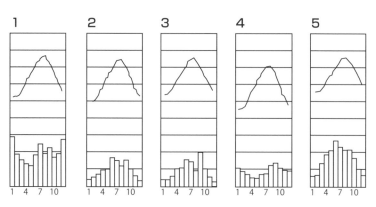

問4　正解 **5**

　年間平均気温が低い北海道気候区に属するAは4、降水（雪）量が冬の時期に多い日本海岸気候区に属するBは1と、判別が容易である。

　あとは、つゆの時期と台風の時期に降水量が多いことから、太平洋岸気候区に属するEは5ということが導きだされる。

　CとDは、判別が困難であるが、内陸性気候区に属するCと瀬戸内気候区に属するDの両者を比較して決めることになる。

　Dは、山に囲まれたCと比較すると、海に面しているので、年間平均気温が高く、年間降水量が多い特徴があるので、この地点は3となる。よって、残りのCは2となる。

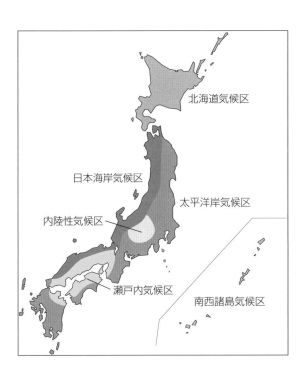

問5 　　世界の主な河川とその流域の農業に関する記述として誤っているもの
check✓ を、1〜5の中から一つ選びなさい。
☐☐☐

　1　長江 ──────中・下流域のほとんどで米が栽培されている。
　2　ナイル川 ────ナイル川の上流・中流部は、遊牧あるいは原始的
　　　　　　　　　　　定住農業、下流部は灌漑・オアシス農業が行われ
　　　　　　　　　　　ている。
　3　ミシシッピ川 ──上流部はとうもろこし地域、下流部では綿花地帯
　　　　　　　　　　　が広がっている。
　4　ライン川 ────上流部ではライ麦・じゃがいもの混合農業、中流
　　　　　　　　　　　部は世界有数の小麦地帯、下流部では灌漑農業が
　　　　　　　　　　　見られる。
　5　ガンジス川 ───上流部では小麦・綿花、中流部では米・さとうき
　　　　　　　　　　　び、下流部では米・ジュートの栽培が盛んである。

───────────────── 解答・解説 ─────────────────

問5　正解 4

1○　長江の中・下流域では、降水量が多く温暖な気候に恵まれ、中国の一大
稲作地帯となっている。

2○　ナイル川の下流域では、米、綿花、小麦、とうもろこし、さとうきび、
なつめやし、野菜類が多く生産されている。

3○　アメリカ大陸を南北に流れるミシシッピ川は、豊富な水源と肥沃な土地
という好条件のもと、上流部はとうもろこし地域、下流部ではデルタ地帯に
広がる綿花地帯となっている。

4×　ライン川は、全流域で小麦・ライ麦・じゃがいもなどを栽培する混合農
業が行われている。選択肢の文は川が流れていく農業の変化から、ヴォルガ
川の記述であると推察される。

5○　ガンジス川中・下流の広大なヒンドスタン平原は、ガンジス川の砂より
小さく粘土より粗い砕屑物であるシルトからなる平原であり、非常に肥沃で
ある。このため、集約的な農業が行われ、米や小麦、とうもろこし、さとう
きび、綿花などの栽培が盛んである。

地 理

問 6
check✓
□□□
日本の主な河川とその流域の農業に関する記述として正しいものを、1
～5の中から一つ選びなさい。

1 神通川 ——— この川と阿賀野川下流域に広がる土地は、日本の重
要な米の単作地帯となっている。

2 雄物川 ——— この川の流域の土地の北部は米を産するが、南部は
リンゴの産地として有名である。

3 石狩川 ——— この川が大きく蛇行して流れる流域に広がる土地は、
きらら397などの品種改良により日本有数の米の単
作地帯となっている。

4 富士川 ——— 日本の三大急流であるこの川の中流域に広がる土地
では、サクランボやブドウ、西洋ナシ、リンゴなど
が生産されている。

5 球磨川 ——— この川の中・下流域に広がる土地は、有数の米作地
帯であるが、灌漑と排水のための水路（クリーク）は、
農業の機械化のために大部分が埋め立てられた。

解答・解説

問6　正解 3

1× 信濃川である。神通川は富山平野を流れる河川。信濃川の中・下流域に
広がる越後（新潟）平野は、水田単作地帯で米（コシヒカリ）の収穫が多く、
日本有数の穀倉地帯となっている。

2× 岩木川である。雄物川は秋田平野を流れる河川。岩木川の流域に広がる
津軽平野は、日本有数の米とリンゴの産地である。

3○ 石狩川は大きく蛇行して流れているため、三日月湖ができやすい。
きらら397は、北海道米の代表的な品種である。

4× 最上川である。富士川は、長野県・山梨県および静岡県を流れる河川。
最上川の中流域に広がる山形盆地は、水はけのよい扇状地なので、果樹栽培
が盛んである。下流域に広がる平野は、日本有数の米の産地である庄内平野
である。

5× 筑後川である。球磨川は八代平野を流れる河川。筑後川の中・下流域に
広がる筑紫平野は、大陸から伝わった稲作が古くから行われており、有数の
米作地帯である。

135

問7 アメリカ合衆国の工業地域に関する記述として正しいものを、1〜5の
check✓ 中から一つ選びなさい。
□□□

    1　デトロイトを中心とするベイエリアには、半導体や集積回路を生産する企業が多数立地しており、シリコンバレーと呼ばれている。

    2　ヒューストンを中心とする太平洋岸北西部地域では、豊かな森林資源を活かした製紙・パルプ工業や、第二次世界大戦後に発達した航空機産業が盛んである。

    3　ボストンを中心とする工業地域では、移民労働力を利用した毛織物工業が古くから盛んであり、労働集約的な生産が行われている。

    4　シアトルを中心とする工業地域では、付近で産出される豊富な石油や天然ガスを背景に、石油化学コンビナートが立地している。

    5　サンノゼを中心とする工業地域では、自動車産業が発達したが、近年は映画産業の振興も行っている。

解答・解説

問7　正解 3

1×　サンノゼである。サンフランシスコベイエリアは、世界最大のハイテク産業集積地域。

2×　シアトルである。コロンビア川の水力発電によりアルミニウムが発展し、航空機産業と結びついた。

3○　ニューイングランドの中心都市で、周辺を含めてボストン地区を構成する。毛織物の他にも、綿織物、衣服、靴、電気器具、家具など消費財工業が盛んである。

4×　ヒューストンである。1901年の油田発見によって急速に発展した地域であったが、現在は石油産業だけではなく、宇宙産業（NASA宇宙センター）、医療産業、畜産業などが主要産業となっている。全米最大級の貿易港であるヒューストン港の存在が、この地域の繁栄を支えている。

5×　デトロイトである。1903年にヘンリー・フォードが量産型の自動車工場をデトロイトに建設、それ以降全米一の自動車工業都市として発展した。

本試験型問題　　　　　　　地　理

問8　　中国の工業化に関する記述として正しいものを、1～5の中から一つ選
check✓　びなさい。
□□□

　1　1950年代に入ると、第一次五カ年計画でソビエト連邦型の計画経済
　　を模倣して、重化学工業への投資を行った。
　2　1960年代後半から文化大革命の影響が全国各地に広がり、その期間
　　中、工業生産が飛躍的に発展した。
　3　1980年代に入り、自国産業に重点投資するために、経済特区が沿岸
　　部に指定され、輸出指向型工業への転換が図られた。
　4　1980年代後半には、余剰労働力を有効に活用する郷鎮企業が急増し、
　　都市部に普及していった。
　5　2000年代に入り、政府は沿岸部と内陸部の格差是正を目的に、西部
　　大開発を進めた結果、内陸部に先端産業が集積した。

解答・解説

問8　正解 1

　1○　土地改革法が公布されたことで、農民の生産意欲は向上し、1952年に
　　は1949年以前の農産品の生産量の水準を上回っていた。それを重化学工業
　　の投資に振り向けたのである。
　2×　文化大革命は毛沢東と反毛沢東との権力闘争。農村からは紅衛兵として
　　多くの青少年が大都市に狩り出され、大都市の大学生は農村に追いやられた
　　（下放）。その政治的混乱のために、工業生産は著しく停滞した。
　3×　経済特区は、外資を呼び込むために設けた地区。1984年には、沿岸部
　　の4つの経済特区と14の対外開放都市を設置して、外資を呼び込んだ。
　4×　郷鎮企業は農村部に普及した企業。農村部の失業者を低賃金で雇い、農
　　村部の経済格差をある程度は解消した。
　5×　西部大開発は、2000年3月の全国人民代表大会で正式決定された政策
　　である。中央財政から地方政府への財政支出金と特定事業への補助金により
　　インフラの整備は進んでいるが、2000年代は経済的な後進地域のままであっ
　　た。

問9
check✓
□□□

図中A〜Eは、日本において世界遺産として登録された物件がある地域を示している。この地域にある登録物件について説明した記述とA〜Eの組み合わせとして正しいものを、1〜5の中から一つ選びなさい。

1　原生的なブナ天然林が、世界最大級の規模で分布している ── A
　ことが評価されて、世界自然遺産として登録された。
2　環境への負荷の少ない銀山開発が行われたことが評価され ── B
　て、世界文化遺産として登録された。
3　絹産業の国際的技術交流および技術革新に貢献した点が評 ── C
　価されて、世界文化遺産として登録された。
4　多様な植生の分布や樹齢数千年に及ぶスギなど特異な森林 ── D
　生態系を有していることが評価されて、世界自然遺産として
　登録された。
5　海と陸との食物連鎖を見ることのできる、貴重な自然環境 ── E
　が残っていることが評価されて、世界自然遺産として登録さ
　れた。

問9　正解 3

1× 白神山地である。地図上の位置は、青森県の南西部から秋田県北西部に連なる山地なのでBとなる。白神山地は、法隆寺地域の仏教建造物、姫路城、屋久島とともに、1993年、日本で最初に世界遺産に登録された。

2× 石見銀山である。地図上の位置は、島根県大田市にあるのでDとなる。「石見銀山遺跡とその文化的景観」として、2007年、世界遺産に登録された。

3○ 群馬県富岡市の富岡製糸場、および伊勢崎市、藤岡市、下仁田町の2市1町に点在する養蚕関連の文化財によって構成される「富岡製糸場と絹産業遺産群」として、2014年、世界遺産に登録された。

4× 屋久島である。地図上の位置は、Eとなる。屋久島は、法隆寺地域の仏教建造物、姫路城、白神山地とともに、1993年、日本で最初に世界遺産に登録された。

5× 知床である。北海道の東端にあるオホーツク海に面した知床半島と、その沿岸海域（約3km）が登録の対象となっている。地図上の位置は、Aである。日本で初めて海洋を含む自然遺産として、2005年、世界遺産に登録された。

《その他の日本の世界遺産—抜粋》（　）内は、種類と登録年
・法隆寺地域の仏教建造物（文化遺産/1993年）
・姫路城（文化遺産/1993年）
・白川郷・五箇山の合掌造り集落（文化遺産/1995年）
・原爆ドーム（文化遺産/1996年）
・琉球王国のグスク及び関連遺産群（文化遺産/2000年）
・紀伊山地の霊場と参詣道（文化遺産/2004年）
・平泉—仏国土（浄土）を表す建築・庭園及び考古学的遺跡群（文化遺産/2011年）
・富士山—信仰の対象と芸術の源泉（文化遺産/2013年）
・明治日本の産業革命遺産 製鉄・製鋼、造船、石炭産業（文化遺産/2015年）
・国立西洋美術館—ル・コルビュジエの建築作品（文化遺産/2016年）
・「神宿る島」宗像・沖ノ島と関連遺産群（文化遺産/2017年）
・長崎と天草地方の潜伏キリシタン関連遺産（文化遺産/2018年）
・百舌鳥・古市古墳群（文化遺産/2019年）
・奄美大島、徳之島、沖縄島北部及び西表島（自然遺産/2021年）
・北海道・北東北の縄文遺跡群（文化遺産/2021年）

以下の記述を読み、正しいものには〇、誤っているものには×をつけよ。

問1
check✓
□□□
ソクラテスは哲学の契機を「無知の知」に置いた。また、青年との対話の中で相手の無知を自覚させ、真の知に導こうとした。これを象徴する言葉が「人間は万物の尺度である」である。

問2
check✓
□□□
「イデア論」とは、理性によってのみとらえられる事物の本質のことで、説いたのはプラトンである。また彼は「善のイデア」を認識した哲学者による統治を理想とする「哲人政治」を唱えた。

問3
check✓
□□□
アリストテレスは、事物の実体は形相（エイドス）と質料（ヒューレー）とからなるとした。形相は現実の個物である質料の中にあるという「観念主義的」立場をとった。

問4
check✓
□□□
個別の具体的な事実の観察と実験から一般法則を導き出す「帰納法」を提唱したベーコンは、認識上の妨げとなるいわば先入観・偏見である「ア・プリオリ」の排除を主張した。

問5
check✓
□□□
フランスの哲学者デカルトは、普遍的な原理を前提にして、そこから推論によって結論を論理的に導きだす「演繹法」を説いた。

問6
check✓
□□□
カルヴァンの「予定説」とは、人が救済されるか滅びるかはあらかじめ神の意思によって決められているというものである。

問7
check✓
□□□
『リヴァイアサン』はホッブスの著作で、教会権力の絶対性を旧約聖書に現れる巨大な怪物の名にたとえ、そのまま主著の題名にした。

問8
check✓
□□□
「万人の万人に対する闘争」とは、自然状態において人間は放置しておくと闘争状態になるということで、それを避けるため「自然に帰れ」と唱えたのはホッブスである。

問9
check✓
□□□
ルソーは、国家は人民が個人の利益を追求する「特殊意志」を抑え、公共の利益を常に追求する「一般意志」に従うことによって成立すると唱えた。

問1 ×
「無知の知」のほかにソクラテスの哲学を象徴する言葉には「汝自身を知れ」がある。対話で無知を自覚させる方法は「問答法」という。「人間は万物の尺度である」と唱えたのはソフィストのプロタゴラス。ソフィストとは法廷弁論・修辞学などを教えることを職業とした人々のこと。

問2 ○
プラトンが提唱したのが「真善美」である。中でも「善のイデア」が理想とされる。なお「真善美」に到達しようとする哲学的衝動を「エロース」という。

問3 ×
アリストテレスは、師のプラトンのイデア論を批判した。形相はイデアのように現実から超越しているのではなく、現実の個物である質料に内在するという「現実主義」的立場をとった。

問4 ×
「ア・プリオリ」はドイツ観念論の哲学者カントの用語。経験に基づかない、論理的に先立つ認識や概念のこと。ベーコンのいう先入観・偏見は「イドラ」という。

問5 ○
「演繹法」は「帰納法」の対立概念。デカルトはあらゆる事柄を疑うが、疑っている自己だけは疑いえないという、「自分自身の意識（主観）」を見出した。それが「方法的懐疑」であり、「われ思う、ゆえにわれあり」という言葉で言い表される事柄である。

問6 ○
カルヴァンは宗教改革者で、「予定説」とともに、職業も神によって与えられたものなので、勤勉に働くことこそプロテスタントの本分であるという「職業召命説」もとなえた。

問7 ×
「教会権力」ではなく「イギリスの絶対王制」である。この著作内容は、イギリスの絶対王政を擁護する結果となっている。

問8 ×
「万人の万人に対する闘争」はホッブスの言葉である。「自然に帰れ」と唱えたのはルソーで、この場合の自然状態は自由で平等という状態である。

問9 ○
ルソーは、ラディカルな「人民主権論」（主権在民）や「直接民主制」なども唱え、フランス革命に思想的かつ理論的な根拠を与えた。

以下の記述を読み、正しいものには〇、誤っているものには×をつけよ。

問10
check√
□□□
ロックは、自然状態は比較的平和な状態であるが、人民は自然権の全部を信託し国家を形成する必要があると説いた。

問11
check√
□□□
ロックの唱える「抵抗権・革命権」とは、人民が自然権を委託して形成した国家がその権利を濫（みだ）りに用いるとき、その改廃は人民の手中にあるという考えである。

問12
check√
□□□
人間は理性の命じる「道徳法則」に従い、善をなそうとする意志「善意志」をもつと説いたのは、カントである。

問13
check√
□□□
『資本論』はマルクスの最大の著作で、資本主義社会の経済的運動法則を解明し、その生成・発展・没落のプロセスを科学的に考察したものである。

問14
check√
□□□
ニーチェによれば、「ルサンチマン」とは「怨恨」のことであり、イスラム教徒のような弱者がこの世を支配する強者・富者に対して抱く感情を意味する。

問15
check√
□□□
「実存は本質に先立つ」というサルトルの言葉は、人間は自らの意志によって自己の本質を作り上げてはならないということを意味し、なおかつ人間は徹底的に不自由な存在であるという主張である。

問16
check√
□□□
「プラグマティズム」とは、観念の意味と真理性は、その観念を行動に移す前の観念自体の中に内在するという思想である。

問17
check√
□□□
「道具主義」とは、知識や学問は人間が日常の行動をするための「道具」にすぎないというものである。

問18
check√
□□□
フロイトの心理学の中核は、社会的・道徳的に承認されない欲望を人は「集合的無意識」の中に抑圧するというものである。

問10 **×** ロックの思想では、人民が国家に自然権を信託するのは「一部」である。なお自然権とは、すべての人間が生まれながらに持っているとされる権利のこと。

問11 **○** ロックにおける「抵抗権・革命権」は、イギリスの名誉革命に理論的な根拠を賦与し、アメリカの独立やフランス革命に多大な影響を及ぼした。

問12 **○** カントはドイツ観念論の哲学者で、「人格」としての人間は「道徳法則」に従う自律的な存在で、手段としてではなく目的として尊ばれるべきであるとして、それらが実現した社会を「目的の王国」と呼んだ。

問13 **○** マルクスは、下部構造（経済的な基盤）が上部構造（政治や思想）を規定していくという「唯物史観」を打ち立て、生産手段を独占する支配階級を被支配階級は「階級闘争」により打ち倒し、社会主義へ移行すべきと主張した。あらゆる社会の歴史は階級闘争の歴史だとして、労働者の役割を明確にしたのが『共産党宣言』である。

問14 **×** ニーチェは、19世紀後半ヨーロッパ社会において「神は死んだ」と宣言した無神論者である。彼のいう「弱者」は、イスラム教徒ではなくキリスト教徒である。

問15 **×** 「実存は本質に先立つ」とは、人間は自らの意志によって自己の本質をつくり上げていくという意味において人間は自由な存在であるという、サルトルの主張である。

問16 **×** 「プラグマティズム」の思想はアメリカ独自のもので、観念や意味は、その観念を行動に移したときの結果を判定すれば明らかになるという考え方。パース、ジェームズ、デューイらによって提唱された。

問17 **○** 「道具主義」は、プラグマティズムの提唱者デューイの思想。彼はプラグマティズムを民主主義や教育の改革にも適用し、大成させた。

問18 **×** 「集合的無意識」を「無意識」に直すとフロイト心理学になる。「集合的無意識」はユングの概念で、人類全体の体験が蓄積したものといった意味をもつ。

以下の記述を読み、正しいものには〇、誤っているものには×をつけよ。

問19
check✓
□□□
孔子は、社会における人間の内なる心の正しい有り様を「仁」に求め、「仁」の実践形式としての「礼」を主張した。

問20
check✓
□□□
孟子は人間の本来の性は善であるとする「性善説」を唱え、そうであるがゆえに客観的な規範である「礼」を重んじる「礼治主義」を唱えた。

問21
check✓
□□□
「孟母の三遷」とは、孟子のために三回引っ越した孟子の母の話をもとにした故事成語である。

問22
check✓
□□□
本居宣長は、インド発祥の仏教と中国発祥で幕藩体制を支える儒教を排して、日本古来の惟 神 の道へ帰るべきと主張した。

問23
check✓
□□□
「垂加神道」とは、天道・人道一元の思想を基礎に、唯一神道・吉川神道などさまざまな神道を集大成し、仏教上の造詣を加えた神仏一致の神道説である。

問24
check✓
□□□
荻生徂徠は、政治的には古代中国の皇帝が制定した社会制度を「先王の道」とし、これを理想と考え、世を統治し民を救う「救世済民」を唱えた。

問25
check✓
□□□
中江藤樹は江戸初期の儒学者である。その思想内容は「孝」を人倫の根本に据え、先天的な道徳知である「良知」を説いた。

問26
check✓
□□□
二宮尊徳は江戸後期の相模の篤農家で、なおかつ徹底した実践主義であった。神・儒・仏の要素を合わせもった報徳思想を唱え、陰徳・積善・節約を自ら実践し、殖産の大切さを説いた。

問27
check✓
□□□
明治期に啓蒙思想家である福沢諭吉は、当時としては破格のベストセラーである『風土』を著し、実学を重んじ独立自尊の気風を養うことを主張した。

問19 ○ 孔子は中国の春秋時代の思想家。魯に仕えたが用いられず諸国を遊歴した。『論語』は弟子たちが著した孔子の言行録である。孔子が説いた道徳の徳目はほかに、信・孝・悌であり、また政治的には徳治主義を主張した。

問20 × 孟子は孔子の弟子。「性善説」と「仁義礼智」への糸口である「惻隠」「羞悪」「辞譲」「是非」といういわゆる「四端」を唱えたが、「礼治主義」は唱えていない。一方、荀子は同じく孔子の弟子であるが「性悪説」と「礼治主義」を主張した。

問21 ○ 「孟母の三遷」の意味は、子供の教育のためにはよい環境を選ばなくてはならないということである。

問22 ○ 本居宣長は国学者で、『源氏物語』や『古事記』の研究を通じ日本古来の「真心」の精神を賞揚した。惟神の道とは、神代から伝来し、神慮に任せて、人為を加えない日本固有の道といった意味である。

問23 × 「仏教上」を「儒教上」に直すと、正しい「垂加神道」になる。これは、江戸前期の儒学者山崎闇斎の神道説で、儒学の一流派である朱子学の理と日本神話の中の神々との一致を説いた神儒一致の神道である。

問24 ○ 江戸時代の儒学者荻生徂徠は「古学」派に属し、古代の文献を研究する独自の「古文辞学」を提唱した。主著に『弁道』がある。

問25 ○ 中江藤樹は儒学の一流派「陽明学」者で、行動は知ることの完成であるという「知行合一」を唱えた。江戸後期、乱を起こした大塩平八郎も陽明学者である。

問26 ○ 二宮尊徳は江戸後期の農政家。小田原をはじめとする約600の農村を復興させた。早くに父母を失い、伯父の家を手伝いながら学問に励む姿は、薪を背負って歩きながら書物を読む尊徳像に表象されている。尊徳像は戦前の小学校には必ずあったとされる。

問27 × 『風土』は、風土と人間の精神のあり様との関係を追究した和辻哲郎の著作である。福沢諭吉が儒学・国学を否定し、実学の必要性、並びに独立自尊を主張したのは『学問のすすめ』においてである。

問1
check√
□□□
正しい組み合わせを1〜5の中から選びなさい。

(1)　「人の性は悪、その善なるは偽りなり」
(2)　「少年老いやすく学成りがたし」
(3)　「知らず、周の夢に胡蝶と為るか、胡蝶の夢に周と為るか」
(4)　「知りて行わざるは、ただこれ未だ知らざるなり」
(5)　「惻隠の心なきは、人にあらざるなり」

ア　朱子　　　イ　王陽明　　　ウ　荘子　　　エ　荀子　　　オ　孟子

	(1)	(2)	(3)	(4)	(5)
1	ア	ウ	エ	オ	イ
2	イ	ア	エ	オ	ウ
3	イ	エ	ア	オ	ウ
4	エ	ウ	ア	イ	オ
5	エ	ア	ウ	イ	オ

解答・解説

問1　正解5

(1)　「性悪説」は孔子の弟子である荀子が唱えたもの。利己的な人々に対して社会の安定のためには礼を強制してでも教え込むという「礼治主義」を重視した。

(2)　朱子学を興した朱熹（朱子）の言葉。「朱子学」は儒学の流れを組み宋代に大成された思想。すべての事物を貫徹する秩序原理としての「理」と、目に見えないが一種の活力をもつ「気」とで万物は成立しているとする「理気二元論」を唱えた。

(3)　「胡蝶の夢」とは、夢と現実の区別がつかないという例えで、荘子の言葉。日常には相対的区別が残っているが、大道につけば境界分別の区別はないというのが荘子の「万物斉同論」で、それを説得するための比喩が「胡蝶の夢」である。

(4)　王陽明が唱えた「知行合一」を表す言葉。王陽明は、情を含む人間の心はそのまま理であるという「心即理」を唱えた。また、「良知」とは、生まれながらにどのような人間の心にも備わるものとして、それを極める「致良知」を主張した。

(5)　「惻隠の情」は孟子の言葉。孟子は孔子の弟子で、荀子とは反対の「性善説」を唱え、「惻隠・羞悪・辞譲・是非」からなる「四端説」を説いた。孟子はまた、徳のある者が政治を行う「王道政治」を唱えた。「王道」の反対概念「覇道」は、力による支配である。

本試験型問題　　　　　　　　　思　　想

問2　次のA～Dに当てはまる人物とその著作の組み合わせについて正しい
check✓
□□□　ものを、1～5の中から選びなさい。

人物　　　　　　　著作
A　　　『人間不平等起源論』
B　　　『法の哲学』
C　　　『死に至る病』
D　　　『ツァラトゥストラはかく語りき』

	A	B	C	D
1	ロック	ヘーゲル	サルトル	パース
2	ロック	ヘーゲル	サルトル	ニーチェ
3	ルソー	カント	キルケゴール	パース
4	ルソー	ヘーゲル	キルケゴール	ニーチェ
5	ルソー	カント	サルトル	パース

解答・解説

問2　正解4

A　『人間不平等起源論』は、ルソーの著作。その中でルソーは、自然状態で
は人間は自由に生きており、自己保存の欲望は思いやりによって緩和されて
いると述べている。そこから「自然に帰れ」という言葉も出てきた。

B　『法の哲学』は、ヘーゲルの著作。ヘーゲルはドイツ観念論の大成者で、
法や制度の弁証法的発展は絶対精神が現実の中に自己実現していくプロセス
と考えた。また、「弁証法」のあり方から、法と道徳を統合して人倫が形成
され、それは家族、市民社会、国家という段階を経て具体的に実現するとし
た。

C　『死に至る病』は、キルケゴールの著作。キルケゴールは人間の疎外状況
を克服しようとした有神論的実存主義者である。美的・倫理的実存を経て宗
教的実存に至ることを「実存の三段階」とした。また、「単独者」という言
葉で「いかに生きるべきか」を主体的に考えるあり様を示した。

D　『ツァラトゥストラはかく語りき』は、ニーチェの著作。「神は死んだ」と語っ
たニーチェは無神論的実存主義者である。また「永劫回帰」という言葉で、
始まりも終わりもない人生の無意味さを示し、なおかつ、そうしたニヒリズ
ムの状況にあっても人間は克服されるべき何ものかであると考え、「超人」
という概念を提示した。

問3
check√
□□□

次の（1）～（5）の各文とア～カの人物について適切な組み合わせを、1～5の中から選びなさい。

（1） 聖書には、学者達や聖職者達を単に奉仕者、しもべ、執事と呼んで、つまり他の人びとに向かってキリストと信仰またキリスト教的自由とを説教すべき任務を負う者となしているだけで、それ以外に何の差別も認めていない。

（2） 人間は考える葦である。

（3） 知は力なり。

（4） 満足した豚であるよりは不満足な人間である方がよく、満足した愚か者であるよりは不満足なソクラテスである方がよい。

（5） 自我と超自我の関係の個々のものは、すべて幼児の両親に対する関係に還元することによって理解できるものである。

ア カント	**イ** J.S.ミル	**ウ** ベーコン
エ パスカル	**オ** フロイト	**カ** ルター

	(1)	(2)	(3)	(4)	(5)
1	カ	ウ	ア	エ	オ
2	エ	オ	ア	イ	ウ
3	ア	エ	オ	カ	イ
4	カ	エ	ウ	イ	オ
5	エ	ア	ウ	オ	イ

解答・解説

問3　正解4

（1） ルターの言葉。『キリスト者の自由』の中の「万人司祭主義」を述べた部分である。ルターは宗教改革者で、信仰の拠りどころは聖書のみとする「聖書中心主義」も唱えた。

（2） パスカルの言葉。『パンセ』の中で「人間は偉大と悲惨の中間者である」と述べ、人間は葦のように弱々しいが、「考える」ということで宇宙をも凌駕することができると考えた。

（3） ベーコンの言葉。知識を人生に奉仕すべき力と考えた言葉である。ベーコンは自然を支配するためには、「仮説の設定→仮説の検証→法則の発見」という筋道を辿る「帰納法」を提唱した。また、自然を観察するときイドラ（先入観）を排除すべきだとして、種族・洞窟・市場・劇場という4つのイドラの排除を主張した。

（4） ミルの言葉。ミルは、「最大多数の最大幸福」と述べたベンサムの量的功利主義を質的功利主義に修正した。

（5） フロイトの言葉。フロイトは、人間の心には「無意識」の衝動が潜んでいると考え、リビドー（性的欲求）の要求を満足させようとする「エス」、良心をつかさどる「超自我」、両者の調停者としての「自我」の三層からなるとした。

　　したがって、適切な組み合わせは4である。

《西洋思想史略年表》

年	できごと
1517	ルター「95ヵ条の論題」を提起。
1521	ルター「新約聖書」のドイツ語訳を開始。
1620	ベーコン『ノヴム・オルガヌム（新機関）』刊行。4つのイドラ、帰納法を説く。
1651	ホッブズ『リヴァイアサン』刊行。
1670	パスカルの死後『パンセ』刊行。
1690	ロック『統治二論』刊行。社会契約説を説く。
1755	ルソー『人間不平等起源論』刊行。
1762	ルソー『社会契約論』刊行。
1781	カント『純粋理性批判』第一版刊行。
1789	ベンサム『道徳および立法の諸原理序説』で「最大多数の最大幸福」を唱える。
1807	ヘーゲル『精神現象学』刊行。
1849	キルケゴール『死に至る病』刊行。
1861	ミル『功利主義』刊行。
1885	ニーチェ『ツァラトゥストラはかく語りき』刊行。

問4
check√
□□□

誤っているものの組み合わせを1～5の中から選びなさい。

(1) 林羅山は、徳川家康から家綱まで四代の将軍に仕えた朱子学者で、「理気二元論」を唱え、為政者に対し己をつつしむことをいう「敬」を重視すべきことを意味する「存心持敬」を説いた。

(2) 本居宣長は、『古今集』や『源氏物語』の中に女性的でやさしい歌風を意味する「たをやめぶり」や、人が事象に触れたときの心に感じる「もののあはれを」を見出し、これを学ぶべきことの重要性を説いた。

(3) 中江兆民は、ホッブスの『社会契約論』を翻訳したことにより「東洋のホッブス」と称され、「主権在民」の立場から藩閥政治のあり方を鋭く批判し、自由民権運動家の指導者として活躍した。

(4) 福沢諭吉は、『福翁自伝』の中で「門閥制度は親の敵でござる」と封建制度を批判し、『学問のすすめ』の中で「天は人の上に人を造らず、人の下に人を造らず」と述べた。

(5) 内村鑑三は、明治政府により解禁されたキリスト教の信者であったが、生涯イエスへの帰依だけを唱え続け、日露戦争に際しては非戦論を主張した。

1 (1) と (2)
2 (2) と (4)
3 (3) と (4)
4 (3) と (5)
5 (1) と (5)

問4　正解 4

(1) ○　藤原惺窩が家康に儒学を講じ、その弟子の**林羅山**は朱子学の官学化を押し進め、江戸儒学（朱子学）は幕藩体制を支える学問となる。羅山は「存心持敬」の他、「理気二元論」「天人合一」「格物致知」「上下定分の理」などを唱えた。

(2) ○　**本居宣長**が重視した「たをやめぶり」と対立するのが、**宣長**の師である賀茂真淵が重視した「ますらをぶり」である。**宣長**はこれらをベースに「国学」を大成する一方で、仏教と儒教を批判した。『古事記伝』『源氏物語玉の小櫛』『玉勝間』などの著作がある。

(3) ×　「ホッブス」を「ルソー」に直すと、全文が**兆民**に妥当する。「ホッブス」は「国家主権」の絶対性を主張した思想家である。自由民権運動には比較的穏健な漸進的派と、主権在民や人民の抵抗権を主張する急進派があったが、もちろん**兆民**は後者である。他の著作に『三酔人経綸問答』がある。

(4) ○　**福沢諭吉**の主張を言い表す言葉は多い。「封建制度批判」「独立自尊」「実学の尊重」などであるが、もう一つは、いまだ野蛮から脱しえない中国と朝鮮との関係を断ち、我が国の近代国家への脱皮を説く「脱亜論」である。『文明論之概略』も主著の一つである。

(5) ×　**内村鑑三**は、「生涯イエスへの帰依だけ」を唱えたのではない。「二つのJ」に象徴されるように、「イエス」（Jesus）と「日本」（Japan）を切り離すことはできないとし、「日本国」への帰依も示した。

したがって、誤っているものの組み合わせは4である。

芸　術

以下の記述を読み、正しいものには〇、誤っているものには×をつけよ。

問1
check√
□□□
ヴィヴァルディはバロック期のイタリア人作曲家で、ハイドンに多くの影響を与えた。

問2
check√
□□□
ドイツ人作曲家バッハは宗教音楽、種々のカンタータ、ソナタ、協奏曲、組曲など器楽曲を作曲したバロック期最大の音楽家である。

問3
check√
□□□
バロック期のドイツ人作曲家ヘンデルは、バッハとともにこの時期を代表する音楽家で、「音楽の母」と言われている。

問4
check√
□□□
古典派のドイツ人作曲家モーツァルトは、幼い頃から才能を発揮し、35歳で死去したが、その短い生涯で、数百の作品を残した。オペラ「フィガロの結婚」は代表作の一つである。

問5
check√
□□□
ベートーヴェンはハイドン、モーツァルトに続く古典派のドイツ人作曲家で、交響曲第5番「運命」など生涯に9つの交響曲を作曲した。

問6
check√
□□□
シューベルトは生涯600曲以上の歌曲を残したことにより「歌曲の王」と呼ばれているロマン派のオーストリア人作曲家である。歌曲「魔王」は代表作品の一つである。

問7
check√
□□□
ヴェルディは19世紀を代表するイタリア歌劇の作曲家で、イタリア国民オペラの確立者である。オペラ「タンホイザー」は代表作の一つである。

問8
check√
□□□
「ピアノの詩人」と呼ばれたハンガリーの作曲家リストは、交響詩を創始したことでも知られている。代表作に、ピアノ曲「ハンガリー狂詩曲」がある。

問9
check√
□□□
ロシアの作曲家チャイコフスキーはドイツロマン派の要素を継承するが、感傷・憂鬱・情熱などスラブ的特性も帯びている。バレエ音楽「白鳥の湖」は代表作品の一つである。

解答・解説

問1
×

ハイドンは古典派である。ヴィヴァルディが影響を与えたのは、同じバロックの作曲家バッハである。ヴィヴァルディは協奏曲、とりわけ独奏協奏曲の形式を大成させ、バイオリン協奏曲集「和声と創意の試み」（「四季」を含む）などを作曲した。

問2
○

バッハはバロック音楽を集大成し「音楽の父」といわれる。「マタイ受難曲」「ヨハネ受難曲」「ブランデンブルク協奏曲」などを作曲した。

問3
○

ヘンデルの作風はバッハに比べて単純明快で和声的。多くの世俗カンタータ、イタリア歌劇を作曲、とりわけオラトリオ「メサイア」、管弦楽組曲「水上の音楽」などが重要である。

問4
×

モーツァルトは、オーストリア人である。幼い頃から才能を現したので「神童」と呼ばれた。代表作品は他にオペラ「魔笛」「ドン・ジョバンニ」、セレナード「アイネ・クライネ・ナハトムジーク」などがある。

問5
○

ベートーヴェンの交響曲は他に、第3番「英雄」、第6番「田園」、第9番「合唱付き」などが有名。ピアノソナタとして「悲愴」、「月光」、「熱情」があり、生涯唯一のオペラとして「フィデリオ」がある。晩年、聴力を失ったことは有名な挿話である。

問6
○

シューベルトの代表作品は、ピアノ五重奏曲「鱒」、交響曲第7番（8番）「未完成」、歌曲「野ばら」「ます」「冬の旅」「白鳥の歌」などがある。

問7
×

オペラ「タンホイザー」を作曲したのは、ドイツ人のワーグナー。ヴェルディのオペラは、「アイーダ」「リゴレット」「椿姫」などである。ワーグナーもヴェルディもロマン派の作曲家である。

問8
×

「ピアノの詩人」と呼ばれたのはショパンである。リストは超絶的技巧を持つピアノの名人だったことから、「ピアノの魔術師」と呼ばれた。「ハンガリー狂詩曲」の他に、代表作品にピアノ曲「ラ・カンパネラ」「愛の夢」、交響詩「前奏曲」などがある。

問9
○

チャイコフスキーは、交響曲第6番「悲愴」に代表される交響曲と、「白鳥の湖」に代表されるバレエ音楽において多大な功績を残した。「くるみ割り人形」「眠りの森の美女」も有名なバレエ音楽である。

芸　術

以下の記述を読み、正しいものには〇、誤っているものには×をつけよ。

問10 ドビュッシーはフランスの印象派の作曲家で、「十二音技法」など独自の
check√ 手法で音楽を追究、管弦楽曲「牧神の午後への前奏曲」は代表作品の一つ
□□□ である。

問11 ロマン派に続いて隆盛した古典派は、18世紀初頭から19世紀初頭にか
check√ けて隆盛したもので、簡潔で自然な様式の音楽である。代表的な音楽家は
□□□ ウェーバー、モーツァルト、ベートーヴェンである。

問12 ロマン派は、ロマン主義に貫かれた19世紀の音楽で、音楽を内面の発露
check√ ではなく技巧の表出とみたところに特徴がある。メンデルスゾーン、シュー
□□□ マン、ショパン、リスト、ワーグナーなどが代表的な作曲家である。

問13 滝廉太郎は短命だったにもかかわらず、多くの歌曲・唱歌を残した明治時
check√ 代の作曲家である。代表作に「春がきた」「春の小川」「ふるさと」などが
□□□ ある。

問14 山田耕筰は日本交響楽団の基礎を作り、音楽界の指導者として多大な功績
check√ を残した。代表作に「夏の思い出」「小さい秋みつけた」「雪の降るまちを」
□□□ などがある。

問15 フルート、サクソフォーンは金管楽器であるが、トランペット、トロンボー
check√ ンは木管楽器である。
□□□

問16 音楽の速度を示す Andante は、Adagio よりも速く Moderato よりも遅
check√ い。
□□□

問17 ルネッサンス期の巨匠的存在であるレオナルド・ダ・ヴィンチはイタリア
check√ 人芸術家だが、絵画だけではなく彫刻や建築の他、工学など多方面に才能
□□□ を発揮した。代表作は「モナ=リザ」「最後の晩餐」などである。

問10
×
「十二音技法」は、「無調音楽」を押し進めたシェーンベルクのもの。ド
ビュッシーは伝統的な和声音楽理論にとらわれず独自の音楽を追究した
音楽家で、20世紀の音楽界をリードした。交響詩「海」、ピアノ曲「ベ
ルガマスク組曲」なども代表作品である。

問11
×
古典派は、バロックに続いて起こった音楽様式であり、ロマン派に続い
たのではない。またウェーバーはロマン派である。交響曲第94番「驚愕」
などを作曲し、「交響曲の父」と呼ばれたハイドンが、モーツァルトやベー
トーヴェンと並んで古典派の一人に数えられる。

問12
×
ロマン主義は、文学、美術、音楽などを横断するヨーロッパの芸術思潮で、
音楽を技巧の表出ではなく内面的な芸術とみて、自我の解放を目指した。
また新古典主義、合理主義の反動として起こったので、理想主義・神秘
主義的性格を帯びた。

問13
×
滝廉太郎の代表作は「花」、「荒城の月」、「箱根八里」、「鳩ぽっぽ」など
である。「春がきた」、「春の小川」、「ふるさと」を作曲したのは、多くの
唱歌を作曲した岡野貞一である。

問14
×
山田耕筰の代表作は、「からたちの花」、「赤とんぼ」、「この道」、「待ちぼ
うけ」などである。「夏の思い出」、「小さい秋みつけた」、「雪の降るまち
を」を作曲したのは中田喜直である。

問15
×
フルートとサクソフォーンは木管楽器。トランペットとトロンボーンは
金管楽器。本体が金属でできていても、発音体がリード（楽器を鳴らす
振動体）の楽器は木管楽器である。唇の振動で音を出すのが金管楽器。

問16
○
速度の遅速を比較すると、「遅」Adagio（アダージョ）→ Andante（ア
ンダンテ）→ Moderato（モデラート）→ Allegretto（アレグレット）
→ Allegro（アレグロ）「速」となる。

問17
○
多能のダ・ヴィンチこそがルネッサンス的な「普遍人」といわれる。ス
フマート（ぼかし技法）を用いた作品は後世に大きな影響を及ぼした。
代表作は他に「受胎告知」、「岩窟の聖母」などである。

芸　術

以下の記述を読み、正しいものには〇、誤っているものには×をつけよ。

問18
check√
□□□
ダ・ヴィンチ、ボッティチェリと共に盛期ルネッサンスの代表的芸術家であるミケランジェロは、絵画だけでなく彫刻・建築でも活躍した。代表作は、彫刻ではダヴィデ像、絵画では「最後の審判」などである。

問19
check√
□□□
レンブラントは16世紀に活躍したオランダの画家である。光と影を表現する明暗法を駆使した肖像画家として名声を博した。

問20
check√
□□□
ミレーはフランスの自然主義派画家で、バルビゾンに住んだのでバルビゾン派とも呼ばれる。主に生き生きした農民の姿を絵の対象とした。

問21
check√
□□□
モネはフランス印象派の代表的な画家で、物の形よりも季節や時間とともに移ろい変化する光と色彩を描いた。印象派のリーダーでもあった。

問22
check√
□□□
ピカソは20世紀を代表するスペインの画家で、「青の時代」から「バラ色の時代」を経て1907年「アヴィニョンの娘たち」を描いてフォーヴィズムを創始した。

問23
check√
□□□
尾形光琳は江戸中期の画家で、画風は大胆かつ華麗、装飾的ながら知的な厳しさがある。代表作品は「紅白梅図屏風」などである。

問24
check√
□□□
役者絵を数多く描いた喜多川歌麿の作画期間は1794年から1795年のわずか十ヵ月とされ、伝記的資料を欠いた謎の画家とされる。

問25
check√
□□□
葛飾北斎は富士山を主題とする「富嶽三十六景」の作者であるが、美人画、役者絵が後退するなか、化政期以降大胆な構図の風景画、花鳥画を描き、その画業は国際的にも高く評価されることとなった。

問26
check√
□□□
色相環とは、有彩色を色相の似ている順に並べる輪状のもので、各色相の純色10色による色相環が一般的である。

問 18 ✕ 「春」、「ヴィーナスの誕生」などの作者であるボッティチェリは、初期ルネッサンスの画家。「アテネの学堂」、「美しき女庭師」などの作者であるラファエロが、盛期ルネッサンスのもう一人の重要人物である。「ダヴィデ像」の他に、「モーセ」もミケランジェロの重要彫刻作品。

問 19 ✕ レンブラントは、ルーベンス、ベラスケスと並ぶ17世紀の代表的なバロックの画家である。代表作品は、明暗法を駆使した「夜警」など。

問 20 〇 ミレーの代表作品は、腰を曲げ落穂を拾う農民を描いた「落穂拾い」、畑で敬虔な祈りを捧げる農民を描いた「晩鐘」、畑に種をまく農民を描いた「種をまく人」などである。

問 21 〇 モネには、「光の画家」という別称がある。ルノアールとともに色調分割による印象派の手法を確立した。代表作には「積み藁」、「睡蓮」、「印象—日の出」、「ラ・ジャポネーゼ」、「日傘をさす女」などがある。

問 22 ✕ ピカソが創始したのはキュビズム（立体派）で、対象を複数の視点から観察し、幾何学的な解体と造形秩序に基づく再構成を目指した。名高い代表作品として「ゲルニカ」がある。フォーヴィズム（野獣派）に属したのは、マティスやルオーなどである。

問 23 〇 琳派の源流は本阿弥光悦と俵屋宗達で、尾形光琳と尾形乾山が大成した。陶工である尾形乾山は光琳の弟。代表作品は他に「燕子花図屏風」、「八橋蒔絵螺鈿硯箱」がある。

問 24 ✕ 「市川鰕蔵」や「大谷鬼次の奴江戸兵衛」を描いた東洲斎写楽についての記述である。歌麿が得意としたのは大首絵の手法を取り入れた美人画で、「ビードロ（ポッピン）を吹く女」がとりわけ有名である。

問 25 〇 葛飾北斎は江戸後期の浮世絵師。「富嶽三十六景」の中ではとりわけ「凱風快晴」、「山下白雨」、「神奈川沖浪裏」などが名高く、その作品は西欧の印象派に大きな衝撃を与えた。

問 26 ✕ 10色ではなく12色の輪状のものである。色相環で向かい合う色は補色関係にある。また色相とは色の三要素の一つで、「色合い・色味のこと」である。あとの二つは、明るさの度合いを示す「明度」、鮮やかさの度合いを示す「彩度」である。

問 1

check✓
□□□

次のA～Cのそれぞれの説明に当てはまる作曲家名の組み合わせとして正しいものを、1～5の中から一つ選びなさい。

A　オーストリアの作曲家で、古典派を代表する音楽家の一人である。幼い時から豊かな才能を示し「神童」と称された。代表作には、オペラ「魔笛」、「アイネ・クライネ・ナハトムジーク」などがある。

B　ポーランド出身のロマン派を代表する作曲家である。幻想や憂愁などの詩情性をピアノで表現し、なおかつ優れたピアノ曲を数多く作ったことにより「ピアノの詩人」と呼ばれる。代表作には、ピアノ曲「子犬のワルツ」「英雄ポロネーズ」などがある。

C　フランスの作曲家で、進歩的な画家や詩人の影響を受け、音楽においても絵画中心の思潮だった印象主義を創始した。代表作には交響詩「海」、管弦楽曲「牧神の午後への前奏曲」などがある。

	A	B	C
1	ヴィヴァルディ	ショパン	ブラームス
2	ベートーヴェン	リスト	ドビュッシー
3	モーツァルト	ヘンデル	ラヴェル
4	ヴィヴァルディ	リスト	ラヴェル
5	モーツァルト	ショパン	ドビュッシー

解答・解説

問 1　正解 5

A　モーツァルト　古典派の代表的音楽家はモーツァルト、ハイドン、ベートーヴェンで、彼らはウィーン古典派三巨匠ともいわれる。モーツァルトはまた「神童」と呼ばれた。人生は 35 年と短く、その間に 600 曲以上の作品を書いた。代表作のオペラは「フィガロの結婚」、「魔笛」、「ドン・ジョバンニ」。「アイネ・クライネ・ナハトムジーク」はセレナードである。

B　ショパン　作曲家であるとともにピアノ奏者でもあった。作品はほとんどがピアノ曲である。父はフランス人、母はポーランド人。ポーランド各地を旅したことがあり、その経験は叙情的で美しいピアノ曲に昇華されている。パリではリストらと親交があり、女流小説家ジョルジュ・サンドとの同棲も有名な逸話である。なお、ドラクロアが描いた「ショパンの肖像」という絵でショパンの面影を偲ぶことができる。

C　ドビュッシー　象徴派詩人のマラルメの影響を受けたことは事実。伝統にとらわれない和声理論を追究したため、その音楽が絵画の思潮である「印象主義」と称されるようになった。代表作の交響詩「海」の楽譜に、葛飾北斎の「神奈川沖浪裏」が貼られて出版されたこともある。

本試験型問題　　　　　　　芸　術

問2
check√
□□□

（　ア　）〜（　オ　）の空欄に入る語句として正しいものの組み合わせを、1〜5の中から一つ選びなさい。

(1) 江戸時代に誕生した歌舞伎の舞踏伴奏音楽は（　**ア**　）で、歌舞伎の変遷とともに発達していった。

(2) 中国、清朝時代に作られた弓奏弦楽器である（　**イ**　）は二弦で、弓毛を弦と弦の間にはさみ、左膝に立てて擦って演奏する。

(3) 従来の音楽観を根底から変えるほどの衝撃を作曲界に与えたケージの音楽思想を言い当てる言葉は（　**ウ**　）である。

(4) 強弱に関する音楽記号で ff の読み方は（　**エ**　）である。

(5) 木管楽器にはフルート、サクソフォーン、クラリネット、（　**オ**　）などがある。

	ア	イ	ウ	エ	オ
1	箏曲	二胡	十二音技法	フォルテ	ピッコロ
2	箏曲	二胡	偶然性の音楽	フォルテ	ホルン
3	長唄	馬頭琴	偶然性の音楽	フォルティッシモ	ピッコロ
4	箏曲	馬頭琴	十二音技法	フォルテ	ホルン
5	長唄	二胡	偶然性の音楽	フォルティッシモ	ピッコロ

解答・解説

問2　正解5

ア 長唄である。長唄は18世紀初頭、歌舞伎舞踏の伴奏音楽として起こり、歌舞伎の展開とともに発展した。細棹の三味線を用い、華麗な撥さばきが特徴である。「京鹿子娘道成寺」「越後獅子」などが有名。箏曲は箏を主奏楽器とする器楽曲・声楽曲のこと。江戸時代に八橋検校が創始した。

イ 二胡である。二胡は胡琴属楽器の一つ。中国語でアルフーと呼ぶ。馬頭琴はモンゴルの二弦楽器で、モンゴル語でモリン・ホールと読む。

ウ ケージはアメリカ人作曲家。日本の仏教学者鈴木大拙らの禅の影響を受け、また中国の易の方法をヒントに「偶然性」を音楽に導入した。1920年代前半にシェーンベルクが創始した「十二音技法」は1オクターブ中のすべての音、つまり12の音を同等に扱う音列を基本として作曲する技法。

エ 強弱の記号を強いほうから並べると、ff（フォルティッシモ)・f（フォルテ)・mf（メゾ・フォルテ)・mp（メゾ・ピアノ)・p（ピアノ)・pp（ピアニッシモ）となる。

オ ピッコロである。フルート、サクソフォーンと並んで金管楽器と勘違いしやすい楽器。ホルンは金管楽器。

問3
check√
□□□

次のア〜オの記述のうち、正しいものはいくつあるか。

ア　「春」は 15 世紀、イタリアのボッティチェリによって描かれた絵画である。そこには古代ギリシャの神々の裸婦像が描かれている。

イ　「真珠の耳飾りの少女」は 17 世紀、スペインのベラスケスによって描かれた絵画である。市民の日常を細く描いたしなやかな筆致で一人の少女が描かれている。

ウ　「落ち穂拾い」は 19 世紀、フランスのミレーによって描かれた絵画である。そこには一見のどかな田園風景が広がっているが、刈り入れ後に貴族たちが落ち穂拾いをしている姿である。

エ　「グランド・ジャット島の日曜日の午後」は 19 世紀、フランスのスーラによって描かれた絵画である。混色をしないで明度を上げるという「点描画法」による絵画として非常に名高い。

オ　「人生」は 20 世紀初頭、スペインのピカソによって描かれた「バラ色の時代」を象徴する絵画である。そこには子供を抱く母親に若い男女が怯えたような視線を送っている姿が描かれている。

1　1つ
2　2つ
3　3つ
4　4つ
5　5つ

問3 正解 2

ア○ 「春」に描かれた神々はヴィーナス、春の女神プリマヴェーラ、花の女神フローラなどといわれている。キリスト教から見ると異端であるギリシャ神話を裸婦像で描いたのは、当時としてはもってのほかであるが、ボッティチェリは権勢を誇るメディチ家に仕えた画家だったため可能になったといわれている。

イ× 「真珠の耳飾りの少女」はオランダのフェルメールの作品である。ベラスケスはスペインの宮廷画家で「ラス＝メニーナス」が代表作である。

ウ× 「落ち穂拾い」の絵で、落ち穂拾いをしているのは貴族ではなく農夫。絵画の奥で馬に乗っているのが特権階級の監視官であろうといわれている。農夫を監視しているのである。

エ○ 「点描主義」とは、線を使わずに点の集合で描く絵画技法で、創始者の一人でとりわけ有名なのがスーラである。

オ× 「人生」は、貧しい人びとを青い色調で描いた「青の時代」の絵画である。ピカソはのちにアフリカの黒人彫刻の影響を受け、1907年「アヴィニョンの娘たち」を描いてキュビズムを創始している。

《西洋の代表的な画家と作品》

様 式	名 前	作 品
ルネッサンス	ボッティチェリ	「春（プリマヴェーラ）」「ヴィーナスの誕生」
	ダ・ヴィンチ	「モナ・リザ」「最後の晩餐」
	ミケランジェロ	「最後の審判」「ダヴィデ像」
	ラファエロ	「アテナイの学堂」「システィーナの聖母」
バロック	レンブラント	「夜警」「キリスト昇架」
	フェルメール	「真珠の耳飾りの少女」「牛乳を注ぐ女」
ロマン主義	ゴヤ	「マドリード、1808年5月3日」「裸のマハ」
	ドラクロワ	「民衆を導く自由の女神」「ショパンの肖像」
写実主義	クールベ	「画家のアトリエ」「オルナンの埋葬」
バルビゾン派	ミレー	「晩鐘」「落穂拾い」「種まく人」
印象派	モネ	「印象・日の出」「ルーアン大聖堂」「睡蓮」
	ルノワール	「ムーラン・ド・ラ・ギャレット」「舟遊びの人々の昼食」
後期印象派	ゴッホ	「ひまわり」「アルルの跳ね橋」「星月夜」
	セザンヌ	「サント・ヴィクトワール山」「リンゴの籠のある静物」
キュビズム	ピカソ	「ゲルニカ」「アヴィニョンの娘たち」「人生」

問4 　次の作品を年代の古いものから順に並べ替えたものとして正しいもの
check√ 　を、1〜5の中から選びなさい。
☐☐☐

A　唐獅子図屏風
B　鳥獣戯画
C　凱風快晴
D　読書
E　秋冬山水図

1　B → E → A → C → D
2　A → E → B → C → D
3　B → E → A → D → C
4　B → C → A → D → E
5　A → C → B → D → E

解答・解説

問4　正解 1

A　「唐獅子図屏風」は、安土桃山時代の画家狩野永徳の作品。永徳は織田信長、
　豊臣秀吉に仕え、障壁画に雄渾な筆をふるい、新時代にふさわしい絵画様式
　を構築していった。もう一つの代表作に「洛中洛外図屏風」がある。
B　「鳥獣戯画」は、12世紀半ば、すなわち平安時代に鳥羽僧正覚猷によって
　描かれたとされる。猿・兎・蛙などの遊戯を擬人的に描いて当時の貴族社会
　や仏教界を風刺したことで知られている。
C　「凱風快晴」は、江戸後期の浮世絵師である葛飾北斎の「富嶽三十六景」
　の中の一作品である。通称「赤富士」と呼ばれる。「富嶽三十六景」では、「神
　奈川沖浪裏」が非常に名高い。また、いわばスケッチ画集である絵手本「北
　斎漫画」も忘れることができない作品である。
D　「読書」は、明治画壇の重鎮黒田清輝の作品である。黒田はフランスに留
　学し、外光の印象派的な描き方を学び、自ら絵筆を握るとともに、洋画の啓
　蒙にも努めた。「湖畔」も代表作の一つである。
E　「秋冬山水図」は、室町時代の画僧である雪舟の水墨画である。「天橋立図」
　も代表作の一つである。

　したがって、正しいものはB→E→A→C→Dとなる1である。

社会科学

以下の記述を読み、正しいものには○、誤っているものには×をつけよ。

問 1
check✓
□□□
ロックは、三権相互の抑制・均衡を図ることにより、権力の濫用が阻止できると主張した。

問 2
check✓
□□□
ルソーは著書『社会契約論』で、人民主権と直接民主制を説いた。

問 3
check✓
□□□
名誉革命後の 1689 年に制定された「権利の請願」は、議会の国王に対する優越を認めた宣言文書である。

問 4
check✓
□□□
1789 年に制定されたアメリカ独立宣言は、国民主権・権力分立・人権保障を盛り込んだ宣言文書である。

問 5
check✓
□□□
1919 年に制定されたワイマール憲法は、生存権を保障した世界初の憲法であった。

問 6
check✓
□□□
アメリカ合衆国憲法は、現行憲法の中では世界で最も古い成文憲法である。

問 7
check✓
□□□
同じく法に基づく政治でも、イギリスで発達したのが法の支配という考え方であり、ドイツで発達したのが法治主義という考え方である。

問 8
check✓
□□□
マックス＝ヴェーバーの支配の 3 類型とは、伝統的支配・合理的支配・カリスマ的支配である。

問 9
check✓
□□□
現代社会においては、リースマンのいう「内部志向型」人間の出現が政治的無関心を生み、議会主義を形骸化したといえる。

問 10
check✓
□□□
多元的国家論とは、国家は他の社会集団と並列的に存在するものであるとする見解である。

問1
×
三権相互の抑制・均衡を図ることにより、権力の濫用が阻止できると主張したのはモンテスキューである。ロックは、議会の立法権が王権である執行権と同盟権に優越することを説いた。

問2
○
ルソーは、社会の全ての人に共有される意志である一般意志をもとに、人民主権と直接民主制を説いた。

問3
×
「権利の章典」である。「権利の請願」は、1628年、イギリス議会が、国王チャールズ1世に提出した文書。国王がこれを無視して親政を行ったことが、後にピューリタン革命につながっていく。

問4
×
アメリカ独立宣言ではなく、フランス人権宣言である。アメリカ独立宣言は、ロックの社会契約説をもとに、独立の正当性を説いた宣言文書。

問5
○
ワイマール憲法は、ドイツ共和国憲法の別称。20世紀の民主主義憲法の先駆けとなった。国民主権と男女平等の普通選挙の承認に加え、所有権の義務性を認め、生存権を初めて保障した。

問6
○
1787年に制定され、1788年に発効した。世界最古の近代的成文憲法。当初は権利章典に当たる部分がなかったが、後に修正条項として追加された。

問7
○
「法の支配」は人権を守る法の内容を要求するのに対し、「法治主義」は議会が制定した法による行政権の抑制に主眼を置くため、法の内容は問わない。

問8
×
合理的支配ではなく、合法的支配である。依法的支配ともいう。法規化された秩序が、被治者の支配者に対する服従を正当化しているとするものである。

問9
×
リースマンは「外部志向型」人間の出現と政治的無関心の関連性を重視している。

問10
○
多元的国家論において、国家は集団間の利害と機能の調整的役割を担っている点で、優位性があるにすぎないとする。

政　治

以下の記述を読み、正しいものには○、誤っているものには×をつけよ。

問11
check√
□□□
ドイツには大統領と内閣総理大臣が存在するが、実質的に議院内閣制をとる国である。

問12
check√
□□□
フランスの政治体制は、大統領制と議院内閣制が混在した半大統領制という形態をとっている。

問13
check√
□□□
アメリカ合衆国の大統領は、議会に対して法案を提出し、下院を解散できる権限がある。

問14
check√
□□□
イギリスの下院議員は全員、比例代表選挙で選出される。

問15
check√
□□□
二大政党制の特徴は、政権は安定化するが、政治責任の所在が曖昧になる傾向がある。

問16
check√
□□□
日本の比例代表制の議席の配分は、ドント式で行われている。

問17
check√
□□□
参議院議員通常選挙は、3年ごとに行われる。

問18
check√
□□□
参議院議員通常選挙では、比例代表と選挙区の重複立候補が可能である。

問19
check√
□□□
大日本帝国憲法では、国民の権利に関して、「法律の範囲内」に制約する「法律の留保」を認めていた。

問20
check√
□□□
日本国憲法における人権制約の根拠となる「公共の福祉」の意味は、人権間の相互衝突がある場合に、社会秩序維持の観点から調整することである。

問11 ○　ドイツの大統領は象徴的・儀礼的な存在であり、首相の権限が強い。実質的には議院内閣制をとる国である。

問12 ○　フランスの政治体制は、議院内閣制の枠組みをとりながら、大統領の権限が強大な半大統領制という形態をとっている。

問13 ×　大統領と議会の関係は、厳格に分離されており、大統領に法案提出権は認められず、議会の解散権もない。しかし、大統領は教書を出して立法の勧告を行い、議会を通過した法案に対して拒否権を行使できる。

問14 ×　イギリスの政治は、二大政党制による政権交代が行われており、イギリスの下院議員は全員、小選挙区制で選出される。

問15 ×　政権政党が国民の期待に応えられなければ、次の選挙で政権を失うから、政治責任の所在が曖昧になる傾向はない。

問16 ○　ベルギーの学者ドントによって考案された、比例代表制における議席の配分方式。各政党の得票数を1から順に自然数で割っていき、その商の大きい順に定数まで議席を配分する。

問17 ○　参議院議員の任期は6年であるが、3年ごとに半数を改選する（日本国憲法46条）。

問18 ×　衆議院では比例代表と小選挙区の重複立候補が可能だが、参議院ではできない。

問19 ○　この「法律の留保」により、国民の人権は、法律を制定すれば自由に制約可能であった。日本国憲法は、このような「法律の留保」を認めていない。

問20 ○　人権の性質・種類により、この「公共の福祉」による制約が強く働くものと、必要最小限度にとどめるものに分かれる。前者が経済的自由権であり、後者が精神的自由権である。

以下の記述を読み、正しいものには〇、誤っているものには×をつけよ。

問21
check√
☐☐☐
国民が国家に対して、人間に値する生活を要求しうる権利は国務請求権である。

問22
check√
☐☐☐
生存権を保障するための社会保障制度は、社会保険・公的扶助・社会福祉・公共事業の4本の柱で成り立っている。

問23
check√
☐☐☐
プライバシーの権利が新しい人権として、国民に意識されるきっかけとなった裁判は『宴のあと』事件である。

問24
check√
☐☐☐
国会は衆議院議員の中から内閣総理大臣を指名する。

問25
check√
☐☐☐
内閣は最高裁判所長官を任命する権限を有する。

問26
check√
☐☐☐
日本国憲法は裁判官について、行政機関が懲戒処分を行うことができないと定めている。

問27
check√
☐☐☐
衆議院の解散による総選挙が行われた後に召集される国会は、特別会である。

問28
check√
☐☐☐
内閣の意思決定は慣例上非公開の閣議でなされ、その決定方式は多数決である。

問29
check√
☐☐☐
高度な政治性を有する国家行為、いわゆる統治行為について、最高裁判所は、高度の政治性を有するがゆえに、司法審査の対象から除外されると判断した。

問30
check√
☐☐☐
日本国憲法第92条の「地方自治の本旨」とは、住民自治と団体自治を意味する。

問21
×
生存権または社会権である。国務請求権は、人権保障をより確実なものにするための権利。具体的には、請願権（日本国憲法第16条）、国家賠償請求権（同第17条）、裁判を受ける権利（同第32条）、刑事補償請求権（同第40条）がある。

問22
×
公共事業ではなく、公衆衛生である。公共事業は、政府による財政活動の一環として行われる。公衆衛生は、地域社会における人々の疾病予防のために行われる。

問23
○
『宴のあと』という題名の小説が、モデルとなった人物の「私生活をみだりに明かされない権利」を侵すものであると認めた裁判である（東京地判昭39.9.28）。

問24
×
議院内閣制をとる以上、内閣総理大臣は国会議員であることを要するが、衆議院議員である必要はない（日本国憲法第67条1項）。

問25
×
最高裁判所長官は、内閣の指名に基づき天皇が任命する（日本国憲法第6条2項）。

問26
○
司法権の独立を保障するため、他の国家機関による干渉を防ぐ必要がある（日本国憲法第78条）。

問27
○
特別会は、衆議院の解散による衆議院議員総選挙後30日以内に召集しなければならない（日本国憲法第54条1項）。衆議院の構成が変わるため、国会は内閣総理大臣の指名を行う。

問28
×
閣議は外交機密などの国家機密を扱うため、慣例上非公開とされている。閣議の決定は、内閣が国会に対し連帯責任を負う関係上、全会一致制をとる。

問29
○
最高裁判所は、日米安全保障条約に関する砂川事件（最大昭34.12.16）と衆議院解散に関する苫米地事件（最大昭35.6.8）において、統治行為論を採用して、憲法判断を回避した。

問30
○
団体自治とは、国から独立した地方自治体が、その自らの権限と責任において、地域の行政を処理する原則。住民自治とは、地域における行政は、住民の意思と責任に基づいて行う原則。

政　治

問 1
check√
□□□

人権保障と権力分立制を明確に宣言した最初の歴史的文書として正しいものを、1〜5の中から一つ選びなさい。

1　ワイマール憲法
2　スターリン憲法
3　イギリスの権利章典（権利の章典）
4　バージニア権利章典
5　フランス人権宣言

問 2
check√
□□□

アメリカ合衆国の大統領と日本の内閣総理大臣とを比較した記述のうち最も適切なものを、1〜5の中から一つ選びなさい。

1　大統領はその組織する行政府のメンバー（各省長官）をすべて連邦議会の議員の中から選ばなければならないが、内閣総理大臣は国務大臣の過半数を国会議員の中から選べばよい。
2　大統領は直接国民から選ばれるので、民意を背景に強いリーダーシップが発揮できるが、内閣総理大臣は同輩中の国務大臣から選ばれるので強いリーダーシップが発揮できない。
3　大統領が死亡した場合は、副大統領が後継者となり、その職務を引き継ぐが、内閣総理大臣が死亡した場合、内閣は総辞職しなければならない。
4　大統領は行政府の長として議会から独立して政治を行い、議会によって不信任を受けることはないが、内閣総理大臣はその組織する内閣が衆議院と参議院で不信任決議を受けることがある。
5　大統領は政府高官（各省長官）を任命するにあたっては、上院の同意が必要であるが、内閣総理大臣は国会から国務大臣の指名がなされて任命することができる。

解答・解説

問1 正解 5

1× 1919年に制定されたドイツの**ワイマール憲法**は、社会権を世界で最初に定めた憲法である。

2× **スターリン憲法**は、社会主義の基礎の確立に対応して、1924年憲法に代わり1936年に制定されたソ連の憲法。プロレタリアート（労働者階級）による独裁政治を認めた憲法である。

3× 1689年、名誉革命の後に定められたイギリスの**権利章典（権利の章典）**は、国王に議会主権を認めさせた宣言文書である。

4× 1776年、**バージニア権利章典**は、人は生まれながらにして、人間として不可侵の権利を有するという天賦人権論に立って、基本的人権を保障した歴史上最初の文書。

5○ 1789年に出された**フランス人権宣言**が、人権保障と権力分立制を明確に宣言した最初の歴史的文書である。その第16条には「権利の保障が確保されず、権力の分立が規定されないすべての社会は、憲法をもつものでない」という一節がある。

問2 正解 3

1× 大統領制において、連邦議会の議員が行政府の高官を兼職することはできない。

2× アメリカ合衆国の大統領選挙は間接選挙であり、内閣総理大臣は国会議員の中から、衆参それぞれの首班指名選挙で選ばれる。また、内閣総理大臣は議院内閣制の枠内という制約があるが、強いリーダーシップを発揮できないわけではない。

3○ 内閣総理大臣が死亡した場合には、内閣は国会に対する信任の基礎を失うから総辞職となる（日本国憲法第70条）。

4× 内閣不信任決議権があるのは、衆議院のみである（同第69条）。前半部分の大統領制についての記述は妥当である。

5× 国務大臣の任命は、内閣総理大臣の専権事項である（同第68条1項）。他の機関からの干渉は受けない。

問3　新しい人権に関する記述のうち誤っているものを、1～5の中から一つ
check✓
□□□　選びなさい。

1　情報を受け取るだけではなく、受け取った情報に反論し、番組・紙面に参加する権利（アクセス権）が、日本国憲法第21条の表現の自由を根拠として主張されている。

2　興味本位な私事の公開から個人の生活を守るために、プライバシーの権利が日本国憲法第13条の幸福追求権を根拠として主張され、広く国民に浸透している。

3　良好な環境を保持・享受できる環境権が、日本国憲法第13条の幸福追求権と第25条の生存権を根拠として主張されている。

4　国家や報道機関の保持する情報を公開させる国民の知る権利が、日本国憲法第16条の請願権を根拠として主張され、最高裁判所によって認められている。

5　自己決定権は、一定の私的事柄について、公権力から干渉されることなく、自ら決定することができる権利とされるが、その根拠は日本国憲法第13条の幸福追求権である。

解答・解説

問3　正解4

1○　アクセス権の記述として妥当である。条文上の根拠は、憲法第21条の表現の自由とされている。なお、今日アクセス権は様々な意味をもつ用語として使用されている。情報開示請求権や著作権上の権利、個人の障害・移動能力・住んでいる地域に関わらず、公共交通などによる移動の権利としても使用されている。

2○　プライバシーの権利の記述として妥当である。条文上の根拠は、憲法第13条の幸福追求権とされている。なお、プライバシーの権利は、情報化社会の進展を背景として、国家などが保有する自己に関する情報を管理する権利としての意義も有する。

3○　環境権の記述として妥当である。条文上の根拠は、憲法第13条の幸福追求権と第25条の生存権とされている。

4×　国民の知る権利は、憲法第21条の表現の自由を根拠としている。

5○　自己決定権の記述として妥当である。条文上の根拠は、憲法第13条の幸福追求権とされている。

本試験型問題

政 治

問4
check√
□□□

行政の民主化に関して記述された次の文の空欄（　A　）～（　C　）に当てはまる語句の組み合わせとして最も適切なものを、1～5の中から一つ選びなさい。

　行政機能が肥大化し、官僚政治の弊害が顕著となってきた現代国家において、行政の民主化を推進していく意義は大きい。以下、その手法について説明する。

　第一に、（　A　）の設置である。これは行政権内部である程度独立した合議制の機関を設置することにより、中立性を保とうとする制度である。

　第二に、（　B　）条例や（　B　）法によって、国や地方自治体のもっている情報を積極的に公開していくことである。

　第三に、（　C　）制度の導入である。スウェーデンで生まれたこの制度は、公的な第三者機関が行政活動を調査し、必要に応じて改善を勧告する制度である。

	A	B	C
1	行政委員会	情報公開	オンブズマン
2	オンブズマン	パブリックコメント	行政委員会
3	行政委員会	パブリックコメント	オンブズマン
4	オンブズマン	情報公開	行政委員会
5	パブリックコメント	行政委員会	情報公開

解答・解説

問4　正解 1

A　行政委員会
B　情報公開
C　オンブズマン

　まず、Bには情報公開が入るので、1と4で絞られる。行政委員会とオンブズマン（行政監察官）との違いは、前者が行政機関であるのに対し、後者は公的な第三者機関であること。したがって、Aには行政委員会が入り、Cにはオンブズマンが入る。

　なお、パブリックコメント制度は、国の行政機関が規制の設定や改廃をするにあたり、政令・省令の案を関係資料とともに公表し、広く国民から意見や情報提供を募集することを義務づけ、それを参考に政策等を最終決定しなければならないとする制度。1999年から運用が開始されている。

問5 check✓ □□□
個人情報の保護に関する記述のうち最も適切なものを、1〜5の中から一つ選びなさい。

1　個人情報には氏名、住所、電話番号は含まれるが、職業、勤務場所については、個人情報には含まれない。

2　個人情報取扱事業者とは、個人情報データベース等を事業の用に供している者をいい、国の機関や地方公共団体も含まれる。

3　公立学校のクラス担任の教員が緊急連絡網を作成・配布する際は、本人または保護者の同意を得る必要がある。

4　病院の長は、災害時に入院している患者の氏名を公表する際には、必ず本人の同意を必要とする。

5　市区町村の長は、日ごろより障害者・高齢者など災害時に特に救助を必要とする者を特定して、その名簿を作成し、近隣の住民に広く公表することが義務づけられている。

解答・解説

問5　正解 3

1×　「職業」と「勤務場所」の2項目だけでは、個人を特定することは困難である。しかし、氏名など他の情報と照合することにより特定の個人を識別できる場合には、個人情報に含まれると考えられている（個人情報の保護に関する法律第2条1項参照）。

2×　国の機関、地方公共団体、独立行政法人等及び地方独立行政法人は、個人情報取扱事業者から除外されている（同法第16条2項）。

3○　本人または保護者の同意があれば、作成・配布することができる。

4×　本人の同意なく個人データを第三者に提供をしてはならないが、生命や財産の保護のため必要な場合で、本人の同意を得るのが難しい場合は、例外として同意がなくても公表できる（同法第27条第1項参照）。

5×　市区町村の長は、障害者や高齢者など災害時に配慮が必要な避難行動要支援者の名簿を作成する義務がある（災害対策基本法第49条の10参照）。名簿は、原則として避難支援等の実施に必要な限度で、消防機関、都道府県警察、民生委員、市町村社会福祉協議会などの避難支援等の実施に携わる関係者に対して提供するものとする（同法第49条の11参照）。

政治

本試験型問題

問6 著作権に関する記述のうち誤っているものを、1～5の中から一つ選びなさい。
check✓ □□□

1 教科書に掲載されている著作物を権利者の許諾を得ずに、デジタル教科書にも掲載して、使用することができる。
2 美術館の展示品の解説や写真を、紙媒体でなくタブレット端末などに掲載する場合は、必ず許諾を得なければならない。
3 現在、著作物等の原則的な保護期間は、著作者の死後70年と定められている。
4 視覚障害者や肢体不自由などの身体障害により読字に障害がある人のために録音図書などを作成する場合は、権利者の許諾は必要ない。
5 中学校の期末試験などの試験問題に、公表された著作物を著作権者の許諾なしで複製して利用することは、著作権法で認められている。

解答・解説

問6 正解 2

1○ 2019年4月施行の著作権法改正で、紙の教科書に掲載されている著作物の権利者の許諾なしにデジタル教科書を作成し、使用することが可能になった（著作権法第33条の2）。デジタル教科書は、2020年実施の新学習指導要領を踏まえた「主体的・対話的で深い学び」の視点からの授業改善や、障害等で教科書で学習することが困難な児童生徒の学習支援のために、有効な活用が期待されている。
2× これまでは、タブレット端末などで利用する場合は許諾が必要だったが、2019年1月施行の著作権法改正で許諾が不要となった（同法第47条1項）。
3○ 2018年12月発効のTPP11協定に伴う著作権法の改正で、それまで死後50年だった著作物等の原則的保護期間が70年になった（同法第51条1項）。
4○ これまでは、視覚障害者等が対象となっていたが、マラケシュ条約の締結に伴って著作権法が改正され、2019年1月より、肢体不自由などの身体障害により読字に障害がある人のために録音図書などを作成する場合も、許諾なしに作成が可能となった（同法第37条3項）。
5○ 授業の過程として、または学識技能に関する試験に使用する場合においては、許諾なしで著作物を複製することが認められている（同法第35条1項、第36条1項）。

国語
英語
日本史
世界史
地理
思想
芸術
政治
経済
国際関係
環境問題
数学
物理
化学
生物
地学

175

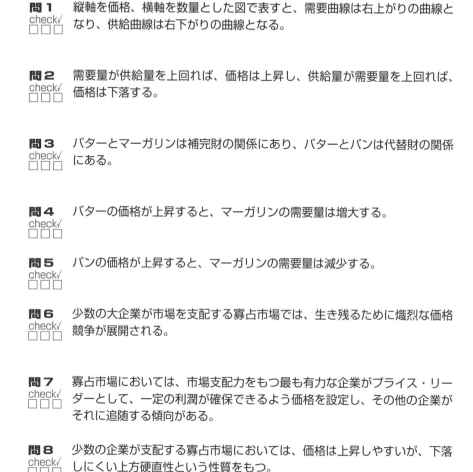

経　済

以下の記述を読み、正しいものには○、誤っているものには×をつけよ。

問1
check√
□□□
縦軸を価格、横軸を数量とした図で表すと、需要曲線は右上がりの曲線となり、供給曲線は右下がりの曲線となる。

問2
check√
□□□
需要量が供給量を上回れば、価格は上昇し、供給量が需要量を上回れば、価格は下落する。

問3
check√
□□□
バターとマーガリンは補完財の関係にあり、バターとパンは代替財の関係にある。

問4
check√
□□□
バターの価格が上昇すると、マーガリンの需要量は増大する。

問5
check√
□□□
パンの価格が上昇すると、マーガリンの需要量は減少する。

問6
check√
□□□
少数の大企業が市場を支配する寡占市場では、生き残るために熾烈な価格競争が展開される。

問7
check√
□□□
寡占市場においては、市場支配力をもつ最も有力な企業がプライス・リーダーとして、一定の利潤が確保できるよう価格を設定し、その他の企業がそれに追随する傾向がある。

問8
check√
□□□
少数の企業が支配する寡占市場においては、価格は上昇しやすいが、下落しにくい上方硬直性という性質をもつ。

問9
check√
□□□
トラストとは、同一産業内の各企業が競争を排除し、一つの企業として合併する企業形態である。

問10
check√
□□□
コングロマリットとは、大企業が中心となり様々な産業分野を、株式所有・融資などの方法を通して、支配・結合している企業形態である。

国語

英語

日本史

世界史

地理

思想

芸術

政治

経済

国際関係

環境問題

数学

物理

化学

生物

地学

問1
×
需要曲線は右下がり、供給曲線は右上がりとなる。需要曲線は価格が下がれば数量が多くなり、上がれば数量が少なくなる。供給曲線は価格が下がれば少なくなり、価格が上がれば多くなる。

問2
○
需要は買い手、供給は売り手と考えれば、価格変化が理解できる。一つの商品をめぐって買い手が多ければ、商品価格は上昇する。反対に、売り手が多ければ、商品価格は下落する。

問3
×
バターとマーガリンは、パンに塗ることから見れば、相互に代わることが可能である（代替財）。一方、バターとパンは、互いに補い合うことによって、価値を増すことができる（補完財）。

問4
○
バターの価格が上昇すると、バターの需要量は減少する。反対に、マーガリンの需要量は増大し、価格は上昇する。

問5
○
パンの価格が上昇すると、パンの需要量は減少し、それに伴ってマーガリンの需要量も減少する。

問6
×
寡占市場においては、価格競争よりも商品のデザイン・品質・販売方法・広告・宣伝・アフターサービスなどの非価格競争という形をとるようになる。

問7
○
寡占市場においては、市場の需給関係によらず、少数の企業の市場支配力によって、価格が設定される傾向にある。

問8
×
下方硬直性である。寡占市場では、価格競争が行われにくくなるので、価格の下方硬直性が目立つ。

問9
○
同一業種の複数の企業が、株式の買収や持ち合い、持株会社を設立して同種企業を傘下に入れるなどの手法で、資本的に一体化する。

問10
×
コンツェルンである。コングロマリットは、巨大企業が異種産業の企業を吸収または合併し、経営の多角化を進めていく企業形態である。

以下の記述を読み、正しいものには○、誤っているものには×をつけよ。

問11
check√
□□□
株式会社における株主は、企業業績にかかわらず、一定の配当を受け取ることができる。

問12
check√
□□□
大規模な株式会社では、大株主が企業経営のトップに立つのが一般的である。

問13
check√
□□□
株式会社が倒産した場合、株主は出資した金額の責任だけを負う。

問14
check√
□□□
経済学者のアダム＝スミスは、価格の自動調節機能を「見えざる手」にたとえた。

問15
check√
□□□
マルクスは、市場メカニズムに任せた場合、有効需要が不足することもあるが、政府の財政政策により、有効需要を増加させることが可能であると説いた。

問16
check√
□□□
実質経済成長率とは、その時の市場価格で評価したGDP(国内総生産)から、物価変動分を除いたGDPの変化率である。

問17
check√
□□□
物価の下落が企業収益・生産の縮小を引き起こし、それがさらに物価の下落を招くという景気後退の悪循環をスタグフレーションという。

問18
check√
□□□
約40ヵ月程度の比較的短い周期の景気循環は、在庫投資を原因としている。

問19
check√
□□□
財政には、資源配分の機能、所得再分配の機能、経済安定化の機能がある。

問20
check√
□□□
不況期において、政府は財政支出の増加と減税を組み合わせることで、有効需要を増加させる。

問11
×
株主は企業所有者であるから、一般債権者とは異なり、企業業績による影響を受ける。企業が利益を出していなければ、その配当を受けることはできない。

問12
×
大規模な株式会社においては、「所有と経営の分離」がなされており、会社経営の専門家である取締役に経営が委ねられ、大株主自身が経営にあたることは稀である。

問13
○
株式会社の債権者に対して唯一の引き当てになるのは資本であるから、株主は会社に出資した金額の責任だけを負えばよい。

問14
○
アダム＝スミスの代表的著書は『国富論（諸国民の富）』。「経済学の父」とも呼ばれている。アダム＝スミスは、市場とそこで行われる競争の重要性と、富の源泉は労働にあるとする労働価値説を説いた。

問15
×
ケインズである。マルクスは、マルクス経済学の始祖。第二次世界大戦後、ケインズの有効需要の原理に基づいて、各国政府が「総需要管理政策」をとるようになった。

問16
○
実質経済成長率は、一時的な物価の変動に左右されないため、経済規模の実質的な変化を把握することができる。そのため、景気動向や経済成長の目安となる重要な指標とされる。

問17
×
デフレスパイラルである。スタグフレーションは、不況と物価の持続的な上昇が併存する状態を指す。

問18
○
キチンの波という。他にも設備投資を原因とする約10年周期のジュグラーの波、建築物の需要を原因とする約20年周期のクズネッツの波、技術革新を原因とする約50年周期のコンドラチェフの波がある。

問19
○
政府は、市場メカニズムでは賄いきれない公共財を供給するとともに、格差を是正するために公平な分配を図り、景気変動による失業などの社会不安に対処しなければならない。

問20
○
不況期においては、市場に流通している資金を、増やすことが要請されるので、政府は財政支出の増加を図る。さらに、消費が落ち込まないように、減税を行うことも有効である。

経　済

以下の記述を読み、正しいものには〇、誤っているものには×をつけよ。

問21
check√
□□□
プライマリーバランス（基礎的財政収支）とは、国債などの借入金を除いた税金などの正味の歳入と、借入金返済のための元利払いを除いた歳出のことである。

問22
check√
□□□
直接税と間接税の比率で見ていくと、日本では戦後のシャウプ勧告以来、直接税中心の税体系としてきた。

問23
check√
□□□
直接税と間接税を比較すると、直接税ならば、製品やサービスに課せられた税金分を他に転嫁できる特徴がある。

問24
check√
□□□
消費税は、低所得の世帯ほど生活必需品への支出割合が高く、重くなり、負担が累進的となる。

問25
check√
□□□
日本の政策金利は公定歩合であったが、現在、政策金利としての役割を担っているのは、短期金融市場の金利である。

問26
check√
□□□
公開市場操作の買いオペは、市場の余剰資金を吸収し、金融引き締め政策となる。

問27
check√
□□□
1946年から1949年まで、政府は復興と物不足解消のため傾斜生産方式を採用して、基幹産業の生産増強を図った。

問28
check√
□□□
1949年、悪性インフレを収束するために、GHQから日本政府にドッジ＝ラインが示された。

問29
check√
□□□
1960年、佐藤内閣は10年間で実質国民所得が2倍になるように、国民所得倍増計画を打ち出した。

問30
check√
□□□
日本経済が飛躍的に成長を遂げた時期は、1955年から73年までの18年間であり、神武・岩戸・オリンピック・いざなみ景気と呼ばれる大型景気が続いた。

解答・解説

問 21
○
この収支が均衡していれば、現世代の国の財源に対する負担と、国の支出による受益が等しいこと意味する。もし、赤字になれば、歳入の不足分は国債発行で賄うことになるので、将来の世代に負担を転嫁することになる。

問 22
○
シャウプ勧告は、1949年に出された日本の租税制度に関する勧告。直接税（所得税）中心の税制、申告納税制、地方財政の強化などが提言された。

問 23
×
納税義務者が物やサービスの価格に上乗せして、実質的に消費者が税金を負担するように転嫁できるのは、間接税である。

問 24
×
消費税は、逆進的である。累進的な税としては、所得税が挙げられる。所得税は、所得の高い者ほど税率が高くなる税である。

問 25
○
公定歩合は、日本銀行が操作する政策金利として重要であったが、1994年の金利自由化以降、政策金利としての役割は、短期金融市場の金利（無担保コール翌日物）に移行した。

問 26
×
金融引き締め政策となるのは、売りオペである。買いオペは、日本銀行が国債などの有価証券を金融機関から買い取るので、金融緩和政策となる。

問 27
○
当時の基幹産業である鉄鋼と石炭に、資材・資金を重点的に投入して、その循環的な増産により、産業全体の復興を図った。

問 28
○
ドッジ=ラインは、GHQ の経済顧問ドッジによって立案された財政金融引き締め政策。インフレの収束とともに、日本経済の自立を目指した。

問 29
×
国民所得倍増計画は、池田内閣によって決定された長期経済計画である。1961年度から1970年度までの10年間で、実質国民所得を倍増しようとした。

問 30
×
いざなみ景気ではなく、いざなぎ景気である。いざなぎ景気が、戦後最長の期間（1965年11月〜1970年7月までの57ヵ月間）とされてきたが、2002年2月〜2009年3月まで86ヵ月間続いた、いざなみ景気がそれを超えた。

経　済

問 1
check✓
□□□
　ある経済学者の理論に関して記述された次の文の空欄（　Ａ　）～
（　Ｃ　）に当てはまる語句の組み合わせとして正しいものを、1～5の中
から一つ選びなさい。

　（　Ａ　）は、非自発的失業が含まれたままでも、市場の均衡が成立す
ることを明らかにした。その上で完全雇用を実現するためには、政府が
（　Ｂ　）である（　Ｃ　）あるいは消費を増加させて、完全雇用を実現す
る水準まで国民所得を増大させる理論的根拠を提示したのである。

	A	B	C
1	ケインズ	有効需要	投資
2	マルクス	有効需要	貯蓄
3	スミス	総需要	投資
4	シュンペーター	総供給	貯蓄
5	フリードマン	総供給	投資

解答・解説

問1　正解 1

A　ケインズ
B　有効需要
C　投資

　ケインズ経済学以前の古典派経済学では、自発的失業と摩擦的失業の存在は
認めていたが、非自発的失業の存在は認めていなかった。市場の均衡は、完全
雇用を前提にしていたからである。これに対してケインズは、非自発的失業が
含まれたままでも、市場の均衡が成立することを明らかにした。それが有効需
要の原理である。有効需要とは、貨幣による購買力を伴った需要である。完全
雇用を実現するためには、政府が有効需要を創出して（投資あるいは消費を増
加させる）、完全雇用を実現する水準まで国民所得を増大させるのである。そ
の意味で、有効需要の原理は、政府が行う財政支出の役割を支持する理論的な
根拠となったのである。

　なお、マルクスはマルクス経済学の始祖、スミスは古典派経済学の始祖とさ
れる経済学者。シュンペーターは、企業家のイノベーションが、経済を発展さ
せるという理論を構築した経済学者。フリードマンは、マネタリズムを主張し
て、ケインズ経済学を批判した経済学者。

　したがって、正しい組み合わせは1である。

問2 check✓ □□□　企業に関する記述のうち最も適切なものを、1〜5の中から一つ選びなさい。

1　コングロマリットとは、多数の国々に支店、子会社などの関連会社をもつ企業形態である。
2　トラストとは、大企業が中心となり様々な産業分野を、株式所有・融資などの方法を通して、支配・結合している企業形態である。
3　多国籍企業は、巨大企業が異種産業の企業を吸収または合併し、経営の多角化を進めていく企業形態である。
4　カルテルとは、同一産業内の各企業が、価格・生産量・販売地域などについて協定を結ぶことである。
5　コンツェルンとは、同一産業内の各企業が競争を排除し、一つの企業として合併した企業形態である。

解答・解説

問2　正解4

1×　多国籍企業の記述である。コングロマリットは選択肢3の記述。
2×　コンツェルンの記述である。トラストは選択肢5の記述。
3×　コングロマリットの記述である。異業種の企業を支配するために、M&A（企業の合併および買収）の手法を用いる場合が多い。多国籍企業は選択肢1の記述。
4○　カルテルの記述である。カルテルに類似した形態としてシンジケートがあるが、これは同一市場の企業が共同出資して設立した共同販売会社を通じて、一元的に販売する組織形態をいう。
5×　トラストの記述である。コンツェルンは選択肢2の記述。

《企業が市場を支配するための手法》

カルテル	同一産業内の各企業が、価格・生産量・販売地域などについて協定を締結。
トラスト	同一産業内の各企業が競争を排除し、一つの企業として合併。
コンツェルン	大企業が中心となり様々な産業分野を、株式所有・融資などの方法を通して、支配・結合している企業形態。
コングロマリット	巨大企業が異種産業の企業を吸収または合併し、経営の多角化を進めていく企業形態。
多国籍企業	多数の国々に支店、子会社などの関連会社をもつ企業。

問3
check✓
□□□

経済現象や経済効果に関する記述のうち誤っているものを、1〜5の中から一つ選びなさい。

1　デフレスパイラルとは、物価の下落が企業収益・生産の縮小を引き起こし、それがさらに物価の下落を招く景気後退の悪循環をいう。

2　スタグフレーションとは、物価は持続的に上昇がするが、景気は後退する現象をいう。

3　クラウディングアウトとは、政府が資金需要をまかなうために大量の国債を発行すると、それによって市中金利が上昇し、民間の資金需要が抑制される現象をいう。

4　資産効果とは、資産価格が上昇することで、消費・投資が活性化する現象をいう。

5　デモンストレーション効果とは、生産する企業が宣伝や広告で働きかけることによって、消費者の欲望が喚起される現象をいう。

問4
check✓
□□□

財政政策に関して記述された次の文の空欄（　A　）〜（　C　）に当てはまる語句の組み合わせとして正しいものを、1〜5の中から一つ選びなさい。

　財政はインフレ・ギャップまたはデフレ・ギャップを調整する機能を果たさなければならない。（　A　）期においてはインフレ・ギャップを埋めるために、（　B　）を組み合わせることで、有効需要を抑制していくことになるので、財政は（　C　）化されることになる。

	A	B	C
1	好況	財政支出の削減と増税	黒字
2	不況	財政支出の削減と減税	黒字
3	好況	財政支出の増加と増税	赤字
4	不況	財政支出の増加と減税	赤字
5	不況	財政支出の削減と増税	黒字

問3　正解5

1○　デフレは物価が継続的に下落する現象、スパイラルはらせん状という意味。デフレ現象の悪循環で、らせん階段をころび落ちていくように、景気が加速度的に悪化する状態を意味する。

2○　「stagnation（停滞）」と「inflation（インフレーション）」を合成した語で、不況と物価の持続的な上昇が併存する状態を意味する。

3○　具体例としては、政府が景気対策や失業対策のために国債を発行して公共事業を拡充させようとしたが、大量に発行した新発国債が市中金利を高騰させ、民間の資金調達や消費行動に抑制的な影響を与えてしまう場合が挙げられる。

4○　具体的には、株価上昇や土地価格の上昇によって資産価値が増加し、その増えた資産によって、さらなる消費や投資が刺激されることが資産効果となる。

5×　ガルブレイスの依存効果の説明である。デモンストレーション効果とは、個人の消費支出が、所得ばかりではなく、他人の消費水準や消費スタイルの影響を受ける現象をいう。

問4　正解1

インフレ・ギャップ（超過需要）が生じているということは、現在の国民所得が完全雇用国民所得を超えてしまっている経済状態、つまり「A 好況」で、そのまま放置しておけば景気が過熱して、経済が混乱してしまう恐れがある。その状態を回避するためには、「B 財政支出の削減と増税」を組み合わせることになるので、財政は「C 黒字」化されることになる。

一方、デフレ・ギャップ（超過供給）が生じているということは、現在の国民所得が完全雇用国民所得に達してない状態であるから、不況の状態である。政府は、市場に流通している資金を、これまで以上に増やすことが要請されるから、財政支出の増加を図る。さらに、国民の消費が落ち込まないように、減税を行うことも有効である。そうすると、財政は赤字化されることになる。

したがって、正しい組み合わせは1である。

以下の記述を読み、正しいものには〇、誤っているものには×をつけよ。

問 1
check√
□□□
グロティウスは、著書『永遠平和のために』の中で、世界平和のために国際平和機構設立の必要性を説いた。

問 2
check√
□□□
国家は条約によって、国際慣習法と異なる内容の合意をすることができない。

問 3
check√
□□□
国際慣習法によって確立した内容を、多国間の条約によって法典化したものとして、「外交関係に関するウィーン条約」が挙げられる。

問 4
check√
□□□
国際司法裁判所に提訴するためには、当事国双方の合意が必要である。

問 5
check√
□□□
国際連盟規約には、違法な戦争に訴えた国に対して、武力制裁の明文の規定がなかった。

問 6
check√
□□□
国際連盟は、勢力均衡の考えのもとに設立された国際平和機構である。

問 7
check√
□□□
アメリカ大統領のフランクリン＝ローズヴェルトの平和原則 14 ヵ条の提唱によって、国際連盟が設立された。

問 8
check√
□□□
1941 年、イギリスとアメリカの首脳が、第二次世界大戦と戦後世界に対する基本的態度を明らかにした、大西洋憲章を発表した。

問 9
check√
□□□
国際連盟の最高機関は総会であり、理事会は置かれていなかった。

問 10
check√
□□□
国際連合で、平和と安全に関する問題の第一次的責任を負う機関は、安全保障理事会である。

問 11
check√
□□□
国連総会の議決方式は、一般事項以外の重要事項では、出席して投票する構成国の 3 分の 2 の多数決によって行われる。

問1
×
カントである。グロティウスは、その著書『戦争と平和の法』によって、自然法に基づく国際法の概念を提唱した。

問2
×
条約は、国家間の合意を文書化した成文国際法であるから、国際慣習法と異なる内容の合意をすることができる。

問3
○
「外交関係に関するウィーン条約」は、国際慣習法によって確立した外交関係の開設、外交使節団の特権（外交特権）等について法典化したものである。

問4
○
国際司法裁判所に提訴する資格があるのは国家のみであり、提訴するためには当事国双方の合意が必要である。

問5
○
経済制裁とは異なり、武力制裁に加盟国は従う義務はなかった。

問6
×
国際連盟は、国際連合と同じく、安全保障体制の考えのもとに設立された国際平和機構である。

問7
×
平和原則14ヵ条を提唱したのは、ウィルソンである。フランクリン＝ローズヴェルトは、1933年から第二次世界大戦時のアメリカ大統領。

問8
○
大西洋憲章は、アメリカ大統領フランクリン＝ローズヴェルトとイギリス首相チャーチルが、大西洋上のイギリス軍艦で会談して発表した宣言。後に、この大西洋憲章が、国際連合の基本理念となった。

問9
×
理事会は置かれていた。この理事会と総会における決定方式は、原則として全会一致制であった。

問10
○
安全保障理事会は、拒否権を有する5ヵ国の常任理事国（米・ロ・英・仏・中）と、10ヵ国の非常任理事国で構成される。

問11
○
重要事項に該当する案件は、国連憲章第18条2項に規定され、その決定は、出席して投票する構成国の3分の2の多数によって行われる。その他の事項については、出席して投票する構成国の過半数の多数決によって行われる（同第18条3項）。

国際関係

以下の記述を読み、正しいものには○、誤っているものには×をつけよ。

問12
check√
☐☐☐
国連総会の決議は、加盟各国に法的拘束力を有する。

問13
check√
☐☐☐
国連憲章に予定された正規の国連軍は、朝鮮戦争のときに編成され、派遣された。

問14
check√
☐☐☐
1946年、アメリカ大統領トルーマンの「鉄のカーテン」演説で、ソ連の秘密主義を批判したのをきっかけに、米ソの対立は激しくなった。

問15
check√
☐☐☐
リカードは貿易の利益を、比較生産費説を用いて説いた。

問16
check√
☐☐☐
為替相場や通貨の価値を安定させるために設立された国際経済機構は、IMF（国際通貨基金）である。

問17
check√
☐☐☐
GATT（関税及び貿易に関する一般協定）では、自由・多角・無差別の3原則により、自由貿易を実現しようとした。

問18
check√
☐☐☐
第二次世界大戦後、長らく固定相場制を維持してきたブレトン＝ウッズ体制は、1971年のニクソン＝ショック（ドル危機）により終焉を迎えた。

問19
check√
☐☐☐
ニクソン＝ショック（ドル危機）後、一時変動相場制に移行したが、スミソニアン協定で、ドルの切り上げと固定相場の変動幅を決めたが、結局維持できず、変動相場制へと移行した。

問20
check√
☐☐☐
ジャマイカのキングストンでIMFの暫定委員会が開かれ、固定相場制から変動相場制への移行が決められた。

解答・解説

問12 × 国連総会の決議は、国連内部における事項に関しては法的拘束力を有するが、加盟各国に対しては勧告的効力に留まる。

問13 × 国連憲章に予定された正規の国連軍とは、あらかじめ安全保障理事会と特別協定を結んでいる加盟国が、その要請によって兵力を提供することになっている（国連憲章第43条）。朝鮮戦争のときの国連軍は、特別協定によって提供された兵力ではないので、正規の国連軍とはいえない。

問14 × 「鉄のカーテン」という表現を演説の中で用いたのは、イギリス首相のチャーチルである。トルーマンは、1947年に共産主義封じ込め政策としてのトルーマン＝ドクトリンを提唱した。

問15 ○ 比較生産費説とは、一国における各商品の生産費の比を他国のそれと比較し、優位の商品を輸出して、劣位の商品を輸入すれば、双方が利益を得るとする理論。

問16 ○ IMF（国際通貨基金）は、IBRD（国際復興開発銀行）とともに、ブレトン＝ウッズ協定により創設された国際機関である。

問17 ○ 自由は関税と非関税障壁の撤廃、多角は多国間交渉、無差別は最恵国待遇を意味する。このGATTの3原則は、1995年に設立されたWTO（世界貿易機関）に引き継がれている。

問18 ○ ニクソン＝ショック（ドル危機）の背景には、ベトナム戦争の戦費調達などの影響で財政赤字が拡大するとともに、大幅な輸入超過で貿易赤字が大きく膨らんで、ドルがアメリカから大量に流出し、金とドルとの交換に応じられない状況があった。

問19 × スミソニアン協定では、ドルの切り下げが取り決められた。ドルと金との固定交換レートは、金1オンス＝35ドルが38ドルに、ドルと円との交換レートは、1ドル＝360円が308円に、それぞれドルが切り下げられた。

問20 × 1976年のキングストン合意は、主要国が1973年までに固定相場制から変動相場制に移行した、正式承認の場であった。

国際関係

以下の記述を読み、正しいものには〇、誤っているものには×をつけよ。

問21
check√
□□□
日本の輸出額が増加すると、円安傾向となる。

問22
check√
□□□
円高になると、日本から海外へ企業の進出が促進され、国内産業の空洞化が進む。

問23
check√
□□□
円安になると、一般的に輸入品の価格が上昇するので、インフレ傾向となる。

問24
check√
□□□
円安になると、日本の輸出品が相対的に安くなるので、輸出額は増加する傾向にある。

問25
check√
□□□
円安になると、海外からの旅行客が増える傾向がある。

問26
check√
□□□
FTA（自由貿易協定）やEPA（経済連携協定）は、域内での貿易の自由化や投資の自由化を含む、幅広い経済連携を目的としている。

問27
check√
□□□
南北問題の原因には、モノカルチャー経済や水平的分業などが挙げられている。

問28
check√
□□□
先進国は途上国に対して、ODA（政府開発援助）をGNI（国民総所得）の1パーセントに相当する額を支出するという目標が掲げられている。

問29
check√
□□□
持続可能な開発目標（SDGs）は、2015年9月の国連サミットで採択された「持続可能な開発のための2030アジェンダ」に記載された国際目標である。

国語

英語

日本史

世界史

地理

思想

芸術

政治

経済

国際
関係

環境
問題

数学

物理

化学

生物

地学

問21
✕
日本の輸出額が増加すると、外国為替市場で円が買われるので、円高傾向となる。一方、日本の輸入額が増えると、外国為替市場で円が売られるので、円安傾向となる。

問22
○
円高になると、企業が国内で生産するよりも、生産費が安くてすむ海外への企業の進出が促進される要因になる。国内産業の空洞化も同時に進む。

問23
○
円安になると、一般的に輸入品の価格が上がるので、物価は上昇し、インフレ傾向となる。原材料費などの生産費の上昇によるインフレである。一方、円高になると、一般的に輸入品の価格が下がるので、物価は下落し、デフレ傾向となる。

問24
○
円安になると、外国通貨の購買力が高まるので、輸出額は増加する傾向にある。一方、円高になると、外国通貨の購買力が低くなるので、輸出額は減少する傾向にある。

問25
○
円安になると、外国通貨の購買力が高くなるので、海外からの旅行客が増える。一方、円高になると、円の購買力が高くなるので、日本人の海外旅行客が増える。

問26
○
FTAは、本来、域内での貿易の自由化を実現するものだが、投資の自由化を含む、幅広い経済連携を意味する場合、EPAと呼んでいる。

問27
✕
南北問題の原因に挙げられているのは、水平的分業ではなく、垂直的分業である。垂直的分業とは、先進国と途上国との間で、工業製品と一次産品を交換する国際分業を指す。これに対し、水平的分業は、同じ程度の発展段階にある国や地域の間で行われる国際分業を指す。

問28
✕
1970年の国連総会で、ODA（政府開発援助）の目標をGNP（国民総生産）の0.7パーセントと定めた。現在はGNI（国民総所得）の0.7パーセントとされている。

問29
○
持続可能な開発目標（SDGs）は、17のゴール・169のターゲットから構成され、途上国のみならず先進国自身が取り組むユニバーサル（普遍的）なものでる。

問1 国際連盟と国際連合の比較に関する記述ア〜オのうち正しいものの組み
check√ □□□　合わせを、1〜5の中から一つ選びなさい。

> **ア** 国際連盟のときは、アメリカが参加せず、ソ連も除名されたが、国際
> 連合では、アメリカ、ロシア、中国等の大国が参加している。
> **イ** 国際連盟規約は、パリ平和会議の開催中に五大強国（英・仏・伊・日・
> 米）が起草委員を出し起草されたが、国際連合憲章は、サンフランシス
> コ会議で50ヵ国が参加し、討論のうえ起草された。
> **ウ** 国際連盟では常設でなかった国際司法裁判所が、国際連合ではオラン
> ダのハーグに常設された。
> **エ** 国際連盟規約には、違法な戦争に訴えた国に対して、武力制裁の明文
> の規定がなかったが、国際連合憲章では、安全保障理事会が侵略行為の
> 認定を行うことにより、武力制裁ができる。
> **オ** 国際連盟は、加盟国間の軍事バランスにより、平和を維持しようと
> する考え方に基づく国際平和機構であったが、国際連合では、関係国が
> 相互に不可侵を約束し、第三国の侵略行為に対し集団で対処する集団安
> 全保障体制をとることになった。

1　ア、イ、エ
2　ア、ウ、エ
3　ア、ウ、オ
4　イ、ウ、エ
5　イ、エ、オ

問2 国際法に関する記述として正しいものを、1〜5の中から一つ選びなさ
check√ □□□　い。

1　国際慣習法は、国際社会の規則とされてきたものなので、条約によっ
て国際慣習法と異なる内容の合意をすることができない。
2　国際法では、その解釈や運用をめぐって各国の判断が対立した場合、
当事者の合意がなくても、国際司法裁判所において解決することができ
る。
3　国際慣習法では、領海は3海里とされてきたが、国連海洋法条約で領
海は200海里に定められた。
4　国際慣習法によって確立した内容を、多国間の条約によって法典化し
たものもある。
5　カントは、その著書『戦争と平和の法』によって、自然法に基づく国
際法の概念を提唱した。

問1　正解 1

ア○　アメリカが国際連盟に参加しなかったのは、上院でヴェルサイユ条約の承認が得られず、批准できなかったからである。ソ連が国際連盟から除名された理由は、1939 年のフィンランド侵攻である。

イ○　原加盟国であるポーランドは、この会議に代表を送らなかったので、50 ヵ国の参加となった。会議終了後、ポーランドが憲章に調印して、原加盟国の一つとなった。

ウ×　国際連盟のときから、国際司法裁判所は常設の機関である。

エ○　国際連盟規約では、経済制裁とは異なり、武力制裁について加盟国が応じる義務はなかった。

オ×　国際連盟も、集団安全保障方式をとる国際平和機構であった。

　したがって、正しいものの組み合わせは 1 である。

問2　正解 4

1×　条約は国家間の文書による合意であるから、国際慣習法と異なる内容の合意を定めることもできる。

2×　国際司法裁判所に提訴するためには、当事国双方の合意が必要である。

3×　国連海洋法条約は、領海を 12 海里に定めた。200 海里の定めは、排他的経済水域である。

4○　具体例としては、外交関係の開設、外交使節団の特権（外交特権）等について規定する「外交関係に関するウィーン条約」が挙げられる。

5×　カントではなく、グロティウスである。カントは著書『永遠平和のために』の中で、世界平和のために国際平和機構設立の必要性を説いた。

問3　地域的経済統合に関する記述ア～オのうち正しいものの組み合わせを、
check√　　1～5の中から一つ選びなさい。
□□□

> **ア**　USMCA——アメリカとカナダ間の域内での貿易・投資の自由化を
> 　　　　　　　　　目的に、自由貿易圏を形成した。
> **イ**　AFTA ——— ASEAN（東南アジア諸国連合）域内の関税・非関税障
> 　　　　　　　　　壁撤廃による自由貿易圏作りを目指して発足した。
> **ウ**　EU ——————マーストリヒト条約（欧州連合条約）により設立され
> 　　　　　　　　　たヨーロッパの国家統合体であり、発足当初から加盟
> 　　　　　　　　　国の通貨統合が実現された。
> **エ**　APEC ——— 環太平洋地域での経済協力の推進を目的に発足したが、
> 　　　　　　　　　1994 年のボゴール宣言で、自由貿易地域にすること
> 　　　　　　　　　を決めた。
> **オ**　Mercosur — 域内での関税撤廃と域外共通関税を設定することを目
> 　　　　　　　　　的として、アルゼンチン、ウルグアイ、パラグアイ、
> 　　　　　　　　　ブラジルの4ヵ国で発足した。

　　1　ア、イ、エ
　　2　ア、ウ、エ
　　3　ア、ウ、オ
　　4　イ、ウ、エ
　　5　イ、エ、オ

解答・解説

問3　正解5

ア×　USMCA（米国・メキシコ・カナダ協定）は、NAFTA の再交渉により発足した、アメリカ合衆国・メキシコ・カナダの3国の自由貿易協定である。
イ○　AFTA（ASEAN 自由貿易地域）は、ASEAN 諸国から構成される自由貿易地域で、域内関税の撤廃、金融市場の自由化などを目指して発足した。
ウ×　決済用仮想通貨として通貨統合が実現したのは 1999 年なので、1993 年の発足時にユーロは導入されていない。
エ○　APEC（アジア太平洋経済協力）は、オーストラリアのホーク首相の提唱により発足した。当初は環太平洋地域の経済協力の推進、貿易・投資の自由化などを図るのが目的であったが、1994 年のボゴール宣言で、自由貿易地域にすることを決定した。
オ○　Mercosur（メルコスール、南米南部共同市場）は、域内関税の撤廃と域外の共通関税設定を目的とした関税同盟である。

したがって、正しいものの組み合わせは5である。

本試験型問題　　　　　　**国際関係**

問 4
check✓
□□□

持続可能な開発目標（SDGs）に関する記述として誤っているものを、1～5の中から一つ選びなさい。

1　持続可能な開発目標（SDGs）は、2015 年の「国連持続可能な開発サミット」で採択されたアジェンダに記載された国際目標である。
2　持続可能な開発目標（SDGs）として、「極度の貧困と飢餓の撲滅」、「初等教育の完全普及の達成」などの 8 つの目標が掲げられている。
3　持続可能な開発目標（SDGs）は、2030 年までに達成することが目指されている。
4　2020 年 1 月に、持続可能な開発目標（SDGs）達成のための「行動の 10 年」がスタートした。
5　持続可能な開発目標（SDGs）は、2001 年に策定されたミレニアム開発目標（MDGs）が達成できなかったものを全うすることを目指している。

解答・解説

問 4　正解 2

1○　持続可能な開発目標（SDGs）は、「我々の世界を変革する：持続可能な開発のための 2030 アジェンダ」に掲げられた目標である。
2×　8つの目標を掲げたのは、ミレニアム開発目標（MDGs）である。SDGs は、17 の目標（ゴール）と 169 のターゲットを掲げている。
3○　アジェンダを採択した国家元首、政府の長等は、「このアジェンダを 2030 年までに完全に実施するために休みなく取り組むことにコミットする。」としている。
4○　2030 年までの SDGs 達成に向けて、取り組みのスピードを速め、規模を拡大するため、2020 年 1 月に「行動の 10 年（Decade of Action）」がスタートした。
5○　SDGs は、ミレニアム開発目標（MDGs）の後継として、MDGs が達成できなかったものを全うすることを目指している。

環境問題

以下の記述を読み、正しいものには〇、誤っているものには×をつけよ。

問1
check✓
☐☐☐
1972年、ローマクラブの『成長の限界』という報告書の中で、「人口増加や環境汚染などの現在の傾向が続けば、100年以内に地球上の成長は限界に達する」と警鐘を鳴らした。

問2
check✓
☐☐☐
1972年、「かけがえのない地球」をスローガンにストックホルムで国連人間環境会議が開催され、人間環境宣言が採択された。

問3
check✓
☐☐☐
1972年、国連人間環境会議で採択された内容を実施に移すための機関として、国連開発計画（UNDP）が設立された。

問4
check✓
☐☐☐
1992年、ヨハネスブルグで国連環境開発会議（地球サミット）が開催された。

問5
check✓
☐☐☐
1992年、「持続可能な開発」をスローガンに国連環境開発会議が開催された。

問6
check✓
☐☐☐
1992年、国連環境開発会議で採択された気候変動枠組条約は、オゾン層の破壊防止を目的としたものである。

問7
check✓
☐☐☐
1992年、国連環境開発会議で署名が開放された生物多様性条約は、希少な野生動植物の国際的な取引を規制することを目的としたものである。

問8
check✓
☐☐☐
ロンドン条約は、水鳥の生息地である湿地の保護を目的とした条約である。

問9
check✓
☐☐☐
バーゼル条約は、有害廃棄物の国境移動及びその処分の規制を目的とした条約である。

問10
check✓
☐☐☐
ワシントン条約は、砂漠化の防止を目的とした条約である。

解答・解説

問1
○
ローマクラブは、スイスのヴィンタートゥールに本部を置く民間のシンクタンク。『成長の限界』では、資源と地球の有限性に着目し、人口問題と環境問題に対処すべきことを提言した。

問2
○
人間環境宣言は、共通見解7項（前文）と26の共通の原則からなり、現在および将来の世代のために人間環境を保全し向上させることなどを謳っている。

問3
×
国連環境計画（UNEP）である。国連開発計画（UNDP）は、発展途上国に対する技術援助のための国際機関。

問4
×
国連環境開発会議（地球サミット）が開催されたのは、リオデジャネイロである。

問5
○
「持続可能な開発」という理念は、現世代が、将来の世代の利益や要求を充足する能力を損なわない範囲内で環境を利用し、要求を満たしていこうとする考え方。

問6
×
オゾン層の破壊防止を目的とした条約は、「オゾン層の保護のためのウィーン条約」。この条約に基づいて、オゾン層破壊物質を規制するモントリオール議定書が採択された。気候変動枠組条約は、地球温暖化問題に対する国際的な枠組みを設定した条約。

問7
×
ワシントン条約の目的である。生物多様性条約は、野生生物保護の枠組みを広げ、地球上の生物の多様性を包括的に保全することを目的としている。

問8
×
ラムサール条約である。ロンドン条約は、廃棄物の海洋投棄の規制を目的とした条約。

問9
○
1989年、国連環境計画（UNEP）が、スイスのバーゼルにおいて採択し、1992年に発効した。

問10
×
砂漠化対処条約（砂漠化防止条約）である。ワシントン条約は、希少な野生動植物の国際的な取引を規制することを目的とした条約。

環境問題

以下の記述を読み、正しいものには〇、誤っているものには×をつけよ。

問11
check√
□□□
1997年、気候変動枠組条約第3回締約国会議が京都で開催され、すべての締約国に温室効果ガス排出量削減数値目標が設定された。

問12
check√
□□□
フロンガスは、酸性雨の原因物質であるとされている。

問13
check√
□□□
京都議定書によって認められた共同実施とは、先進国が、途上国において実施された温室効果ガスの排出量削減事業から生じた削減分を獲得する仕組みである。

問14
check√
□□□
京都議定書によって、温室効果ガスの森林吸収分を削減量に含めることが認められた。

問15
check√
□□□
京都議定書によって、温室効果ガスの排出権取引を、先進国同士またはその国の企業に限って認めた。

問16
check√
□□□
ナショナル・ミニマムとは、自然環境や歴史的建造物を保護するために、住民がその土地を買い取ることにより保存していく運動である。

問17
check√
□□□
バックミンスター=フラーは著書『沈黙の春』の中で、DDTなどの農薬の使用が生態系を破壊する危険性を警告した。

問18
check√
□□□
エクソン・バルディーズ号事件をきっかけに、環境に対する企業倫理の原則が確立された。

問19
check√
□□□
パリ協定では、世界的な平均気温上昇を産業革命以前に比べて2℃より十分低く保つとともに、1.5℃に抑える努力を追求することが目標として掲げられた。

問20
check√
□□□
マイクロプラスチックによる海洋環境の汚染が問題となる中、日本ではマイクロプラスチック対策が法令により規定されている。

解答・解説

問 11
×
京都議定書では、先進国の温室効果ガス排出量削減数値目標が設定され
たが、発展途上国については、経済発展の必要性から設定が見送られた。

問 12
×
酸性雨の原因物質であるとされているのは、硫黄酸化物・窒素酸化物な
どの酸性汚染物質である。フロンガスが原因物質とされているのは、オ
ゾン層の破壊である。

問 13
×
クリーン開発メカニズムの説明である。共同実施は、温室効果ガスの排
出量削減義務のある先進国が、共同で排出量削減事業を行って実現した
排出削減量を、投資を行った国へ移転させる仕組み。

問 14
○
森林の樹木は、大気中の二酸化炭素を吸収して光合成を行い、炭素を枝
や幹などに有機物として蓄え、成長しているからである。

問 15
○
排出権取引は、温室効果ガスの排出量を、一定量削減するための費用が、
国や地域、産業種別によって違いがあるため設けられたものである。

問 16
×
ナショナル・トラストである。ナショナル・ミニマムとは、国家が国民
に対して保障する最低限度の生活水準を指す。

問 17
×
レイチェル・カーソンである。バックミンスター＝フラーは、「宇宙船地
球号」を提唱した経済学者。

問 18
○
バルディーズ原則として、生物圏の保護・リスクの削減・損害賠償責任
などの環境に対する企業倫理の原則が確立された。

問 19
○
パリ協定は、2015 年にパリで開催された国連気候変動枠組条約第 21
回締約国会議（COP21）により採択された。京都議定書に代わり、
2020 年以降の温暖化対策を定めた国際協定である。

問 20
○
「美しく豊かな自然を保護するための海岸における良好な景観及び環境
並びに海洋環境の保全に係る海岸漂着物等の処理等の推進に関する法律
（海岸漂着物処理推進法）」第 6 条 2 項では、マイクロプラスチック対策
として、プラスチック類の円滑な処理及び廃プラスチック類の排出抑制・
減量等への配慮が求められている。

以下の記述を読み、正しいものには〇、誤っているものには×をつけよ。

問21
check√
□□□
環境基本法では、大気汚染・水質汚濁・土壌汚染・騒音・振動・地盤沈下・廃棄物の投棄を典型7公害としている。

問22
check√
□□□
公害対策基本法は、1967年に制定されたが、制定当初は経済調和条項があったために、被害者の救済が進まなかった。

問23
check√
□□□
四大公害訴訟の中で、裁判所が被告企業に対して共同不法行為の成立を認めたのは、四日市ぜんそく訴訟である。

問24
check√
□□□
イタイイタイ病の原因物質は、有機水銀であるとされている。

問25
check√
□□□
汚染者負担原則（PPP）とは、公害の発生源たる事業者が、発生した損害の費用をすべて負担する原則であるが、日本においては法制度が確立していない。

問26
check√
□□□
すべての化石燃料の利用に対し、環境負荷に応じて広く薄く公平に負担を求めるために、先行する欧州各国に次いで、日本においても炭素税（環境税）が導入された。

問27
check√
□□□
家電リサイクル法においては、分別・回収は専ら製造元である事業者に義務づけられ、消費者には特別な義務を課していない。

問28
check√
□□□
1970年末に開かれた「公害国会」の後、公害行政を一元化するために、環境庁が設置された。

問29
check√
□□□
1993年の環境基本法の制定とともに、大気や水質に関する環境基準を設定する制度が設けられた。

問30
check√
□□□
総量規制は、汚染物質の発生施設ごとの排出規制では、環境基準の確保が困難である場合に、地域全体の排出総量を削減するために用いられる。

問31
check√
□□□
環境影響評価法（環境アセスメント法）では、事前または事後に、開発行為が地域に与える影響を評価する。

問 21
×
環境基本法で典型7公害としているのは、大気汚染・水質汚濁・土壌汚染・騒音・振動・地盤沈下・悪臭である（環境基本法第2条3項）。

問 22
○
1970年末の「公害国会」で、公害対策基本法から経済調和条項を削除した。

問 23
○
石油精製や火力発電所などの被告6社に対して、津地方裁判所は、被告6社全部に損害賠償を支払うよう命じた。

問 24
×
イタイイタイ病の原因物質は、カドミウムである。神通川上流の神岡鉱山から亜鉛を製錬した後に出るカドミウムを含んだ排水をそのまま流したために、水質と土壌の汚染を招いた。

問 25
×
汚染者負担原則（PPP）に基づいて、公害健康被害補償法が1973年に制定されている。この原則は、1972年に経済協力開発機構（OECD）が提唱し、環境政策における責任分担の考え方の基礎となった。

問 26
○
炭素税（環境税）として、2012年に地球温暖化対策のための税（地球温暖化対策税）が創設された。

問 27
×
消費者にも収集運搬料金とリサイクル料金の負担、分別排出等の義務を課している。

問 28
○
環境庁が設置されたのは、「公害国会」の後の1971年である。従来の縦割りの行政組織では、複雑な公害問題に対処できないからである。

問 29
○
環境基本法第16条により正しい。環境基準とは、「維持されることが望ましい基準」であり、行政上の政策目標。これに対し、排出基準は、事業者が守らねばならない最低限の基準。

問 30
○
総量規制は、国または都道府県（政令指定都市含む）が地域を指定し、総量削減計画に基づいて、個々の発生施設ごとの排出基準よりも厳しい基準が設けられる。

問 31
×
環境影響評価（環境アセスメント）とは、事前に開発行為が地域に与える影響を評価する制度である。

問1
check√
□□□

国際的な環境保全に関する取り決めに関して記述された次の文の下線部 a ～ e について、誤っているものはいくつあるか。1～5の中から選びなさい。

国際的な環境保全に関する取り決めを概観すると、成長の限界が認識された 1972 年に、a「宇宙船地球号」をスローガンにストックホルムで国連の会議が開催されて、b人間環境宣言が採択された。その 20 年後、リオデジャネイロで c国連環境開発会議が開催された。そこでは、21 世紀の地球環境保全のための原則と行動計画が合意され、国際条約である「気候変動枠組条約」と「生物多様性条約」も署名開放されて、d「持続可能な開発」という理念が世界の共通認識となった。そして、2002 年には、eヨハネスブルグで環境開発サミットが開催された。

1　1つ
2　2つ
3　3つ
4　4つ
5　5つ

問2
check√
□□□

環境に関する記述のうち誤っているものを、1～5の中から一つ選びなさい。

1　都市公害の増加や地球環境問題などに対しては、従来の公害対策基本法や自然環境保全法の枠組みでは不十分になったため、1993 年に環境政策の基盤となる環境基本法が制定された。
2　1960 年代後半に始まった四大公害裁判に見られるように、公害が相次いで社会問題化したことを受けて、1970 年末に開かれた「公害国会」において、公害対策基本法の改正を含む公害対策関連 14 法が成立した。
3　リオデジャネイロで開催された地球サミットを受けて、1997 年、京都で地球温暖化防止会議が開かれ、温室効果ガス排出量削減の数値目標を織り込んだ議定書が採択された。
4　大規模公共事業などによる環境破壊を未然に防ぐために、1997 年に環境影響評価法（環境アセスメント法）が成立したが、規模が大きく環境に大きな影響を及ぼすと認められた事業以外は、この法律の規制対象とはならなかった。
5　ISO（国際標準化機構）とは、電気分野を除く工業分野の国際的な標準規格を策定するための民間の非政府組織であり、ISO14000 シリーズは「環境マネジメントシステム」として発行したものである。

問1 正解 1

a× 「かけがえのない地球」である。「宇宙船地球号」は、地球上の資源の有限性と資源の適切な使用について語るため、地球を閉じた宇宙船にたとえて使う言葉。バックミンスター＝フラーらが提唱した世界観である。

b○ 人間環境宣言は、1972年、ストックホルムで開催された国連人間環境会議で採択された。

c○ 国連環境開発会議は、地球サミット、環境と開発に関する国際連合会議、リオ・サミットとも呼ばれている。

d○ 「持続可能な開発」という理念は、現世代が、将来の世代の利益や要求を充足する能力を損なわない範囲内で環境を利用し、要求を満たしていこうとする考え方。

e○ ヨハネスブルグは、南アフリカ共和国の都市（都市圏）の名称。なお、環境開発サミットは、ヨハネスブルグ（地球）サミット、持続可能な開発に関する世界首脳会議、リオ＋10などとも呼ばれている。

したがって、誤っているものは1つである。

問2 正解 4

1○ 環境基本法制定の経緯を説明したものとしては、正しい記述である。しかし、この法律は、環境保全についての新たな理念や試みは提示されていたが、具体的な措置は示されていなかった。

2○ 改正前の公害対策基本法では、いわゆる経済調和条項があって被害者の救済が進まなかった。そこで、この条項を削除することになった。

3○ 日本は、2008年から2012年にかけて、1990年比で6％の削減を数値目標としていた。

4× 規模が大きく、環境に大きな影響を及ぼすと認められる事業を「第1種事業」とし、必ず環境アセスメントの手続きを行うことが義務づけられている。さらに、これに準ずる大きさの事業を「第2種事業」として、個別に判断されることになっている。つまり、「第1種事業」のすべてと、「第2種事業」のうち手続きを行うべきと判断されたものが、環境アセスメントの対象となる。

5○ ISO14000シリーズは、環境保全に関連する規格の総称。このシリーズの環境保全活動を審査するISO14001は、企業などの団体が、この規格に沿って環境保全に取り組んでいるかを、専門家が審査するためのものである。

問3
check√
□□□
地球規模の環境問題とそれに対処する条約などの組み合わせとして正しいものを、1～5の中から一つ選びなさい。

1　水鳥の生息地である湿地の保護 ――――――― バーゼル条約
2　有害廃棄物の国境移動及びその処分の規制 ―― ロンドン条約
3　廃棄物の海洋投棄の規制 ――――――――――― ワシントン条約
4　オゾン層破壊物質の規制 ――――――――――― モントリオール議定書
5　砂漠化の防止 ―――――――――――――――― ラムサール条約

問4
check√
□□□
日本の環境問題に関する次のア～オの記述のうち正しいものの組み合わせを、1～5の中から一つ選びなさい。

ア　日本のごみの排出量は、生活系ごみよりも事業系ごみのほうが多い。
イ　地球温暖化を抑制するため、1997年に日本で地球温暖化防止会議が開かれ、温室効果ガス排出量削減について数値目標が定められた。
ウ　石油・天然ガス・石炭といったすべての化石燃料の利用に対し、環境負荷に応じて広く薄く公平に負担を求めるために、2012年、地球温暖化対策のための税が創設された。
エ　空気中の石綿（アスベスト）は微量であれば問題ではないが、作業や工事などの際に大量・高濃度のアスベストが空気中に飛び散ることによって、作業者と周辺住民に健康被害が発生した。
オ　2019年 G20 大阪サミットにおいて、2050年までにプラスチックごみによる海の汚染をこれ以上増やさないとする「大阪クリーン・オーシャン・ビジョン」が世界的に共有され、実現するための日本の取組も公表された。

1　ア、イ、エ
2　ア、ウ、エ
3　ア、ウ、オ
4　イ、ウ、エ
5　イ、エ、オ

問3　正解 4

1× 水鳥の生息地である湿地の保護を目的とした条約は、ラムサール条約である。

2× 有害廃棄物の国境移動及びその処分の規制を目的とした条約は、バーゼル条約である。

3× 廃棄物の海洋投棄の規制を目的とした条約は、ロンドン条約である。

4○ オゾン層の保護のためのウィーン条約に基づき、オゾン層を破壊するおそれのある物質の規制を目的として、1987年にモントリオールで採択された議定書。

5× 砂漠化の防止を目的とした条約は、砂漠化対処条約（砂漠化防止条約）である。

問4　正解 4

ア× 環境省の「日本の廃棄物処理 令和3年度版」によれば、ごみの排出量を排出形態別でみると、事業系ごみよりも生活系ごみのほうが多く、生活系ごみが約70％を占めている。

イ○ この京都議定書により、日本は2008年から2012年までの期間に1990年比で6％の温室効果ガス排出量の削減を義務づけられた。

ウ○ 2012年4月1日、租税特別措置法等の一部を改正する法律（平成24年法律第16号）により、租税特別措置法に「地球温暖化対策のための課税の特例」が設けられ、同年10月1日から施行された。

エ○ 石綿（アスベスト）は長く断熱材などの建築材料に使用されていたが、その繊維が、肺線維症（じん肺）、悪性中皮腫の原因になると世界保健機関（WHO）により指摘されている。日本においては、労働安全衛生法や大気汚染防止法などで、発病予防や飛散防止等を義務づけている。

オ× G20大阪サミットで掲げられた、海洋プラスチックごみ対策の構想は「大阪ブルー・オーシャン・ビジョン」である。その実現のため日本では、途上国の廃棄物管理に関する能力構築及びインフラ整備等の支援を宣言し、廃棄物管理、海洋ごみの回収、イノベーション及び能力強化に注力する「マリーン（MARINE）・イニシアティブ」の立ち上げを宣言した。

したがって、正しいものの組み合わせは4である。

問5 2015年に開催された、「国連気候変動枠組条約第21回締約国会議
check√ （COP21）」で合意されたパリ協定に関する記述として誤っているものを、
□□□ 1～5の中から一つ選びなさい。

1　この条約が発効されるための条件は、世界の総排出量のうち55％以
　上をカバーする国が55か国以上批准することだった。
2　長期目標を達成するために、21世紀後半には世界の温室効果ガス排
　出量を、森林などによる吸収量とのバランスで実質ゼロとすることが掲
　げられている。
3　先進国だけでなく、すべての参加国に温室効果ガスの排出削減の努力
　が求められている。
4　すべての国が温室効果ガスの削減目標を5年ごとに提出し，国内での
　実施状況を報告すると共にレビュー（評価）を受ける。
5　日本では、中期目標として、2030年度の温室効果ガスの排出を
　2013年度の水準から38％削減すると定めている。

解答・解説

問5　正解5

1○　米国や中国、インドといった大国が参加することで他の国々も参加し、
　予想より早い2016年11月に発効した。しかしその後、米国のトランプ大
　統領はパリ協定からの離脱を表明し、離脱手続きを行っている。
2○　長期目標には、世界的な平均気温上昇を産業革命以前に比べて2℃より
　十分低く保つとともに、1.5℃に抑える努力をすることが掲げられた。
3○　1997年に採択された京都議定書では途上国の削減義務が課せられてい
　なかったなどの理由によって米国が批准せず、その実効性に不安が生じた。
4○　目標をプレッジ（誓約）し、取り組み状況などをレビュー（評価）する
　ことから、「プレッジ＆レビュー方式」とよばれる。各国の目標は、5年ご
　とに更新し提出することが求められている。
5×　2030年度に2013年度比で46.0％削減することを目標としている。

自然科学

以下の記述を読み、正しいものには〇、誤っているものには×をつけよ。

問1
check√
□□□
30 と 42 の最小公倍数は 210 である。

問2
check√
□□□
$2x + 3y = 15$ をみたす自然数 (x, y) の組は、$(4, 2)$ と $(3, 3)$ である。

問3
check√
□□□
$\dfrac{1}{1 \times 2} + \dfrac{1}{2 \times 3} + \dfrac{1}{3 \times 4} + \cdots\cdots + \dfrac{1}{9 \times 10} = \dfrac{9}{100}$ である。

問4
check√
□□□
2 進法で表された数 11111011111 を 10 進法で表すと、2015 である。

問5
check√
□□□
$x = 1 + \sqrt{3}$、$y = 1 - \sqrt{3}$ のとき、$x^3 + y^3 = 2 + 2\sqrt{3}$ である。

問6
check√
□□□
$x = \sqrt{11}$ のとき、$|x - 2| + |x - 4| = -2$ である。

解答・解説

問1
○

それぞれを素因数分解すると、
$30 = 2 \times 3 \times 5$、$42 = 2 \times 3 \times 7$ となる。
よって、最小公倍数は、$2 \times 3 \times 5 \times 7 = 210$ である。

問2
×

与式を変形して、$2x = 3(5-y)$ とすると、2と3は互いに素なので、
$(5-y)$ は2の倍数となる。
x, y は自然数であることより、y は奇数で、$y = 1, 3$ となる。
$y = 1$ のとき、$2x = 3(5-1) = 12$ より、$x = 6$
$y = 3$ のとき、$2x = 3(5-3) = 6$ より、$x = 3$
よって、$(x, y) = (6, 1), (3, 3)$ である。

問3
×

一般に、$\dfrac{1}{n(n+1)} = \dfrac{1}{n} - \dfrac{1}{n+1}$ と変形できるので、

$$\dfrac{1}{1 \times 2} + \dfrac{1}{2 \times 3} + \dfrac{1}{3 \times 4} + \cdots\cdots + \dfrac{1}{9 \times 10}$$

$$= \left(\dfrac{1}{1} - \dfrac{1}{2}\right) + \left(\dfrac{1}{2} - \dfrac{1}{3}\right) + \left(\dfrac{1}{3} - \dfrac{1}{4}\right) + \diagdown \cdots\cdots \diagup + \left(\dfrac{1}{9} - \dfrac{1}{10}\right)$$

$$= 1 - \dfrac{1}{10} = \dfrac{9}{10} \text{ である。}$$

問4
○

2進法の位は、下から1の位、2の位、2^2 の位、……なので、
$2^{10} + 2^9 + 2^8 + 2^7 + 2^6 + 2^4 + 2^3 + 2^2 + 2 + 1$
$= 1024 + 512 + 256 + 128 + 64 + 16 + 8 + 4 + 2 + 1$
$= 2015$ である。

問5
×

$x + y = (1 + \sqrt{3}) + (1 - \sqrt{3}) = 2$
$xy = (1 + \sqrt{3})(1 - \sqrt{3}) = 1 - 3 = -2$ なので、
$x^3 + y^3 = (x+y)^3 - 3xy(x+y)$
$\qquad\qquad = 2^3 - 3(-2) \cdot 2 = 8 + 12 = 20$ である。

問6
×

$3 < \sqrt{11} < 4$ なので、$\sqrt{11} - 2 > 0$、$\sqrt{11} - 4 < 0$ である。
よって、$|x - 2| + |x - 4|$ に $x = \sqrt{11}$ を代入すると、
$|\sqrt{11} - 2| + |\sqrt{11} - 4|$
$= (\sqrt{11} - 2) - (\sqrt{11} - 4)$
$= \sqrt{11} - 2 - \sqrt{11} + 4 = 2$ である。

数　学

以下の記述を読み、正しいものには〇、誤っているものには×をつけよ。

問7
check√
□□□

2次方程式 $2x^2 + 3x - 1 = 0$ の解は、$x = \dfrac{-3 \pm \sqrt{17}}{4}$ である。

問8
check√
□□□

2次方程式 $3x^2 - 2ax - 2 - a = 0$ が、$x = 2$ を解にもつとき、$a = 2$ であり、他の解は $x = \dfrac{2}{3}$ である。

問9
check√
□□□

$a > 0$ とする。1次関数 $y = ax + b$ の定義域 $-2 \leqq x \leqq 1$ に対する値域が $-1 \leqq y \leqq 5$ であるとき、$a = 2$、$b = 3$ である。

問10
check√
□□□

2次関数 $y = \dfrac{1}{2}x^2 - 4x + 7$ のグラフの頂点の座標は、$(4, 1)$ である。

問7
○

$2x^2 + 3x - 1 = 0$ は、因数分解できないので、解の公式を用いて、

$$x = \frac{-3 \pm \sqrt{3^2 - 4 \cdot 2 \cdot (-1)}}{2 \cdot 2} = \frac{-3 \pm \sqrt{17}}{4} \text{ である。}$$

問8
✕

$x = 2$ が解であるから、与式に代入して成り立つ。よって、

$$3 \cdot 2^2 - 2a \cdot 2 - 2 - a = 0$$
$$-5a + 10 = 0$$

より、$a = 2$ である。与式に代入して、

$$3x^2 - 2 \cdot 2x - 2 - 2 = 0$$
$$3x^2 - 4x - 4 = 0$$
$$(3x + 2)(x - 2) = 0$$
$$x = -\frac{2}{3}, 2$$

よって、$x = 2$ 以外の解は、$x = -\frac{2}{3}$ である。

問9
○

傾き $a > 0$ なので、この1次関数のグラフは2点 $(-2, -1)$、$(1, 5)$ を

通る。よって、傾き $a = \frac{5 - (-1)}{1 - (-2)} = \frac{6}{3} = 2$ である。

このとき、1次関数 $y = 2x + b$ は点 $(1, 5)$ を通るから、$x = 1$、$y = 5$ を代入して、$5 = 2 \cdot 1 + b$ より、$b = 3$ である。

問10
✕

与式を平方完成する。

$$y = \frac{1}{2} x^2 - 4x + 7$$
$$= \frac{1}{2} (x^2 - 8x) + 7$$
$$= \frac{1}{2} \{(x - 4)^2 - 16\} + 7$$
$$= \frac{1}{2} (x - 4)^2 - 8 + 7$$
$$= \frac{1}{2} (x - 4)^2 - 1$$

よって、頂点の座標は、$(4, -1)$ である。

以下の記述を読み、正しいものには〇、誤っているものには×をつけよ。

問11
check√
□□□
点（1, 3）を通る直線で、$y = 2x$ と平行な直線の方程式は、$y = 2x + 1$ であり、$y = 2x$ と垂直な直線の方程式は、$y = -\dfrac{1}{2}x + \dfrac{7}{2}$ である。

問12
check√
□□□
A（1, 2）、B（3, 3）、C（2, − 2）に対して、△ＡＢＣの重心の座標は、（2, 1）である。

問13
check√
□□□
10円玉 3 枚と、50 円玉 1 枚と、100 円玉 2 枚を用いて、ちょうど支払うことができる金額は、全部で 28 通りである。

問14
check√
□□□
赤玉が 3 個、白玉が 2 個入った袋から、同時に 2 個の玉を取りだすとき、2 個とも赤玉である確率は、$\dfrac{3}{5}$ である。

問11
○

平行な直線は傾きが等しいので 2 であり、点(1, 3)を通るので、

$$y - 3 = 2(x - 1)$$
$$= 2x - 2$$
$$y = 2x + 1 \text{ となる。}$$

次に、垂直な直線の傾きを a とおくと、

$a \times 2 = -1$ より、$a = -\dfrac{1}{2}$

点(1, 3)を通るので、

$$y - 3 = -\frac{1}{2}(x - 1)$$

$$= -\frac{1}{2}x + \frac{1}{2}$$

$$y = -\frac{1}{2}x + \frac{7}{2} \text{ となる。}$$

問12
○

重心の x 座標は、$\dfrac{1 + 3 + 2}{3} = \dfrac{6}{3} = 2$

重心の y 座標は、$\dfrac{2 + 3 + (-2)}{3} = \dfrac{3}{3} = 1$

よって、△ABCの重心の座標は、(2, 1)である。

問13
×

まず、合計金額は、$10 \times 3 + 50 \times 1 + 100 \times 2 = 280$ 円なので、10 円〜 280 円までの 28 通りが考えられる。

しかし、10 円玉が 3 枚しかないので、40 円、90 円、140 円、190 円、240 円の 5 通りは、ちょうど支払うことができない。

よって、$28 - 5 = 23$ 通りである。

問14
×

すべての玉を区別して考える。袋の中には 5 個の玉が入っているので、

取りだし方は、${}_5\mathrm{C}_2 = \dfrac{5 \cdot 4}{2 \cdot 1} = 10$ 通り。

このうち、3 個の赤玉から 2 個を取りだす取りだし方は、

${}_3\mathrm{C}_2 = \dfrac{3 \cdot 2}{2 \cdot 1} = 3$ 通り。

よって、2 個とも赤玉である確率は、$\dfrac{3}{10}$ である。

以下の記述を読み、正しいものには〇、誤っているものには×をつけよ。

問15
check✓
□□□
3枚のコインを同時に投げるとき、少なくとも1枚が表になる確率は、$\frac{1}{3}$である。

問16
check✓
□□□
男子3人、女子3人の6人が一列に並ぶとき、男女交互に並ぶ並び方は、72通りである。

問17
check✓
□□□
松男、竹男、梅男、雪子、月子、花子の6人から3人の代表を選ぶとき、松男は選ばれず、雪子は選ばれる選び方は、17通りである。

問18
check✓
□□□
6冊の異なる本を3人の子どもに2冊ずつ分け与える与え方は、20通りである。

問19
check✓
□□□
連立不等式 $\frac{3x-2}{4} \leq \frac{x+2}{2} < \frac{2x+1}{3}$ の解は、$4 \leq x < 6$ である。

国語

英語

日本史

世界史

地理

思想

芸術

政治

経済

国際
関係

環境
問題

数学

物理

化学

生物

地学

問15
×

1枚のコインを投げて裏が出る確率は $\dfrac{1}{2}$ なので、3枚とも裏が出る確率は、$\left(\dfrac{1}{2}\right)^3 = \dfrac{1}{8}$。

この場合以外が、求める確率なので、$1 - \dfrac{1}{8} = \dfrac{7}{8}$ である。

問16
○

男子3人の並び方は、$3! = 3 \cdot 2 \cdot 1 = 6$ 通り。女子3人の並び方も同じく6通り。

また、男女交互となるのは、男女男女男女と女男女男女男の2通りある。
よって、$6 \times 6 \times 2 = 72$ 通りである。

問17
×

6人のうち、松男と雪子以外の4人から、3人の代表のうちの雪子以外の2人を選べばよいので、${}_4 C_2 = \dfrac{4 \cdot 3}{2 \cdot 1} = 6$ 通りである。

問18
×

3人の子どもをA、B、Cとすると、まずAに6冊から2冊を選んで与え、次にBに残りの4冊から2冊を選んで与えれば、最後の2冊がCに与えられることになる。

よって、${}_6 C_2 \times {}_4 C_2 = \dfrac{6 \cdot 5}{2 \cdot 1} \times \dfrac{4 \cdot 3}{2 \cdot 1} = 90$ 通りである。

問19
×

$$\begin{cases} \dfrac{3x-2}{4} \leqq \dfrac{x+2}{2} & \cdots\cdots① \\[2mm] \dfrac{x+2}{2} < \dfrac{2x+1}{3} & \cdots\cdots② \end{cases}$$

とおく。
①の両辺に4をかけて、
$\quad 3x - 2 \leqq 2(x+2)$
$\quad 3x - 2 \leqq 2x + 4$
$\qquad\quad x \leqq 6 \qquad \cdots\cdots①'$
②の両辺に6をかけて、
$\quad 3(x+2) < 2(2x+1)$
$\quad\quad 3x + 6 < 4x + 2$
$\qquad\qquad 4 < x \qquad \cdots\cdots②'$
①'、②'を同時にみたす x の範囲は、$4 < x \leqq 6$ である。

以下の記述を読み、正しいものには〇、誤っているものには×をつけよ。

問20
check√
□□□

2次不等式 $6x^2 - 7x - 3 > 0$ の解は、$x < -\dfrac{1}{3}$, $\dfrac{3}{2} < x$ である。

問21
check√
□□□

全長400mの新幹線が鉄橋を渡りはじめてから渡り終えるまで1分かかった。新幹線の速さは時速240kmで一定であった。このとき、鉄橋の長さは4000mである。

問22
check√
□□□

池の周囲に遊歩道があり、太郎君は分速100mで、ある地点から歩きはじめた。その4分後に、次郎君は分速250mで同じ地点から遊歩道を逆向きに走りはじめて、6分後に太郎君と出会った。このとき、遊歩道の長さは2500mである。

問23
check√
□□□

ある会社には10人の社員がいて、役員が2人、一般社員が8人である。役員の平均月収は60万円、一般社員の平均月収は30万円であるとき、10人の社員の平均月収は36万円である。

問24
check√
□□□

線分AB上に2点C、Dがあり、AC：CB = 1：2、AD：DB = 4：1であるとき、AC：CD：DB = 1：3：1である。

問25
check√
□□□

ある国の国会議員の男女比は13：2である。国会議員の定員は480人で欠員がないとき、女性議員の数は、64人である。

問20 〇

与式を因数分解して、
$$6x^2 - 7x - 3 > 0$$
$$(2x - 3)(3x + 1) > 0$$
よって、$x < -\dfrac{1}{3}$, $\dfrac{3}{2} < x$ である。

問21 ✕

240km/時＝4000m/分であり、鉄橋の長さをxm とすると、新幹線は1分間に$(x + 400)$ m 走ったことになるから、
$$x + 400 = 4000 \times 1$$
$$x = 3600\text{m} \text{ である。}$$

問22 〇

太郎君は、100m/分で10分間歩いたので、
　100 × 10 ＝ 1000m 歩いたことになる。
また、次郎君は、250m/分で6分間走ったので、
　250 × 6 ＝ 1500m 走ったことになる。
この距離の合計が遊歩道の長さなので、
　1000 ＋ 1500 ＝ 2500m である。

問23 〇

役員の月収の合計は、60万× 2 ＝ 120万円。
一般社員の月収の合計は、30万× 8 ＝ 240万円。
よって、10人の社員の月収の合計は、120万＋ 240万＝ 360万円である。
これを人数の10人でわればよいから、全社員の平均月収は、
　360万÷ 10 ＝ 36万円である。

問24 ✕

1 ＋ 2 ＝ 3、4 ＋ 1 ＝ 5 なので、3と5の最小公倍数の15となるように比を合わせると、
　AC：CB ＝ 1：2 ＝ 5：10
　AD：DB ＝ 4：1 ＝ 12：3
このとき、CD ＝ 12 － 5 ＝ 10 － 3 ＝ 7 である。
よって、AC：CD：DB ＝ 5：7：3 である。

問25 〇

全体に対する女性議員の比率は、$\dfrac{2}{13 + 2} = \dfrac{2}{15}$ なので、女性議員の数は、$480 \times \dfrac{2}{15} = 64$ 人である。

数　学

以下の記述を読み、正しいものには〇、誤っているものには×をつけよ。

問26
check√
□□□
500円で仕入れた品物に2割の利益を見込んで定価をつけたが、売れなかったので定価の1割引きで売った。このとき利益は、40円である。

問27
check√
□□□
濃度10%の食塩水400gに水を100g加えると、食塩水の濃度は7.5%となる。

問28
check√
□□□
18K（純度75%）の金の延べ板200gと、21K（純度87.5%）の金の延べ板400gを溶融してできる延べ板600gは、20Kである。

問29
check√
□□□
yはxに反比例し、$x = 3$のとき、$y = 4$である。すると、$x = 2$のとき、$y = 6$である。

問30
check√
□□□
100以下の自然数で、2または3でわりきれる数は、全部で88個である。

解答・解説

問26
○

まず、仕入れ値に対して2割の利益を見込んだので、定価は、
$500 \times (1 + 0.2) = 500 \times 1.2 = 600$ 円である。
よって、定価の1割引きは、$600 \times (1 - 0.1) = 600 \times 0.9 = 540$ 円
となるので、これから仕入れ値を引くと、利益は、$540 - 500 = 40$ 円
である。

問27
×

10%の食塩水400gに含まれる食塩の量は、$400 \times \frac{10}{100} = 40$g である。

これに水を100g加えると、食塩水の量は $400 + 100 = 500$g となり、

食塩の量は変わらないので、濃度は、$\frac{40}{500} \times 100 = 8$%となる。

問28
○

まず、$18 \div 0.75 = 21 \div 0.875 = 24$ で、純金は24Kである。
また、200gの18Kに含まれる金は、$200 \times 0.75 = 150$g、400gの
21Kに含まれる金は、$400 \times 0.875 = 350$g なので、
溶融してできる延べ板600gに含まれる金は、$150 + 350 = 500$g である。

よって、$24 \times \frac{500}{600} = 20$K である。

問29
○

y は x に反比例するので、$y = \frac{a}{x}$ とおくことができる。

$x = 3$、$y = 4$ を代入すると、
$4 = \frac{a}{3}$、$a = 12$

よって、$y = \frac{12}{x}$ となり、$x = 2$ のとき、$y = \frac{12}{2} = 6$ である。

問30
×

2でわりきれる数は、$100 \div 2 = 50$ より、50個。
3でわりきれる数は、$100 \div 3 = 33\cdots1$ より、33個。
2でも3でもわりきれる数、つまり6でわりきれる数は、
$100 \div 6 = 16\cdots4$ より、16個。
よって、2または3でわりきれる数は、$50 + 33 - 16 = 67$ 個である。

数　学

以下の記述を読み、正しいものには〇、誤っているものには×をつけよ。

問31
check√
□□□
40人のクラスで、兄弟のいる人は23人、姉妹のいる人は26人、一人っ子は10人であった。このとき、兄弟も姉妹もいる人は、30人である。

問32
check√
□□□
水槽に水が満たされている。この水を汲み出すのに、ポンプAのみを用いると10分、ポンプBのみを用いると40分かかる。このとき、ポンプAとポンプBの両方を用いると、水を汲み出すのにかかる時間は、8分である。

問33
check√
□□□
辺AB = 2、辺AC = 4、∠A = 135°の△ABCの面積Sは、$S = 4\sqrt{2}$である。

問34
check√
□□□
一辺の長さが2の正六角形ABCDEFの面積Sは、$S = 6\sqrt{3}$である。

問31 ✕

まず、兄弟または姉妹のいる人は、40人から一人っ子の10人を除いた30人である。

兄弟のいる人23人と、姉妹のいる人26人を合計すると49人となり、49 − 30 = 19人が重複している。

よって、兄弟も姉妹もいる人は19人である。

問32 〇

水の量をxLとすると、ポンプAの汲み出す能力は$\dfrac{x}{10}$ L/分、ポンプBは$\dfrac{x}{40}$ L/分である。よって、ポンプA、Bの両方を用いると、$\dfrac{x}{10} + \dfrac{x}{40} = \dfrac{x}{8}$ L/分なので、汲み出すのにかかる時間は、$x \div \dfrac{x}{8} = 8$ 分である。

問33 ✕

$S = \dfrac{1}{2} \cdot AB \cdot AC \cdot \sin A$ に代入して、

$S = \dfrac{1}{2} \cdot 2 \cdot 4 \cdot \sin 135° = \dfrac{1}{2} \cdot 2 \cdot 4 \cdot \dfrac{1}{\sqrt{2}} = 2\sqrt{2}$ である。

問34 〇

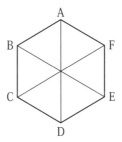

図のように、対角線 AD、BE、CF を用いて6つの三角形に分割して考える。どの三角形も一辺の長さ2の正三角形なので、その面積は、

$$\dfrac{1}{2} \cdot 2 \cdot 2 \cdot \sin 60° = \dfrac{1}{2} \cdot 2 \cdot 2 \cdot \dfrac{\sqrt{3}}{2} = \sqrt{3}$$

よって、$S = \sqrt{3} \times 6 = 6\sqrt{3}$ である。

以下の記述を読み、正しいものには○、誤っているものには×をつけよ。

問 35 正五角形の 1 つの内角の大きさは、144°である。

問 36 立方体 ABCD-EFGH において、∠CAF = 60°である。

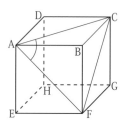

問 37 辺 AB = 5、BC = 4、CA = 3 の△ABC において、内接円の半径 r は、$r = 1$ である。

問 38 円錐形の紙コップを展開したら、半径が 13cm、弧の長さが 10πcm のおうぎ形であった。このとき、紙コップの容積は、300πcm³ である。

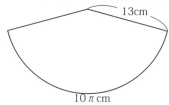

問 39 立方体 ABCD-EFGH において、辺 AB、AD、FG の中点を、それぞれ P、Q、R とする。平面 PQR による立方体の断面の図形は、正三角形である。

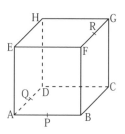

解答・解説

問35 ✕

多角形の外角の和は $360°$ なので、正五角形の 1 つの外角の大きさは、
$360° ÷ 5 = 72°$
よって、1 つの内角の大きさは、$180° - 72° = 108°$ である。

問36 ○

一辺の長さを 1 とすると、各面は正方形なので、対角線の長さはすべて $\sqrt{2}$ である。よって、$\triangle$ ACF は一辺の長さが $\sqrt{2}$ の正三角形なので、その内角である $\angle$ CAF $= 60°$ である。

問37 ○

$AB^2 = BC^2 + CA^2$ が成り立つので、$\angle$ C $= 90°$ である。よって、内接円の中心を I、接点を図のように D、E、F とおくと、四角形 IDCE は正方形なので、DC $=$ EC $= r$ である。すると、接線の長さは等しいので、AE $=$ AF $= 3 - r$、BD $=$ BF $= 4 - r$

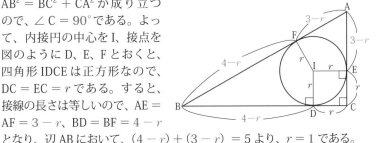

となり、辺 AB において、$(4 - r) + (3 - r) = 5$ より、$r = 1$ である。

問38 ✕

まず、円錐の底面の半径を $r$cm とすると、円周とおうぎ形の弧の長さが等しいので、$2\pi r = 10\pi$ より、$r = 5$ である。よって、円錐の高さを $h$cm とすると、図の直角三角形に三平方の定理を用いて、$h^2 + 5^2 = 13^2$ より、$h = 12$ となる。
求める容積は、円錐の体積なので、
$\frac{1}{3} \times 5^2 \pi \times 12 = 100\pi$ cm^3 である。

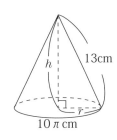

問39 ✕

平面 PQR と立方体の交点は、P、Q、R のほかに、辺 FB、HG、HD の中点も交点であり、図形は六角形となる。さらに、対称性から、各辺の長さも各内角の大きさも等しいので、正六角形である。

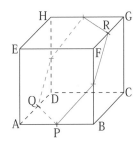

国語

英語

日本史

世界史

地理

思想

芸術

政治

経済

国際関係

環境問題

数学

物理

化学

生物

地学

223

問 1
check√
□□□
　3つの自然数 126、154、N の最大公約数は 14、最小公倍数は 1386 である。このとき、N の値として不適切なものを、次の1～5の中から一つ選びなさい。

　　　1　　14
　　　2　　42
　　　3　　147
　　　4　　462
　　　5　1386

問 2
check√
□□□
　$\sqrt{5}$ の小数部分を x とする。$x^2 + \dfrac{1}{x^2}$ の値として正しいものを、次の1～5の中から一つ選びなさい。

　　　1　10
　　　2　12
　　　3　14
　　　4　16
　　　5　18

問1　正解 ③

最大公約数と最小公倍数をそれぞれ素因数分解すると、

$14 = 2 \cdot 7$, $1386 = 2 \cdot 3^2 \cdot 7 \cdot 11$ となる。

よって、N は素因数 2、7 を 1 つずつもち、3 は最大で 2 つ、11 は最大で 1 つもつ。

したがって、N の値としてあり得るものは、

$2 \cdot 7 = 14$

$2 \cdot 3 \cdot 7 = 42$

$2 \cdot 3^2 \cdot 7 = 126$

$2 \cdot 7 \cdot 11 = 154$

$2 \cdot 3 \cdot 7 \cdot 11 = 462$

$2 \cdot 3^2 \cdot 7 \cdot 11 = 1386$

選択肢の中で、この中に含まれていないのは、147 である。

したがって、正解は 3 である。

問2　正解 ⑤

$2 < \sqrt{5} < 3$ より、$\sqrt{5}$ の整数部分は 2 であり、よって、小数部分 x は、$x = \sqrt{5} - 2$ である。

このとき、

$$\frac{1}{x} = \frac{1}{\sqrt{5} - 2} = \frac{\sqrt{5} + 2}{(\sqrt{5} - 2)(\sqrt{5} + 2)} = \frac{\sqrt{5} + 2}{5 - 4} = \sqrt{5} + 2$$

なので、

$$x + \frac{1}{x} = (\sqrt{5} - 2) + (\sqrt{5} + 2) = 2\sqrt{5}$$

より、

$$x^2 + \frac{1}{x^2} = \left(x + \frac{1}{x}\right)^2 - 2$$
$$= (2\sqrt{5})^2 - 2$$
$$= 20 - 2$$
$$= 18$$

したがって、正解は 5 である。

問3
check√
□□□

２次方程式 $x^2 - 5x + 3 = 0$ の２つの解に対し、それぞれの解の逆数を解としてもつ２次方程式として正しいものを、次の１〜５の中から一つ選びなさい。

1　$x^2 + 5x + 3 = 0$

2　$3x^2 - 5x + 1 = 0$

3　$x^2 - \dfrac{1}{5}x + \dfrac{1}{3} = 0$

4　$x^2 + \dfrac{1}{5}x + \dfrac{1}{3} = 0$

5　$x^2 - \dfrac{1}{3}x + \dfrac{1}{5} = 0$

問4
check√
□□□

放物線 $y = x^2 + x + 1$ のグラフを、原点に関して対称移動した放物線の方程式として正しいものを、次の１〜５の中から一つ選びなさい。

1　$y = x^2 - x + 1$
2　$y = x^2 - x - 1$
3　$y = -x^2 - x - 1$
4　$y = -x^2 + x - 1$
5　$y = -x^2 + x + 1$

問3　正解 2

x の逆数は $\dfrac{1}{x}$ なので、$\dfrac{1}{x}$ の2次方程式で、与式と同じ式を考える。

$x^2 - 5x + 3 = 0$

両辺を x^2 でわって、

$$1 - \frac{5}{x} + \frac{3}{x^2} = 0$$

$$3\left(\frac{1}{x}\right)^2 - 5 \cdot \frac{1}{x} + 1 = 0$$

ここで、$\dfrac{1}{x}$ を x でおきかえて、

$3x^2 - 5x + 1 = 0$

したがって、正解は 2 である。

問4　正解 4

図形を原点に対して対称移動したとき、与式における x を $-x$、y を $-y$ でおきかえればよいので、

$y = x^2 + x + 1$ において、

x を $-x$、y を $-y$ として、

$$\begin{aligned}
-y &= (-x)^2 + (-x) + 1 \\
&= x^2 - x + 1 \\
y &= -x^2 + x - 1
\end{aligned}$$

したがって、正解は 4 である。

問 5
check√
□□□

座標平面において、O (0, 0)、A (3, 0)、B (2, 2) に対し、△OAB の面積を二等分する直線として正しいものを、次の1～5の中から一つ選びなさい。

1　$y = x - 1 + \dfrac{\sqrt{2}}{2}$

2　$y = x - 3 + \dfrac{3\sqrt{2}}{2}$

3　$y = x - 1$

4　$y = x - \dfrac{3}{2}$

5　$y = x - \dfrac{7}{3}$

問5　正解 2

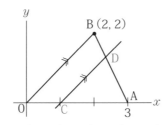

選択肢の直線は、すべて傾きが1であり、直線OBも傾きが1なので、求める直線と△OABとの交点は、辺OA、AB上にあり、これらをC、Dとおく。

このとき、△OAB ∽ △CADで、面積比は△OAB : △CAD = 2 : 1なので、相似比は$\sqrt{2} : 1$となる。

よって、OA : CA = $\sqrt{2} : 1$より、OC : CA = $(\sqrt{2} - 1) : 1$なので、

$$OC = \frac{\sqrt{2} - 1}{(\sqrt{2} - 1) + 1} \times 3 = 3 - \frac{3\sqrt{2}}{2}$$ であり、

$C\left(3 - \dfrac{3\sqrt{2}}{2}, 0\right)$ である。

よって、点Cを通り、傾き1の直線は、

$$y = x - 3 + \frac{3\sqrt{2}}{2}$$

したがって、正解は2である。

問6
check✓
□□□

２つのサイコロを同時に投げたとき、出た目の数の和が４の倍数になる確率を P_1、積が４の倍数になる確率を P_2 とする。P_1 と P_2 の組み合わせとして正しいものを、次の１〜５の中から一つ選びなさい。

	P_1	P_2
1	$\dfrac{1}{4}$	$\dfrac{5}{12}$
2	$\dfrac{1}{4}$	$\dfrac{1}{2}$
3	$\dfrac{1}{4}$	$\dfrac{7}{12}$
4	$\dfrac{1}{6}$	$\dfrac{1}{2}$
5	$\dfrac{1}{6}$	$\dfrac{7}{12}$

問7
check✓
□□□

男子６人、女子３人の合計９人を、３人ずつ、Ａ組、Ｂ組、Ｃ組に分ける分け方のうち、どの組にも男子と女子が入る分け方として正しいものを、次の１〜５の中から一つ選びなさい。

1　　　15 通り
2　　　90 通り
3　　280 通り
4　　540 通り
5　1680 通り

問6　正解 1

　2つのサイコロなので、目の数の和と積の表をつくる。

【和の表】

	1	2	3	4	5	6
1	2	3	④	5	6	7
2	3	④	5	6	7	⑧
3	④	5	6	7	⑧	9
4	5	6	7	⑧	9	10
5	6	7	⑧	9	10	11
6	7	⑧	9	10	11	⑫

【積の表】

	1	2	3	4	5	6
1	1	2	3	④	5	6
2	2	④	6	⑧	10	⑫
3	3	6	9	⑫	15	18
4	④	⑧	⑫	⑯	⑳	㉔
5	5	10	15	⑳	25	30
6	6	⑫	18	㉔	30	㊱

　すべての目の出方は、$6 \times 6 = 36$ 通りで、丸囲みの数字が 4 の倍数である。

　表より、$P_1 = \dfrac{9}{36} = \dfrac{1}{4}$、$P_2 = \dfrac{15}{36} = \dfrac{5}{12}$

　したがって、正解は 1 である。

問7　正解 4

　求める分け方は、どの組も男子 2 人、女子 1 人となる分け方のみである。
まず、女子 3 人を 1 人ずつ、A 組、B 組、C 組に分ける分け方は、
$3! = 3 \cdot 2 \cdot 1 = 6$ 通りである。
それぞれに対して、男子 6 人を 2 人ずつ 3 組に分ける分け方は、

$$\underset{{}_6C_2}{\left(\begin{array}{l}\text{A 組に男子 6 人}\\\text{から 2 人選ぶ}\end{array}\right)} \times \underset{{}_4C_2}{\left(\begin{array}{l}\text{B 組に残りの男子}\\\text{4 人から 2 人選ぶ}\end{array}\right)} \times \underset{1}{\left(\begin{array}{l}\text{最後の男子 2 人}\\\text{は自動的に C 組}\end{array}\right)}$$

$$= \frac{6 \cdot 5}{2 \cdot 1} \times \frac{4 \cdot 3}{2 \cdot 1}$$

$$= 90 \text{ 通り}$$

よって、求める分け方は、$6 \times 90 = 540$ 通り

　したがって、正解は 4 である。

問8
check√
□□□

連立不等式
$$\begin{cases} 2x^2 - 11x - 6 \leqq 0 \\ x - 3 \leqq \dfrac{2x - 1}{5} \end{cases}$$

を満たす整数 x の個数として正しいものを、次の1～5の中から一つ選びなさい。

1　1個
2　2個
3　3個
4　4個
5　5個

問8　正解 5

まず、$2x^2 - 11x - 6 \leqq 0$ を解くと、
$(2x + 1)(x - 6) \leqq 0$

$-\dfrac{1}{2} \leqq x \leqq 6$

次に、$x - 3 \leqq \dfrac{2x - 1}{5}$ を解くと、

$5x - 15 \leqq 2x - 1$
$3x \leqq 14$
$x \leqq \dfrac{14}{3}$

よって、同時に満たす x の範囲は、

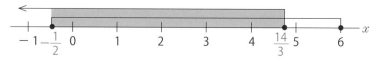

この範囲に含まれる整数は、0、1、2、3、4 の 5 個である。

したがって、正解は 5 である。

本試験型問題

数　学

問9
check✓
□□□

A 地区と B 地区を結ぶ道は山道であり、上り坂か下り坂である。A 地区に住む K さんが用事で B 地区に行って帰ってきたとき、行きは 3 時間半、帰りは 4 時間かかった。K さんの速度は、上り坂で 4km/ 時、下り坂で 6km/ 時で一定である。このとき、この山道の全長として正しいものを、次の 1 ～ 5 の中から一つ選びなさい。

1　16km
2　17km
3　18km
4　19km
5　20km

解答・解説

問9　正解 3

行きの上り坂を x km、下り坂を y km として所要時間で方程式を立てると、

$$\frac{x}{4} + \frac{y}{6} = 3.5$$

より、$3x + 2y = 42$　……①

帰りは、下り坂が x km、上り坂が y km となるので、同様に所要時間で方程式を立てると、

$$\frac{x}{6} + \frac{y}{4} = 4$$

より、$2x + 3y = 48$　……②

①×3 －②×2 より、

$5x = 30$

$x = 6$

①に代入して、

$18 + 2y = 42$

$y = 12$

よって、山道の全長は、

$x + y = 6 + 12 = 18$km

したがって、正解は 3 である。

数　学

問 10
check√
□□□
　ある国では激しいインフレが起こっていて、物価上昇率は一昨年から昨年が 2 倍、昨年から今年が 8 倍である。このとき、一昨年から今年の平均物価上昇率として正しいものを、次の 1〜5 の中から一つ選びなさい。

　　1　　3.2 倍
　　2　　　4 倍
　　3　　　5 倍
　　4　　　6 倍
　　5　　　8 倍

問 11
check√
□□□
　ある中学校の 1 年生に対して部活動の調査をしたところ、運動部に所属する生徒と文化部に所属する生徒の比率はちょうど 2：1 であった。2 年生に進級するときに運動部の生徒 5 人が文化部に転部したため、比率はちょうど 5：3 となった。この中学校には運動部と文化部以外は存在せず、生徒全員がいずれか一方の部に所属することになっている。生徒数に増減がなかったとき、この中学校の生徒数として正しいものを、次の 1〜5 の中から一つ選びなさい。

　　1　　48 人
　　2　　72 人
　　3　　96 人
　　4　120 人
　　5　144 人

解答・解説

国語

英語

日本史

世界史

地理

思想

芸術

政治

経済

国際
関係

環境
問題

数学

物理

化学

生物

地学

問10　正解 2

まず、一昨年の価格が a だった品物が、昨年は $a \times 2 = 2a$、今年は $2a \times 8 = 16a$ となっている。

そこで、求める平均物価上昇率を x 倍とすると、同じ品物が、昨年は、$a \times x = xa$、今年は、$xa \times x = x^2a$ となっているはずである。

これより、

$x^2a = 16a$

$x^2 = 16$

$x > 0$ なので、

$x = 4$ 倍

したがって、正解は 2 である。

問11　正解 4

生徒数を x 人とすると、1年生のときに運動部と文化部の比率が $2：1$ なので、人数はそれぞれ $\frac{2}{3}\ x$ 人、$\frac{1}{3}\ x$ 人となる。

2年生に進級したとき、運動部から文化部に 5 人転部したので、人数はそれぞれ $\frac{2}{3}\ x - 5$ 人、$\frac{1}{3}\ x + 5$ 人となり、この比率が $5：3$ なので、

$$\left(\frac{2}{3}\ x - 5\right)：\left(\frac{1}{3}\ x + 5\right) = 5：3$$

$$3\left(\frac{2}{3}\ x - 5\right) = 5\left(\frac{1}{3}\ x + 5\right)$$

$$\frac{1}{3}\ x = 40$$

$$x = 120\ 人$$

したがって、正解は 4 である。

235

問12 ビーカーＡには12％の食塩水500g、ビーカーＢには6％の食塩水
check✓
□□□ 500g が入っている。ビーカーＡから100gとってビーカーＢに入れ、
よくかき混ぜてからまた100gをビーカーＡに戻した。このときのビー
カーＡの濃度として正しいものを、次の1〜5の中から一つ選びなさい。

1　7％
2　8％
3　9％
4　10％
5　11％

解答・解説

問12　正解5

　まず、ビーカーＡは濃度12％なので含まれる食塩の量は、$500 \times 0.12 =$
60g であり、ビーカーＢは6％なので含まれる食塩の量は、$500 \times 0.06 =$
30g である。

　いま、ビーカーＡからとった100g 中に食塩は、$100 \times 0.12 = 12$g 入って
いるので、これをビーカーＢに入れてよくかき混ぜると、600g 中に食塩は
42g となるので、ビーカーＢの濃度は、$\dfrac{42}{600} \times 100 = 7$％となる。

　このとき、ビーカーＡの食塩の量は、400g 中に48g となっている。

　次に、ビーカーＢからとった100g の中に食塩は、$100 \times 0.07 = 7$g が入っ
ているので、これをビーカーＡに入れると、500g 中に食塩は55g となり、濃
度は、$\dfrac{55}{500} \times 100 = 11$％である。

　したがって、正解は5である。

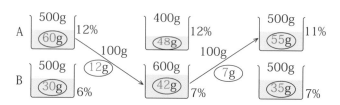

本試験型問題　　　　　　　**数　学**

問 13　面積が 24 の三角形において、底辺を x、高さを y とする。$a \leqq x \leqq b$ における y の変化の割合が最も小さいものを、次の 1〜5 の中から一つ選びなさい。

check✓ ☐☐☐

1　$a = 2$、$b = 4$
2　$a = 2$、$b = 6$
3　$a = 2$、$b = 8$
4　$a = 4$、$b = 6$
5　$a = 4$、$b = 8$

解答・解説

問 13　正解 1

底辺 x、高さ y の三角形の面積が 24 なので、$\frac{1}{2}xy = 24$ より、$y = \frac{48}{x}$ となる。よって、選択肢における変化の割合を順に求めていく。

1　$\dfrac{\frac{48}{4} - \frac{48}{2}}{4 - 2} = \dfrac{12 - 24}{2} = -6$

2　$\dfrac{\frac{48}{6} - \frac{48}{2}}{6 - 2} = \dfrac{8 - 24}{4} = -4$

3　$\dfrac{\frac{48}{8} - \frac{48}{2}}{8 - 2} = \dfrac{6 - 24}{6} = -3$

4　$\dfrac{\frac{48}{6} - \frac{48}{4}}{6 - 4} = \dfrac{8 - 12}{2} = -2$

5　$\dfrac{\frac{48}{8} - \frac{48}{4}}{8 - 4} = \dfrac{6 - 12}{4} = -\dfrac{3}{2}$

この中で最も小さい値は、-6 である。

したがって、正解は 1 である。

数 学

問 14
check✓
□□□
ある旅行代理店で客に海外への渡航歴についてアンケートを行ったところ、50 人から回答があり、アメリカへ渡航経験のある人は 35 人、ヨーロッパへ渡航経験のある人は 25 人であった。このとき、アメリカへもヨーロッパへも渡航経験のない人数について不適切なものを、次の 1〜5 の中から一つ選びなさい。

1　　0 人
2　　5 人
3　10 人
4　15 人
5　20 人

解答・解説

問 14　正解 5

アメリカへもヨーロッパへも渡航経験のない人数を x 人としてカルノー図を用いると、

		アメリカへの渡航経験		計
		あり	なし	
ヨーロッパへの渡航経験	あり	$10 + x$	$15 - x$	25
	なし	$25 - x$	x	25
計		35	15	50

このとき、各集合の要素の個数は 0 以上なので、

$10 + x \geqq 0$
　　$x \geqq -10$

$25 - x \geqq 0$
　　$x \leqq 25$

$15 - x \geqq 0$
　　$x \leqq 15$

　　$x \geqq 0$

これらすべてを満たす x は、$0 \leqq x \leqq 15$ なので、この範囲に入っていない 20 人は不適切である。

したがって、正解は 5 である。

本試験型問題 　　　　　　　　　数　学

問 15 　　　一辺の長さが 1 の正八角形の面積として正しいものを、次の 1 ～ 5 の
check✓ 　中から一つ選びなさい。
□□□

　　　1　$2 + \sqrt{2}$
　　　2　4
　　　3　$2 + 2\sqrt{2}$
　　　4　$4\sqrt{2}$
　　　5　$4 + 2\sqrt{2}$

解答・解説

問 15　正解 3

　　まず、正八角形の 1 つの内角の大きさを求
める。外角の和は 360°なので、1 つの外角は、
$360 \div 8 = 45°$ より、1 つの内角は、$180° -$
$45° = 135°$ である。

　　よって、図のように頂点 A ～ H をおいて、4
つの合同な三角形と 1 つの正方形に分割して
面積を求める。

　　すると、△ABH は、AB = AH = 1、∠BAH
= 135°なので、面積は、

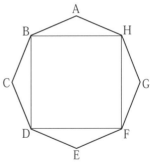

　　$\dfrac{1}{2} \cdot 1 \cdot 1 \cdot \sin 135° = \dfrac{1}{2} \cdot \dfrac{\sqrt{2}}{2} = \dfrac{\sqrt{2}}{4}$ である。

　　また、正方形 BDFH の面積は、BH^2 であるが、ここで、△ABH に余弦定理
を用いると、

　　$\mathrm{BH}^2 = \mathrm{AB}^2 + \mathrm{AH}^2 - 2\mathrm{AB} \cdot \mathrm{AH} \cdot \cos 135°$

　　　　$= 1^2 + 1^2 - 2 \cdot 1 \cdot 1 \cdot \left(-\dfrac{\sqrt{2}}{2}\right) = 2 + \sqrt{2}$

より、正方形の面積は、$2 + \sqrt{2}$ である。

　　よって、正八角形の面積は、

　　$\dfrac{\sqrt{2}}{4} \times 4 + (2 + \sqrt{2}) = 2 + 2\sqrt{2}$
　（三角形 4 つ）（正方形）

　　したがって、正解は 3 である。

問 16 図の星形において、印のついた5つの角（∠JAB、∠BCD、∠DEF、∠FGH、∠HIJ）の大きさの和として正しいものを、次の1〜5の中から一つ選びなさい。

check✓ □□□

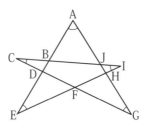

1　144°
2　180°
3　216°
4　252°
5　288°

問 17 図は、直円錐を、底面と平行な面で切断してできた円錐台である。上底面の円の半径が6cm、下底面の円の半径が9cm、2つの円の中心間の距離が6cmであるとき、この円錐台の体積として正しいものを、次の1〜5の中から一つ選びなさい。

check✓ □□□

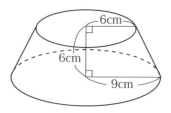

1　108π cm³
2　222π cm³
3　282π cm³
4　324π cm³
5　342π cm³

問 16　正解 2

　三角形において、2つの内角の和は、残りの1つの内角の外角と等しい。よって、図のように、

$\angle$ JAB ＝ a
$\angle$ BCD ＝ c
$\angle$ DEF ＝ e
$\angle$ FGH ＝ g
$\angle$ HIJ ＝ i

とおくと、△ BEI において、

$\angle$ BEI ＋$\angle$ EIB ＝$\angle$ ABJ なので、e ＋ i ＝$\angle$ ABJ である。

　同様に、△ CGJ において、$\angle$ JCG ＋$\angle$ JGC ＝$\angle$ AJB なので、c ＋ g ＝$\angle$ AJB である。

　すると、求める角の大きさは、

$$a + c + e + g + i = a + (e + i) + (c + g)$$
$$= \angle\text{JAB} + \angle\text{ABJ} + \angle\text{AJB}$$

となり、△ ABJ の内角の和と等しいので、180°である。

　したがって、正解は 2 である。

問 17　正解 5

　図のように、切断する前の円錐を考えて頂点をおく。すると、△ OAB ∞△ OCD で、相似比は、AB：CD ＝ 6：9 ＝ 2：3 である。

　これより、OA：OC ＝ 2：3 なので、OA：AC ＝ 2：1 となり、AC ＝ 6cm であるから、OA ＝ 12cm である。

　よって、求める円錐台の体積は、

（切断前の円錐）－（切断した円錐）

$$\frac{1}{3} \cdot \pi \cdot 9^2 \cdot 18 - \frac{1}{3} \cdot \pi \cdot 6^2 \cdot 12$$

$$= 486\pi - 144\pi$$
$$= 342\pi \, \text{cm}^3$$

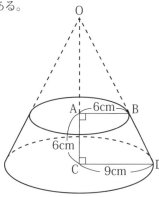

　したがって、正解は 5 である。

以下の記述を読み、正しいものには〇、誤っているものには×をつけよ。

問1
check√
☐☐☐
北向きに 4.0m/s の速さで進む船の甲板上を、東向きに 3.0m/s の速さで走る人は、海面に対して 5.0m/s の速さで進んでいる。

問2
check√
☐☐☐
一直線上を 10m/s の速さで走っていた車が、一定の割合で加速して 10 秒後に 45m/s の速さになった。加速度は 4.5m/s² である。

問3
check√
☐☐☐
物体に外から力が作用しないとき、運動している物体はその速度で等速直線運動を続ける。これはニュートンの運動の法則と呼ばれる。

問4
check√
☐☐☐
物体に外から力が作用するとき、物体にはその力の向きに加速度が生じ、その大きさは力の大きさに比例し、物体の質量に反比例する。

問5
check√
☐☐☐
最大摩擦力は物体の垂直抗力に比例する。

問6
check√
☐☐☐
物体の運動量は物体の質量と加速度の積で表わされる。

問7
check√
☐☐☐
力の大きさと力の向きに移動した距離の積を仕事といい、その単位は W（ワット）である。

問8
check√
☐☐☐
1 秒間にする仕事を仕事率といい、その単位は N（ニュートン）である。

問9
check√
☐☐☐
高い位置にある物体が持つエネルギーを重力による位置エネルギーといい、その値は質量 m（kg）、重力加速度 g（m/s²）、高さ h（m）では、mgh となる。

問1 ○ 速度は大きさと方向をもつベクトルであらわされ、複数の速度を合成することができる。合成速度は平行四辺形の対角線であらわされる。ここでは三平方の定理を使って合成速度の大きさを求める。
$$V = \sqrt{4.0^2 + 3.0^2} = 5.0\text{m/s}$$

問2 × 加速度は単位時間（1秒間）当たりの速度の変化量をあらわす。ここでは加速度は、$\dfrac{45-10}{10} = 3.5\text{m/s}^2$ となる。

問3 × 物体に外から力が働かないときには、運動している物体はその速度で等速直線運動を続け、静止している物体は静止し続ける。これを慣性の法則という。

問4 ○ 物体に外から力が働くとき、力の向きに加速度が生じる。加速度の大きさは、力の大きさに比例し、物体の質量に反比例する。これを運動の法則といい、加速度を a（m/s²）、力の大きさを F（N）、物体の質量を m（kg）とすると、$a = F/m$ とあらわせる。これを変形し、$F = ma$ としたものが運動方程式である。

問5 ○ 物体の運動を妨げる力を摩擦という。止まっている物体が動き出すのを妨げる向きに働く力を静止摩擦力といい、その最大値が最大摩擦力である。最大摩擦力は物体の垂直抗力に比例する。

問6 × 物体の運動の激しさをあらわす量を運動量といい、運動量は物体の質量と速度の積であらわされる。

問7 × 力の大きさと力の向きに移動した距離の積を仕事といい、仕事の単位はJ（ジュール）である。

問8 × 1秒間にする仕事を仕事率といい、その単位はW（ワット）である。

問9 ○ エネルギーとは仕事をする能力のことであり、高い位置にある物体の持つエネルギーを重力による位置エネルギーという。位置エネルギーは質量（kg）×重力加速度（m/s²）×高さ（m）で求められる。

以下の記述を読み、正しいものには〇、誤っているものには×をつけよ。

問10
check✓
□□□
ばねの伸びを x（m）、ばね定数を k（N/m）とすると、ばねの弾性エネルギーは、kx^2 である。

問11
check✓
□□□
光が異なる媒質の境界を斜めに通過するとき折れ曲がる現象を屈折という。

問12
check✓
□□□
波が障害物の裏側に回り込む現象を干渉という。

問13
check✓
□□□
波の山（谷）から山（谷）までの距離を波長、波が1秒間に往復する回数を振動数、1回の往復にかかる時間を周期と呼ぶ。

問14
check✓
□□□
可視光線の中で最も波長の長いものは青色であり、屈折率が最も大きいものは赤色である。

問15
check✓
□□□
乾燥した空気中を伝わる音の速さは、気温が1℃上昇するごとに 0.6m/s 増加する。

問16
check✓
□□□
波長と振幅と速さが同じ2つの波が反対向きに進み、干渉してできる波を定常波といい、この波は移動しない。

問17
check✓
□□□
波の振動方向と進行方向が同じ波を横波という。

問18
check✓
□□□
電流の大きさは電圧の大きさに比例し、抵抗値に反比例する。

問19
check✓
□□□
直線電流では電流の進む向きに対して逆向きの磁場が生じる。

問20
check✓
□□□
交流において電流の変化が1秒間に繰り返す回数を周波数という。

問10 ×
バネが変形したときに持つエネルギーを弾性エネルギーという。バネの伸びを x（m）、ばね定数を k（N/m）とすると、弾性エネルギーは、$\frac{1}{2}kx^2$（J）となる。

問11 ○
光が空気から水中に進むときのように、異なる媒質の境界を斜めに通過すると折れ曲がる。この現象を屈折という。これは光の速さが媒質によって異なるためである。

問12 ×
光や音の波が障害物の裏側に回り込む現象を回折という。波長の長い波ほど大きく回折する。

問13 ○
波の山から山（谷から谷）までの距離が波長であり、波が1秒間に往復する回数を振動数、1回の往復にかかる時間を周期という。

問14 ×
可視光線の中で最も波長の長いものは赤色の波であり、最も短いものは紫色の波である。屈折率の最大のものは紫色の波である。

問15 ○
乾燥した空気中では、音の進む速さは温度が1℃上昇するごとに0.6m/s増加する。音速 v は、$v = 331.6 + 0.6t$（℃）という関係式であらわされる。

問16 ○
波長と振幅と速さが等しい波が反対方向に進み、干渉してできる波を定常波という。

問17 ×
波の振動方向と進行方向が同じ波を縦波といい、それらが垂直になる波を横波という。

問18 ○
電流 I（A）の大きさは電圧 E（V）の大きさに比例し、抵抗値 R（Ω）に反比例する。$I = \frac{E}{R}$ であり、これをオームの法則という。

問19 ×
直線電流では電流の進む向きに対し、右ねじを回す方向に同心円状の磁場が生じる。これを右ねじの法則という。円形のコイルでは右ねじの進む方向に磁場ができる。

問20 ○
交流電流において、電流の流れる向きが1秒間に何回変化するかを周波数もしくは振動数という。

以下の記述を読み、正しいものには〇、誤っているものには×をつけよ。

問21
check√
□□□
2つの点電荷の間に働くクーロン力は、点電荷間の距離の2乗に比例し、点電荷の電気量の積に反比例する。

問22
check√
□□□
導体が蓄える電荷は電位に比例する。

問23
check√
□□□
電気容量の単位はC（クーロン）である。

問24
check√
□□□
分子は乱雑な運動をしておりこれを熱運動という。温度は分子の熱運動の激しさを表わす。

問25
check√
□□□
分子の熱運動が停止する温度を絶対零度という。これはセルシウス温度では－273℃に相当する。

問26
check√
□□□
ある物体全体の温度を1K（ケルビン）上昇させるのに必要な熱量を比熱という。

問27
check√
□□□
エネルギーは他のいろいろな形のエネルギーに変換でき、変換前後でエネルギーの総量は変わらない。これをエネルギー保存の法則と呼ぶ。

問28
check√
□□□
「熱が高温物体から低温物体へ移動する現象は不可逆変化である。」これは、熱力学第一法則と呼ばれる。

問29
check√
□□□
α崩壊とは原子核がα線を出して他の原子核に変化することで、1回のα崩壊で原子番号は1減少し、質量数は2減少する。

問30
check√
□□□
放射性原子の半分が崩壊するのに要する時間を半減期という。

問21
×
点電荷間に働く力をクーロン力（静電気力）といい、その大きさは点電荷間の距離の2乗に反比例し、電荷の大きさの積に比例する。

問22
○
導体が蓄える電荷 Q の大きさは電位 V に比例する。比例定数を C とすると、$Q = CV$ となる。C は電気容量とよばれる導体の持つ電気的な性質を示す。

問23
×
電気容量の単位はファラド（F）である。1Fは、+1C（クーロン）の電荷が蓄えられたときの電位が+1Vになる電気容量をさす。

問24
○
分子や原子の行う不規則な運動を熱運動といい、温度が高いほど激しい。温度は分子（原子）の熱運動の激しさをあらわす。

問25
○
分子の運動が停止する温度を絶対零度といい、これを0とした温度を絶対温度 T（K）という。絶対温度の単位はK（ケルビン）であり、絶対零度（0K）をセルシウス温度 t（℃）であらわすと–273℃に相当する。絶対温度とセルシウス温度の関係は次のように示される。$T = t + 273$

問26
×
物体の温度を1K上昇させるのに必要な熱量を熱容量（J/K）という。1gの物体の温度を1K上昇させるのに必量な熱量を比熱（J/g·K）という。

問27
○
エネルギーはいろいろな形を取るが、変化の前後でその総量は変わらない。これをエネルギー保存の法則という。

問28
×
「熱が高温物体から低温物体へ移動する現象は不可逆変化である。」これは熱力学第二法則と呼ばれる。熱は自然に高温物体から低温物体へ移動し、その逆の移動は生じない。

問29
×
α線はヘリウムの原子核であり、α崩壊が生じると陽子が2個と中性子が2個放出される。そのため原子番号は2、質量数は4減少する。β線は高速の電子であり、β崩壊が生じると中性子が陽子に変化する。そのため原子番号は1増加し、質量数は変わらない。

問30
○
放射性原子から放射線が放出され、はじめの数の半分になるのに要する時間を半減期という。半減期は原子のはじめの数にかかわらず、放射性原子の種類によって一定の値となる。

物　理

問1
check✓
□□□
重力についての次の記述のうち誤りを含むものを、1～5の中から一つ選びなさい。

1　重力とは、物体が地球から受ける引力と地球の自転による遠心力との合力である。

2　重力は万有引力にほぼ等しく、物体の質量に比例し、距離に反比例する。

3　重力加速度をg（m/s^2）とすると、質量m（kg）の物体にはmg（N）の重量が働く。

4　物体に働く重力の大きさを重さという。

5　物体を構成する原子や分子の種類や数で決まる物質の量を質量という。

問2
check✓
□□□
次の文の（　　）に適する数値の組み合わせを、1～5の中から一つ選びなさい。ただし、重力加速度を9.8（m/s^2）とする。

真上に向けて初速度19.6（m/s）で投げ上げた物体の達する最高点の高さは（　A　）mであり、最高点に達するまでの時間は（　B　）秒である。

	A	B
1	9.8	1.0
2	19.6	2.0
3	24.5	3.0
4	39.4	4.0
5	59.2	5.0

問1　正解 2

1○　重力は、物体が地球から受ける引力と地球の自転による遠心力との合力であるが、引力に比べて遠心力は小さくほぼ引力に等しい。

2×　質量をもつ物体どうしの間に働く引力を万有引力といい、その大きさは両方の物体の質量の積に比例し、距離の2乗に反比例する。

3○　物体に働く重力は、質量と重力加速度の積で表され、その単位はN（ニュートン）である。

4○　重さとは物体にはたらく重力であり、質量とは物体に固有の値である。重力は場所によって重力加速度の値が異なるため大きさが変化するが、質量は変化しない。

5○　質量は、物体を構成する原子や分子で決まる値であり、その単位はkg（キログラム）である。

問2　正解 2

初速度を v_0（m/s）、重力加速度を g（m/s^2）、地面からの距離を h（m）経過時間を t（s）とすると、以下の関係が成り立つ。

$$h = v_0 t - \frac{1}{2} gt^2 \quad \cdots\cdots\cdots\cdots (1)$$
$$v = v_0 - gt \quad \cdots\cdots\cdots\cdots (2)$$
$$v^2 - v_0^2 = -2gh \quad \cdots\cdots\cdots\cdots (3)$$

ここでは、$v_0 = 19.6$（m/s）で、最高地点で $v = 0$ となるので、(2) 式より

$$0 = 19.6 - 9.8 \times t$$
$$t = 2.0 \text{（s）}$$

その高さは、(1) 式に代入して

$$h = 19.6 \times 2.0 - \frac{1}{2} \times 9.8 \times 2.0^2$$
$$= 19.6 \text{（m）}$$

したがって、最高点の高さは「A 19.6」mであり、最高点に達するまでの時間は「B 2.0」秒である。

問3
check√
□□□
下図のように、摩擦のないなめらかな床に質量 M (kg) の物体 A があり、これと糸で結んで質量 m (kg) の物体 B を取り付ける。手を離すと物体 B が下向きに動き出した。このとき生じる加速度の値として適するものを、1～5の中から一つ選びなさい。重力加速度を g (m/s²) とする。

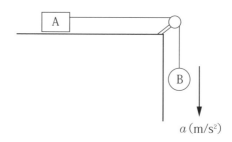

a (m/s²)

1　$\dfrac{(M + m)}{M \cdot m} g$

2　$\dfrac{(M - m)}{M \cdot m} g$

3　$\dfrac{Mg}{M + m}$

4　$\dfrac{mg}{M + m}$

5　$\dfrac{(M - m)}{M + m} g$

問4
check√
□□□
容器に入った質量 100g で水温 25℃の水に、80℃で 20g の水を入れたところ水温が 30℃になった。この容器の熱容量（J/K）はいくらか。1～5の中から適する数値を選びなさい。水の比熱は 4.2 (J/g・K) とする。

1　140
2　210
3　420
4　540
5　720

問3　正解 4

糸の張力を T (N)、生じる加速度を a (m/s^2) とすると
Aについての運動方程式
　$T = Ma$ ………………… (1)
Bについての運動方程式
　$mg - T = ma$ ………… (2)
(1) を (2) に代入してこれを解くと、
　$a = \dfrac{mg}{M + m}$
したがって、生じる加速度は4の $\dfrac{mg}{M + m}$ である。

問4　正解 3

水と容器が得た熱量と、加えた水の失った熱量がつり合う。熱量 Q (J) は、物体の質量 m (g)、比熱 c (J/g·K)、温度差 t (K) とすると、
　$Q = mct$
である。
容器の熱容量を C (J/K) とすると、水と容器が得た熱量は
　$100 \times 4.2 \times (30 - 25) + C \times (30 - 25)$
であり、加えた水の失った熱量は
　$20 \times 4.2 \times (80 - 30)$
である。
よって、これらが等しくなるので
　$100 \times 4.2 \times (30 - 25) + C \times (30 - 25)$
　$= 20 \times 4.2 \times (80 - 30)$
　$C = 420$ (J/K)

したがって、容器の熱容量は3の420 (J/K) である。

問 5
check√
□□□

下図の回路に 100V の電圧をかけた。各抵抗の値は R_1 = 12 Ω、R_2 = 40 Ω、R_3 = 10 Ωである。A～C に適する数値の正しい組み合わせを、1～5の中から選びなさい。

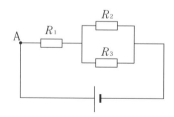

A　A 点を流れる電流の大きさ（A）
B　R_2 と R_3 の合成抵抗の抵抗値（Ω）
C　R_2 にかかる電圧の大きさ（V）

	A	B	C
1	5.0	8	40
2	5.0	8	60
3	3.2	20	30
4	1.6	62	40
5	1.6	62	60

問 6
check√
□□□

次の文の（　A　）～（　D　）に当てはまる語の正しい組み合わせを、1～5の中から一つ選びなさい。

導線の電気抵抗は、導線の長さに（　A　）し、断面積に（　B　）する。金属の電気抵抗は温度が高くなると（　C　）。抵抗 R_1 と R_2 の直列回路における合成抵抗は（　D　）になる。

	A	B	C	D
1	比例	反比例	大きくなる	各抵抗の積
2	反比例	比例	小さくなる	各抵抗の逆数の和
3	比例	比例	大きくなる	各抵抗の逆数の和
4	反比例	比例	小さくなる	各抵抗の和
5	比例	反比例	大きくなる	各抵抗の和

国語

英語

日本史

世界史

地理

思想

芸術

政治

経済

国際
関係

環境
問題

数学

物理

化学

生物

地学

問5　正解 1

A R_2 と R_3 の合成抵抗が $\dfrac{1}{40} + \dfrac{1}{10} = \dfrac{1}{R}$ より $R = 8\,\Omega$ であり、回路

全体の合成抵抗は $12 + 8 = 20\,\Omega$ となる。A 点を流れる電流は

$\dfrac{100}{20} = 5.0\text{A}$ である。

B R_2 と R_3 の合成抵抗は $8\,\Omega$ である。

C R_1 での電圧降下が $12 \times 5.0 = 60\text{V}$ なので、R_2 にかかる電圧は $100 - 60 = 40\text{V}$ である。

したがって、正しい組み合わせは 1 である。

問6　正解 5

導線の電気抵抗の大きさは、導線の長さに「A 比例」し、断面積に「B 反比例」する。金属の電気抵抗は温度によって変化し、温度が高くなると抵抗値は「C 大きくなる」。直列回路での合成抵抗の大きさは、「D 各抵抗の和」になる。

したがって、正しい組み合わせは 5 である。

《合成抵抗の大きさ》

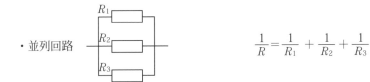

・直列回路　　　　　　　　　　　　　　　　　$R = R_1 + R_2 + R_3$

　　　　　　R_1　　　R_2　　　R_3

・並列回路　　　　　　　　　　　　　$\dfrac{1}{R} = \dfrac{1}{R_1} + \dfrac{1}{R_2} + \dfrac{1}{R_3}$

《オームの法則》

$I = \dfrac{V}{R}$（I：電流 [A]　V：電圧 [V]　R：抵抗 [Ω]）

問 7
check√
□□□

長さ 50cm の閉管に共鳴する音波の波長のうち、2 番目に長いものは
いくらか。また、音速を 340m/s とするとそのときの振動数はいくらに
なるか。1〜5の中から、適切なものを一つ選びなさい。なお、開口端の
補正は無視できるものとする。

	波長（cm）	周波数（Hz）
1	200	170
2	150	225
3	67	510
4	40	850
5	33	1030

問 8
check√
□□□

次の A 〜 C の図において、矢印の方向に電流（I）が流れたとき、導線
に働く力の方向の正誤の正しい組み合わせを、1〜5の中から一つ選びな
さい。

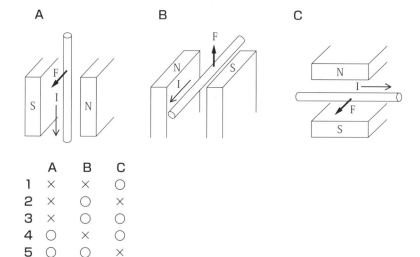

	A	B	C
1	×	×	○
2	×	○	×
3	×	○	○
4	○	×	○
5	○	○	×

国語

英語

日本史

世界史

地理

思想

芸術

政治

経済

国際
関係

環境
問題

数学

物理

化学

生物

地学

問7　正解 3

　一端が閉じている管を**閉管**といい、右図のように管の開いている側で空気が大きく振動し、**定常波**となる。閉管では、右図（1）が基本振動であり、音波の振動数を基本振動数の奇数倍にすると定常波ができる。これを**倍振動**という。閉管の長さをl、波長をλとすると

$$l = \frac{\lambda_n}{4}(2n-1)$$

という関係式が成り立つ。

（1）
基本振動

節　　腹

3倍振動

節　腹　節　腹

5倍振動

節腹節腹節腹

　ここで$n=1$が基本振動、$n=2$が3倍振動、$n=3$が5倍振動・・・をあらわす。

　また、振動数fと波長λ、速度Vは、$f = \dfrac{V}{\lambda}$となる。

　本問では、$l = 50$cmで、2番目に長い波長（つまり3倍振動）なので、$n=2$より

$$\lambda_n = \frac{4l}{2n-1} = \frac{4 \times 50}{3} = 66.6$$

$$\lambda = 67\text{cm}$$

振動数は波長の単位をm（メートル）にして代入する。

$$f = \frac{V}{\lambda} = \frac{340}{0.666} = 510\text{Hz}$$

　したがって、2番目に長い波長は67cm、振動数は510Hzである。

問8　正解 2

　電流は磁場から力を受ける。電流が磁場から受ける力F（N）、磁場H（A/m）、電流I（A）の向きはフレミングの左手の法則であらわされる。

A×　磁場から受ける力は奥向きである。

B○　磁場から受ける力は上向きである。

C×　磁場から受ける力は奥向きである。

　したがって、正しい組み合わせは2である。

問 9
check√
□□□
次の文の（　A　）～（　B　）に適する数値の組み合わせを、1～5の中から一つ選びなさい。

凸レンズの前方 10cm の位置に物体を置くと、レンズの後方 30cm の位置のスクリーンに像が映った。このレンズの焦点距離は（　A　）cm であり、スクリーンに映った像の倍率は（　B　）倍である。

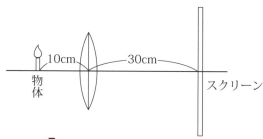

	A	B
1	1.5	0.33
2	4.5	0.5
3	5.0	2
4	7.5	3
5	10	4

問 10
check√
□□□
音に関する次の説明文の正誤の組み合わせとして正しいものを、1～5の中から選びなさい。

A　波源が動くことで波の振動数が変化して、音が高くなったり低くなる現象をドップラー効果という。

B　観測者に音源が近づくとき、音は低くなる。

C　音の高さは、音波の振幅の大小で決まる。

D　一般に音の速さは、固体中＞液体中＞気体中となる。

E　音が空気中から水中に斜めに入射するときは、音波は直進する。

	A	B	C	D	E
1	○	×	×	○	×
2	○	○	×	○	○
3	○	×	○	×	×
4	×	○	×	○	×
5	×	×	×	○	○

問9　正解 4

凸レンズにおいて、レンズから物体までの距離を a、レンズから像までの距離を b、レンズの焦点距離を f とすると、

$$\frac{1}{a} + \frac{1}{b} = \frac{1}{f}$$

の関係が成り立つ。これを**レンズの式**という。

ここでは、物体までの距離が 10cm、像までの距離が 30cm なので

$$\frac{1}{10} + \frac{1}{30} = \frac{1}{f}$$

$$f = 7.5\text{cm}$$

である。

また、像の倍率は $\dfrac{b}{a}$ で求まるので、像の倍率は

$$\frac{30}{10} = 3 \text{倍}$$

である。

したがって、適する数値の組み合わせは 4 である。

問10　正解 1

A ○　救急車が近づくときに聞こえる音の高さは高く、遠ざかるときの音の高さは低い。これをドップラー効果という。

B ×　音源が観測者に近づくとき、音は高くなる。

C ×　音の高さは振動数の違いによる。振動数が小さいと音は低く、大きいと音は高くなる。

D ○　音の速さは固体中＞液体中＞気体中の順になる。気体は体積変化をし易いので音が伝わりにくい。

E ×　音も光と同じく異なる媒質の境界面で屈折する。

したがって、正誤の組み合わせとして正しいものは 1 である。

問11
check✓
□□□

30Ωの抵抗の電熱線に 2.0A の電流を 1 分間流して 100g の水を温めると、水温は何℃上昇するか。 1 〜 5の中から最も適する数値を選びなさい。ただし、ジュール熱はすべて温度上昇に使われたとし、水の比熱を 4.2J/g·K とする。

1　　5℃
2　　8℃
3　 10℃
4　 14℃
5　 17℃

問12
check✓
□□□

次の文中の（　ア　）〜（　オ　）に適する語の正しい組み合わせを、1〜5の中から選びなさい。

気体の温度を一定に保ちながら圧力を変化させると、気体の体積は圧力に（　ア　）する。これを（　イ　）という。一方、圧力を一定に保ちながら温度を変化させると、気体の体積は絶対温度に（　ウ　）する。これを（　エ　）という。0℃、1.0×10^5Pa で 5.0L の気体を、27℃、2.0×10^5Pa にすると気体の体積は（　オ　）L になる。

	ア	イ	ウ	エ	オ
1	比例	ヘンリーの法則	反比例	ボイルの法則	0.5
2	反比例	シャルルの法則	比例	ボルタの法則	1.0
3	比例	ボイルの法則	反比例	ヘスの法則	2.3
4	反比例	ボイルの法則	比例	シャルルの法則	2.7
5	反比例	シャルルの法則	比例	ヘンリーの法則	4.8

問11　正解 5

導体に電流が流れると**ジュール熱**が生じる。ジュール熱 Q（J）は、電圧 V（V）で I（A）の電流を t 秒流したとき、$Q = VIt$ で求められる。

オームの法則より、抵抗を R（Ω）とすると $V = IR$ なので、$Q = I^2Rt$ と変形することができる。

ここでは、30 Ω で 2.0A の電流を 1 分間流すので、生じるジュール熱は
$Q = (2.0)^2 \times 30 \times 60$

また、100g の水を t℃温度を上昇させるのに要する熱量は、熱量＝質量×比熱×温度差で求められるので
$Q = 100 \times 4.2 \times t$

これらが等しくなるので
$100 \times 4.2 \times t = (2.0)^2 \times 30 \times 60$
$t = 17.1$℃

となる。

したがって、最も適する数値は、5 の 17℃である。

問12　正解 4

気体の温度を一定に保って圧力や体積を変化せることを**等温変化**という。等温変化では、気体の圧力と体積は「ア 反比例」する。これを「イ ボイルの法則」という。これは、気体の圧力を P、体積を V とすると、$PV = k$（一定値）であらわされる。

一方、気体の圧力を一定に保って温度や体積を変化させることを定圧変化という。定圧変化では、気体の体積と絶対温度は「ウ 比例」する。これを「エ シャルルの法則」という。

絶対温度を T（K）とすると $\frac{V}{T} = k$（一定値）となる。これらを一つにまとめた式が $\frac{PV}{T} = k$ となり、これを**ボイル・シャルルの法則**と呼ぶ。

本問では、はじめ 0℃（273K）、1.0×10^5Pa、5.0L の気体を、27℃（300K）、2.0×10^5Pa にするので次の式が成り立つ。

$$\frac{5.0 \times 1.0 \times 10^5}{273} = \frac{V \times 2.0 \times 10^5}{300}$$
$$V = 「オ 2.7」（L）$$

したがって、正しい組み合わせは 4 である。

化　学

以下の記述を読み、正しいものには〇、誤っているものには×をつけよ。

問1
check✓
□□□
水 75g に塩化ナトリウム 25g を溶かした水溶液の質量パーセント濃度は、20%である。

問2
check✓
□□□
溶媒 1L 中に溶けている溶質の量を物質量（mol）で示した濃度をモル濃度という。

問3
check✓
□□□
白金電極を用いて塩化ナトリウム水溶液を電気分解すると、陽極には塩素、陰極にはナトリウムが発生する。

問4
check✓
□□□
1mol のエタノールが完全燃焼するのに必要な酸素は、3mol である。

問5
check✓
□□□
1 族の元素はアルカリ金属元素、17 族の元素はハロゲン、18 族の元素は希ガスという。

問6
check✓
□□□
3 族から 12 族の元素は、遷移元素とよばれる。

問7
check✓
□□□
酸性・塩基性の程度を表すために用いられる指数を水素イオン指数（pH）という。

問8
check✓
□□□
原子内の中性子と陽子の数の和は、質量数と呼ばれる。

問1
×

質量パーセント濃度は、溶液の質量に対する溶質の質量の百分率である。したがって、$\dfrac{25g}{(75g + 25g)} \times 100 = 25\%$ となる。

問2
×

モル濃度とは、水（溶媒）ではなく溶液 1L 中に溶けている溶質の量を物質量で示した濃度である。

モル濃度 $= \dfrac{n}{V}$ （mol/L） n：溶質の物質量（mol） V：溶液の体積（L）

問3
×

陽極には塩素、陰極には水素が発生する。
陽極での反応：$2Cl^- \rightarrow Cl_2 + 2e^-$
陰極での反応：$2H_2O + 2e^- \rightarrow H_2 + 2OH^-$
ナトリウムはイオン化傾向が大きいため、水が還元されて水素が発生する。

問4
○

エタノールの燃焼の化学反応式は以下のとおりである。
$C_2H_5OH + 3O_2 \rightarrow 2CO_2 + 3H_2O$
反応式の各物質の係数と物質量（mol）の比は同じである。したがって、1mol のエタノールが燃焼する際必要な酸素は 3mol となる。

問5
×

アルカリ金属元素は水素を除く 1 族の元素である。水素も 1 族に属する。ハロゲン、希ガスの記述は正しい。

問6
×

3 族〜 11 族の元素が遷移元素である。遷移元素は元素全体のおよそ 6 割を占め、すべて金属元素である。遷移元素の単体は、典型元素（1 族、2 族、12 族〜 18 族）の単体に比べて融点や沸点が高く、硬く、密度も大きい。

問7
○

水素イオン指数は以下の式で表される。
水素イオン濃度 $[H^+] = 1.0 \times 10^{-x}$ （mol/L）のとき、
$pH = x$（正式には $pH = -\log_{10} [H^+]$）
pH は 0 から 14 までの値であり、7 が中性、pH < 7 は酸性、pH > 7 は塩基性となる。

問8
○

陽子と中性子の質量はほぼ同じであり、電子の質量は、陽子、中性子の $\dfrac{1}{1840}$ となる。質量数は、大まかに原子の質量を比較するときに用いられる。

以下の記述を読み、正しいものには〇、誤っているものには×をつけよ。

問9
check√
□□□
各元素の同位体の天然存在比（％）から求めた相対質量の平均値を原子量という。

問10
check√
□□□
清涼飲料水の容器に利用される高分子化合物は、ポリエチレンテレフタラートである。

問11
check√
□□□
金属の性質のうち叩いて箔にできる性質を延性、引き伸ばして線にできる性質を展性という。

問12
check√
□□□
特定の金属元素を含む化合物を、炎の中で加熱したとき、その成分元素に特有の色が見られる現象を炎色反応という。

問13
check√
□□□
オゾンと酸素のように、同じ元素でできている単体であるが、性質の異なるものがある。これらを互いに同位体という。

問14
check√
□□□
陽イオンと陰イオンが静電気力（クーロン力）によって結びつく結合をイオン結合という。

問15
check√
□□□
すべての原子が共有結合によって規則正しく配列した固体を共有結晶という。

問16
check√
□□□
「同温、同圧、同体積において気体は、その種類に関係なく同数の分子を含んでいる」という法則は、アボガドロの法則である。

問17
check√
□□□
一定量の気体の体積 V は圧力 P に反比例し、絶対温度 T に比例する。この法則はシャルルの法則である。

問9 ○ なお、原子の相対質量は、質量数 12 の炭素原子の質量を 12 とし、これを基準とした相対値となっている。

問10 ○ ポリエチレンテレフタラート（PET）は、ポリエステルの一種であり、ペットボトルの名称の由来となっている。ポリエチレンテレフタラートは石油から作られるテレフタル酸とエチレングリコールを原料にして合成される。

問11 ✕ 叩いて箔にできる性質を展性、引き伸ばして線にできる性質を延性という。金属にはほかに、金属光沢をもつ、電気や熱をよく導く、などの性質がある。

問12 ○ 炎色反応の色のうち代表的なものは以下のとおり。
リチウム：赤色、ナトリウム：黄色、カリウム：赤紫色、カルシウム：橙赤色、銅：青緑色、バリウム：黄緑色、ストロンチウム：紅色
なお、炎色反応は花火などでも用いられる。

問13 ✕ 同じ元素でできている単体で、性質の異なるものは、同素体という。同位体とは、原子番号が同じで、質量数が異なるものをいう。

問14 ○ イオン結合は、陽イオンになりやすい金属元素と陰イオンになりやすい非金属元素との間に生じやすい。

問15 ○ 共有結晶の代表例としては、ダイヤモンド（C）、石墨（C）、ケイ素（Si）、二酸化ケイ素（SiO_2）があげられる。共有結晶には、非常に硬い、融点が高い、石墨を除いて電気を導かないという特徴がある。

問16 ○ アボガドロの法則によれば、1mol の気体は気体の種類に関係なく、標準状態（0℃ 1.01 × 10^5Pa）で 22.4L を占める。

問17 ✕ ボイル・シャルルの法則である。「温度が一定のとき、一定量の気体の体積 V は圧力 P に反比例する」というボイルの法則と、「圧力が一定のとき、一定量の気体の体積 V は絶対温度に比例する」というシャルルの法則をまとめたものである。

化　学

以下の記述を読み、正しいものには〇、誤っているものには×をつけよ。

問18
check√
□□□
「温度が一定のとき、一定量の溶媒に溶ける気体の物質量は溶媒に接している気体の圧力に反比例する。」これを、ヘンリーの法則という。

問19
check√
□□□
酢酸や炭酸のように、電離度が小さい酸は弱酸と呼ばれる。

問20
check√
□□□
0.1mol/L の酢酸水溶液 10mL に 0.1mol/L 水酸化ナトリウム水溶液を適下し中和滴定する場合、指示薬はメチルオレンジを用いる。

問21
check√
□□□
酸化還元反応において、反応相手を酸化し、自らは還元される物質を還元剤という。

問22
check√
□□□
アルデヒドは還元力が強いため、アンモニア性硝酸銀溶液を加えて温めると銀が析出する。この反応を銀鏡反応という。このときアルデヒドはカルボン酸に変化する。

問23
check√
□□□
刺激臭のある無色の気体で、冷却すると容易に液化し、また、水に溶けやすく、水溶液は弱い塩基性を示す気体は、アンモニアである。

問24
check√
□□□
フッ化カルシウム（蛍石）（CaF_2）に濃硫酸を加えて熱すると、フッ素（F_2）が発生する。

問25
check√
□□□
酢酸の融点は 17℃と低いため、純度の高い酢酸は低温で氷結する。これを無水酢酸という。

問 18
×
ヘンリーの法則では、「温度が一定のとき、一定量の溶媒に溶ける気体の物質量は溶媒に接している気体の圧力に比例する。」となる。なお、混合気体では、各成分の溶解度はそれぞれの分圧に比例する。

問 19
○
電離度とは、電解質の電離の割合を示す。
電離度 α ＝電離した酸（塩基）の物質量／溶かした酸（塩基）の物質量
電離度が 1 に近い場合は、ほとんどが電離している。このため酸や塩基の場合は「強酸」「強塩基」となる。一方、電離度が小さい酸や塩基は「弱酸」「弱塩基」となる。

問 20
×
酢酸（弱酸）と水酸化ナトリウム（強塩基）の中和では、中和点の pH は 7 より大きくなる。そのため、変色域が pH8（酸性側無色）〜 pH9.8（塩基性側赤色）であるフェノールフタレインを用いる。なお、強酸と強塩基の場合は、中和点が pH7 付近にあるため、変色域が酸性にあるメチルオレンジも、変色域が塩基性にあるフェノールフタレインも用いることができる。また、強酸と弱塩基の場合は、中和点の pH が 7 より小さくなるため、メチルオレンジを用いる。

問 21
×
酸化剤である。酸化剤は、電子を受け取る力が強い。一方、反応相手を還元し、自らは酸化される物質を還元剤という。電子を与える力が強い。なお、過酸化水素（H_2O_2）や二酸化硫黄（SO_2）は、酸化剤にも還元剤にもなる物質である。

問 22
○
一方、アルデヒドにフェーリング溶液を加えて熱すると赤色の酸化銅（Ⅰ）を生じる（フェーリング反応）。この際も、アルデヒドはカルボン酸に変化する。

問 23
○
アンモニアは、水に対する溶解度が非常に大きい気体である。この性質を利用して、アンモニアの溶解による噴水の演示実験がよく行われる。

問 24
×
フッ化カルシウム（蛍石）（CaF_2）に濃硫酸を加えて熱すると発生するのは、フッ化水素（HF）である。フッ化水素の水溶液は、フッ化水素酸と呼ばれる弱酸であり、ガラスや石英などを溶かす性質がある。

問 25
×
氷結した酢酸は、氷酢酸という。無水酢酸（$(CH_3CO)_2O$）は、酢酸（CH_3COOH）とは別の物質であり、酢酸 2 分子が脱水縮合した化合物である。

問1 　　1.0L の 2.0mol/L 水酸化ナトリウム（NaOH 式量 40）水溶液を調製
check✓ する方法として適切なものを、ア～ウから一つ選びなさい。

　ア　80g の水酸化ナトリウムを 1.0L の水に加えて溶かす。
　イ　80g の水酸化ナトリウムを 920mL の水に加えて溶かす。
　ウ　80g の水酸化ナトリウムを水に溶かして 1.0L とする。

問2 　　次の文の（　　）に入る数値を答えなさい。
check✓

　　硝酸カリウム KNO_3 の水への溶解度は 27℃で 40、80℃で 170 であ
る。80℃の飽和水溶液 540g を 27℃まで冷却すると、結晶は（　　）g
析出する。

問3 　　以下の表に記した電極で水溶液の電気分解を行った。発生する物質が正
check✓ しいものを、ア～オから一つ選びなさい。

	陽極	陰極	水溶液	陽極に生じた物質	陰極に生じた物質
ア	白金	白金	塩化銅（Ⅱ）	酸素	塩素
イ	白金	白金	硫酸銅（Ⅱ）	二酸化硫黄	銅
ウ	炭素棒	炭素棒	硫酸	水素	酸素
エ	炭素棒	炭素棒	水酸化ナトリウム	酸素	ナトリウム
オ	銅	銅	硫酸銅（Ⅱ）	銅（Ⅱ）イオン	銅

解答・解説

問1 正解 ウ

ア× 1.0Lの溶媒に溶かしているため、溶液の体積は1.0Lよりも大きくなっている。濃度は2.0mol/Lより低くなる。

イ× 溶解後の溶液の体積がわからないため、正確なモル濃度を求めることができない。

ウ○ モル濃度とは、溶液1L中に含まれる溶質の量を物質量で表したものである。なお、モル濃度で調製する場合、メスフラスコを使用する。

問2 正解 260

溶解度とは、ある温度において溶媒（水）100gに最大限まで溶ける溶質の質量（g）である。

80℃の飽和水溶液を27℃まで冷却した際に析出する結晶の質量を、溶解度から求めた場合と設問の場合とで比較すると以下のようになる。

80℃	溶液の質量	析出する硝酸カリウムの質量
溶解度より	270g（100g ＋ 170g）	130g（170g － 40g）
設問より	540g	xg

したがって、上記の関係より、析出する硝酸カリウムは溶解度から求めた場合の2倍となり、答えは260gとなる。

問3 正解 オ

ア× 陽極：$2Cl^- \rightarrow Cl_2 + 2e^-$　生じる物質：塩素
　　　陰極：$Cu^{2+} + 2e^- \rightarrow Cu$　生じる物質：銅

イ× 陽極：$2H_2O \rightarrow O_2 + 4H^+ + 4e^-$　生じる物質：酸素
　　　陰極：$Cu^{2+} + 2e^- \rightarrow Cu$　生じる物質：銅

ウ× 陽極：$2H_2O \rightarrow O_2 + 4H^+ + 4e^-$　生じる物質：酸素
　　　陰極：$2H^+ + 2e^- \rightarrow H_2$　生じる物質：水素

エ× 陽極：$4OH^- \rightarrow 2H_2O + O_2 + 4e^-$　生じる物質：酸素
　　　陰極：$2H_2O + 2e^- \rightarrow H_2 + 2OH^-$　生じる物質：水素

オ○ 陽極：電極は銅なので電解すると陽極は銅イオンとなって溶ける
　　　　　　$Cu \rightarrow Cu^{2+} + 2e^-$　生じる物質：銅（Ⅱ）イオン
　　　陰極：$Cu^{2+} + 2e^- \rightarrow Cu$　生じる物質：銅

問4
check✓
□□□

同位体についての次のア～オの記述のうち、誤っているものを一つ選びなさい。

　ア　同位体どうしでは、原子核中の中性子の数が異なる。
　イ　同位体どうしでは、原子番号が同じである。
　ウ　半減期とは、放射性同位体の数がもとの数の半分に減少するまでの時間のことである。
　エ　同位体どうしでは、原子核のまわりにある電子の数が異なる。
　オ　α崩壊とは、原子核からヘリウムの原子核が飛び出すことである。

問5
check✓
□□□

文章中（　ア　）～（　ウ　）に当てはまる語句を答えなさい。

　一定温度で、溶解度の小さい気体が一定量の溶媒に溶けるとき、気体の溶解量（物質量、質量）は、その圧力（分圧）に比例する。この法則は（　ア　）という。なお、水に対する溶解度は一般に高温ほど（　イ　）くなる。これは、温度上昇に伴い、溶液中に溶けていた気体分子の（　ウ　）が激しくなるためである。

問6
check✓
□□□

次の1～5の5種類の気体のうち、同温同圧のもとで同じ質量の気体が占める体積の最も小さいものを一つ選びなさい。
　原子量　C = 12、N = 14、O = 16、Ar = 40

　1　酸素
　2　窒素
　3　アルゴン
　4　二酸化炭素
　5　二酸化窒素

問4　正解 エ

ア○　同位体は同じ元素である。したがって、原子中の陽子および電子の個数は同じで、中性子の個数が異なる。

イ○　原子番号とは、原子中の陽子の数である。

ウ○　遺跡の年代測定には、放射性同位体の半減期が利用される。

エ×　原子では、陽子の数と電子の数が等しく、正負の電気量がつりあった状態となっている。したがって、同位体どうしでも、原子核の周りにある電子の数は同じである

オ○　α崩壊では、α線が放出され、原子核から陽子2個と中性子2個が出ていくため、原子番号が2だけ減り、質量数が4だけ減った原子核となる。一方、β崩壊では、β線の放出が、原子核内の中性子が陽子に変化することによって電子が飛び出す現象であるため、質量数は変わらないが、原子番号が1だけ増加した原子核に変化する。

問5　正解 ア ヘンリーの法則　イ 低く　ウ 熱運動

ア　ヘンリーの法則は、1803年、イギリスのヘンリーが発見した。

イ・ウ　高温になるほど気体分子の熱運動が激しくなり、溶液中から気体分子が飛び出しやすくなるため、水に対する溶解度は低くなる。

問6　正解 5

同温同圧のもとなので、アボガドロの法則が成り立つ。そのため、物質量（mol）が大きいほど体積が大きくなる。設問では、気体の質量は一定なので、気体の分子量が大きいほど物質量が小さくなり、体積は小さくなる。

分子量は、酸素 $O_2 = 32$、窒素 $N_2 = 28$、アルゴン $Ar = 40$、二酸化炭素 $CO_2 = 44$、二酸化窒素 $NO_2 = 46$ である。

したがって、二酸化窒素の分子量が一番大きいので、最も体積が小さい気体は5である。

化 学

問 7
check√
□□□
0.10mol/L の硫酸（H_2SO_4）水溶液 10mL を中和するのに、0.40mol/L
水酸化ナトリウム（NaOH）水溶液は何 mL 必要か。

問 8
check√
□□□
次の 1〜5 の記述のうち、誤っているものを一つ選びなさい。

1　原子番号 7 番の原子は、L 殻に 5 個の価電子を持つ。
2　^{12}C と ^{13}C の電子配置は同じである。
3　O^{2-}、F^-、Na^+、Mg^{2+}、の電子配置は Ar と同じである。
4　Li^+、Na^+、K^+ のうちで、イオン半径が最も大きいのは K^+ である。
5　元素の種類は、原子核中の陽子の数で決まる。

問 9
check√
□□□
遷移元素に関する記述として正しいものを、1〜5 から一つ選びなさい。

1　遷移元素は周期表の 3 族〜13 族の元素である。
2　遷移元素を含む化合物は、無色である。
3　鉄、鉛、銅はすべて遷移元素である。
4　遷移元素はすべて金属である。
5　遷移元素には複数の酸化数をとる元素がない。

解答・解説

問7　正解 5.0mL

a 価で c （mol/L）の酸 v （mL）と、a' 価で c' （mol/L）の塩基 v' （mL）が過不足なく中和したとき、次の式が成り立つ。

$acv/1000 = a'c'v'/1000$　（中和の関係式）

この式は、両辺に 1000 をかけて $acv=a'c'v'$ と表すことができる。

求める水酸化ナトリウム水溶液の量を x として、ここに設問の値を代入すると

$a = 2$　$c = 0.10$mol/L　$v = 10$mL

$a' = 1$　$c' = 0.40$mol/L　$v' = x$mL

2×0.10 （mol/L） $\times 10$ （mL） $= 1 \times 0.40$ （mol/L） $\times x$ （mL）

$x = 5.0$mL

したがって、必要な水酸化ナトリウム水溶液は、5.0mL である。

問8　正解 3

1○　原子番号 7 番の原子は窒素である。

2○　同位体は同じ原子であるため、電子配置は同じである。異なるのは中性子の数と質量数（中性子の数と陽子の数の和）である。

3×　原子がイオンになると、安定な希ガスと同じ電子配置をとる場合が多い。したがって、O^{2-}、F^-、Na^+、Mg^{2+}の電子配置は、それぞれと最も原子番号が近い希ガスである Ne と同じである。

4○　1 族の元素は 1 価の陽イオンになる。これらでイオン半径を比較すると、原子番号が大きいものほど外側に電子殻が増えるため、イオン半径は大きくなる。

5○　陽子の数は原子番号である。

問9　正解 4

1×　遷移元素は周期表の 3 族〜 11 族の元素である。

2×　遷移元素を含む化合物やイオンは有色のものが多い。

3×　鉛は 14 族なので典型元素である。なお、鉄は 8 族、銅は 11 族である。

4○　遷移元素は遷移金属と呼ばれることもある。

5×　遷移元素は複数の酸化数をとる元素が多い。たとえば、マンガンの酸化数では、マンガンイオン Mn^{2+} の酸化数は＋ 2 であるが過マンガン酸イオン MnO_4^- では酸化数は＋ 7 となる。

生　物

以下の記述を読み、正しいものには○、誤っているものには×をつけよ。

問1
check√
□□□
細胞内の器官のうち、細胞の呼吸に関与するものはゴルジ体である。

問2
check√
□□□
リボソームは RNA とタンパク質からなり、タンパク質合成の場所である。

問3
check√
□□□
生殖細胞をつくるときの細胞分裂を減数分裂という。

問4
check√
□□□
無性生殖のうち、植物の根、茎、葉などから新しい個体が生じる方法を分裂という。

問5
check√
□□□
ヒドラ、サンゴなどは胞子生殖で増える。

問6
check√
□□□
動物細胞の受精卵が分裂する現象を体細胞分裂という。

問7
check√
□□□
互いに対立形質をもつホモ接合体どうしの交雑により、一方だけの形質が現れる。この法則はメンデルの分離の法則と呼ばれる。

問8
check√
□□□
生殖細胞ができるとき、一対の遺伝子は互いに分かれてそれぞれの細胞に入る。これをメンデルの独立の法則という。

解答・解説

問1
×
細胞の呼吸に関係する器官はミトコンドリアである。ミトコンドリアは二重の層からできており、内膜のクリステの表面に呼吸に必要な酵素が存在する。ゴルジ体は分泌物質の合成と貯蔵に関与する。

問2
○
リボソームは RNA（リボ核酸）とタンパク質からできており、タンパク質合成の場である。

問3
○
精子や卵などの生殖細胞をつくる細胞分裂を減数分裂という。体細胞分裂との違いは、分裂によって染色体の数が半分になる点である。

問4
×
体細胞や胞子から新しい固体ができる生殖方法を無性生殖という。無性生殖には、分裂、出芽、栄養生殖、胞子生殖がある。サツマイモ（塊根）やジャガイモ（塊茎）などから新しい固体ができるのは栄養生殖の例である。分裂は固体が2個またはそれ以上に分裂して増える生殖方法である。

問5
×
ヒドラ、サンゴ、カイメンなどは、体の一部が成長して分離し、新しい固体ができる。これを出芽という。胞子生殖は胞子や遊走子による生殖である。

問6
×
動物細胞の受精卵の初期の細胞分裂を卵割という。卵の初期分裂では、分裂ごとに細胞が小さくなり、体細胞分裂と区別して卵割と呼ぶ。

問7
×
生物の形態や性質を形質といい、対になる形質を対立形質と呼ぶ。形質は遺伝子の組み合わせで決まる。ある形質の遺伝子の組み合わせが AA のように同じものをホモ、Aa のように異なるものをヘテロといい、ヘテロの時にあらわれる形質を優性形質、あらわれない形質を劣性形質と呼ぶ。優性のホモと劣性のホモを掛け合わせると、子ども（雑種第一代）には優性形質のみがあらわれる。これをメンデルの優性の法則という。

問8
×
生殖細胞ができるとき、対になっている遺伝子（対立遺伝子）は別々の生殖細胞に分れて入る。これを分離の法則という。独立の法則は2対以上の対立遺伝子が存在するとき、それぞれの対立遺伝子が互いに影響を及ぼしあわずに分離、再結合することをいう。

生　物

以下の記述を読み、正しいものには〇、誤っているものには×をつけよ。

問9
check√
☐☐☐
エンドウの種子には丸型のものとしわ型のものがあり、丸型がしわ型に対して優性である。遺伝子型がヘテロのものと劣性ホモのものを交雑すると、子孫には丸型の種子としわ型の種子が３：１の比で生じる。

問10
check√
☐☐☐
大脳は自律神経をつかさどる部分であり、代謝、体温調節などに関与する。

問11
check√
☐☐☐
中脳は、眼球の運動や瞳孔の調節に関係する。

問12
check√
☐☐☐
小脳は体の平衡を保つ働きをする。

問13
check√
☐☐☐
視神経には色の違いを感じ取るかん体細胞と、明暗の違いを感じ取るすい体細胞がある。

問14
check√
☐☐☐
神経細胞をニューロンという。

問15
check√
☐☐☐
神経繊維に興奮が生じると活動電流が流れ興奮が伝わる。

問16
check√
☐☐☐
すい臓のランゲルハンス島からホルモンのアドレナリンが分泌されると、血糖値は減少する。

問17
check√
☐☐☐
副腎髄質からアミラーゼが分泌されると血糖値は増加する。

問18
check√
☐☐☐
デンプンの分解酵素はインベルターゼであり、その働きによって二糖類のマルトースに分解される。

解答・解説

問 9
×
丸型の遺伝子を R、しわ型の遺伝子を r とすると、丸型のヘテロ（Rr）としわ型のホモ（rr）を掛け合わせると、丸型（Rr）：しわ型（rr）= 1：1 の比であらわれる。

問 10
×
大脳は記憶、思考、判断や随意運動の中枢である。間脳は大脳と中脳の間にあり、視床と視床下部に分れる。視床下部は自律神経の中枢で、内臓の働き、代謝、血糖量などに関与する。

問 11
○
中脳は眼球の運動、瞳孔の調節などに関与する。

問 12
○
小脳は筋肉運動を調整し、体の平衡を保つ働きをする。

問 13
×
すい体細胞は光に対する感度は弱いが、色の区別を行う。明るい所でよく働く。一方、かん体細胞は光に対する感度が強く、色の区別はできない。薄暗い所でよく働く。

問 14
○
神経細胞を構成する細胞をニューロンという。ニューロンは神経細胞体と樹状突起、軸索からできている。

問 15
○
刺激を受けるとニューロンの細胞膜の内外で電位差が生じる。これが活動電位である。活動電位によって活動電流が流れ興奮が伝達される。

問 16
×
視床下部で高血糖が感知されると、すい臓のランゲルハンス島の β 細胞からインスリンが分泌され、血糖値が下がる。

問 17
×
低血糖になると、視床下部からの命令によって副腎髄質からアドレナリンが分泌され血糖値が上がる。他にも、すい臓が低血糖を感知すると、ランゲルハンス島の α 細胞からグルカゴンが分泌され血糖値が上がる。

問 18
×
デンプンの分解酵素はアミラーゼであり、デンプンを最終的に二糖類のマルトース（麦芽糖）にまで分解する。マルトースはさらに酵素マルターゼによってグルコース（ブドウ糖）に分解される。

生　物

以下の記述を読み、正しいものには○、誤っているものには×をつけよ。

問19
check√
□□□
ATP は分解して RNA になるときにエネルギーを発生する。

問20
check√
□□□
植物の成長ホルモンのオーキシンは光の影響を受け、光の当たらない側にかたよる。ジベレリンは、細胞の伸長・成長に関与し、細胞分裂を促進する。

問21
check√
□□□
細胞のうち、染色体は存在するが核膜で包まれた核をもたない細胞を真核細胞、核膜で包まれた核をもち、染色体や各種の細胞小器官が存在する細胞を原核細胞という。

問22
check√
□□□
1838 年に植物について細胞説を唱えた科学者はシュワンで、1839 年に動物について細胞説を唱えたのがシュライデンである。

問23
check√
□□□
1953 年に DNA の二重らせん構造モデルを提唱した科学者は、ワトソンとクリックである。

問24
check√
□□□
他の動物の体内で培養した毒素の抗体を含む血清を注射して治療する方法を抗体療法という。

問25
check√
□□□
ホタルやオキアミなど発光する動物は、ルシフェラーゼという酵素の働きで放出されるエネルギーを光に転換している。

問26
check√
□□□
有機水銀や有毒な化学物質が生物体内で蓄積されて、高濃度になることを純化という。

問 19
×
ATP はアデノシン三リン酸と呼ばれ、塩基のアデニンと五炭糖のリボースに三分子のリン酸が結合したものである。これから加水分解により一分子のリン酸が分離したものが ADP（アデノシン二リン酸）であり、その際に放出されるエネルギーが生命活動に用いられる。

問 20
○
オーキシンは植物の成長を促す植物ホルモンの一つで、光の影響を受け、光の当たらない側にかたよる性質がある。この他にも、ジベレリン、サイトカイニンなど、種子の発芽促進や細胞分裂を促進する植物ホルモンがある。

問 21
×
細胞のうち、染色体は存在するが核膜で包まれた核をもたない細胞を原核細胞といい、細菌類とラン藻類はこれにあたる。これらを原核生物という。一方、核膜で包まれた核をもち、染色体や各種の細胞小器官が存在する細胞を真核細胞といい、細菌類、ラン藻類以外の生物は真核生物である。

問 22
×
イギリスの物理学者フックは、自作の顕微鏡でコルクの断面を観察し、小さな箱のようなものを見つけこれを細胞（cell）と名付けた。1838 年、ドイツの植物学者シュライデンは植物について、「生物体をつくっている基本単位は細胞であり、細胞は独立の生命を営む微小生物である。」との細胞説を唱えた。1839 年にはドイツの動物学者シュワンが動物について細胞説を唱えた。

問 23
○
アメリカの生物学者ワトソンとイギリスのクリックは、DNA の二重らせん構造を提唱した。

問 24
×
動物に毒性を弱めた病原体（ワクチン）を投与し抗体をつくらせて、それから血清を取り病気の治療を行う療法を血清療法という。

問 25
○
発光物質ルシフェリンと酵素ルシフェラーゼの働きでエネルギーを光に換える。

問 26
×
生物が体外から取り入れた物質が排出されず体内で濃縮されることを生物濃縮という。有機水銀による水俣病、カドミウム化合物によるイタイイタイ病やダイオキシンの生物濃縮は大きな問題を引き起こした。

問 1
check✓
□□□

光合成に関する次の記述のうちで正しいものの組み合わせを、1〜5の中から一つ選びなさい。

A　光合成は葉緑体のチラコイドとストロマで行われる。
B　光りの強さが強いほど光合成速度は速くなる。
C　光合成色素には、クロロフィルやカロテン、キサントフィルなどがある。
D　光合成速度は温度の影響を受けにくい。
E　二酸化炭素濃度が高いほど、光合成速度は大きくなる。

1　AとB
2　AとC
3　BとC
4　CとD
5　DとE

問 2
check✓
□□□

顕微鏡の取り扱い方法について正しいものを、1〜5の中から一つ選びなさい。

1　接眼レンズが×10、対物レンズが×40のとき、視野の倍率は40倍になる。
2　はじめは低倍率で観察し、しぼりを回転させて高倍率にして観察する。
3　レンズの取り付けの順序は、接眼レンズを先に対物レンズを後に取り付ける。
4　ピントを合わせるときは、接眼レンズをのぞきながら対物レンズをステージに近づけてゆく。
5　視野が暗いときは、窓際などの直射日光の当たる場所で観察を行う。

問1 正解 2

A○　光合成は葉緑体のチラコイドとストロマで起こる。

B×　光合成速度は光の強さに比例して大きくなるが、光の強さがある程度以上になると光合成速度は一定になる。これを光飽和という。

C○　クロロフィルは主に緑色の光で光合成をし、カロテンやキサントフィルは主に黄色の光で光合成をする。

D×　光合成速度は光が弱いと温度の影響を受けないが、光が十分に強いと、30℃くらいまでは温度とともに速度も増加する。

E×　二酸化炭素濃度がある値以上では、光合成速度は一定となる。

したがって、正しいものの組み合わせは2である。

問2 正解 3

1×　顕微鏡の倍率は、接眼レンズの倍率×対物レンズの倍率になる。正しくは $10 \times 40 = 400$ 倍である。

2×　しぼりは光の量を調節する部分で、レンズを取り付ける部分はレボルバーと呼ばれる。

3○　レンズははじめに接眼レンズを取り付け、後に対物レンズを取り付ける。外すときは逆に対物レンズから外す。

4×　ピントを合わせるときには、横からのぞきながら対物レンズをプレパラートに近づけ、接眼レンズをのぞきながらステージを引き下げてゆく。

5×　顕微鏡の使用時には直射日光の当たる場所を避ける。

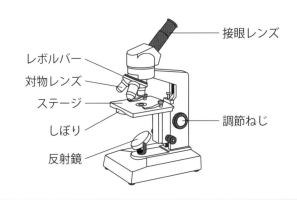

接眼レンズ

レボルバー

対物レンズ

ステージ

しぼり

反射鏡

調節ねじ

問3 裸子植物の特徴に関する次の文章のうち誤りを含むものを、1〜5の中
check✓ から一つ選びなさい。
□□□

1 種子植物のうち胚珠がむき出しになっているものを裸子植物という。
2 裸子植物は地質年代の中生代に栄えた。
3 裸子植物の多くは虫媒花である。
4 イチョウ類、ソテツ類、マツ類は裸子植物に含まれる。
5 裸子植物は雄花と雌花を持ち、花には花びらやガクがない。

問4 被子植物の特徴に関する次の各説明文の正誤の組み合わせとして正しい
check✓ ものを、1〜5の中から選びなさい。
□□□

A 単子葉類の葉脈は平行に通っている。
B 双子葉類の根は主根と側根からなる。
C 師管は死細胞で、水分を通す働きがある。
D 双子葉類の維管束は環状であり、形成層がある。
E 胚乳に養分を蓄える種子を有胚乳種子といい、ダイズやクリがこれに
あたる。

	A	B	C	D	E
1	○	×	○	×	○
2	×	○	○	○	×
3	○	○	×	○	×
4	○	×	×	○	○
5	×	×	○	○	○

問3　正解 3

1○　種子植物のうち、胚珠が子房につつまれているものを被子植物、むき出しになっているものを裸子植物と分類する。

2○　裸子植物は中生代に繁殖した。新生代になって被子植物が繁栄する。

3×　裸子植物のほとんどは風によって花粉が運ばれる風媒花である。

4○　イチョウ類、ソテツ類、マツ類は裸子植物に属する。

5○　裸子植物は単性花で雄花と雌花に分かれている。花びらやガク、蜜腺がないので虫がよって来ず、花粉は風に飛ばされて受粉する。

問4　正解 3

A○　被子植物は、種が発芽したとき子葉が1枚の単子葉類と2枚の双子葉類に分類される。単子葉類の葉脈は平行脈であり、双子葉類の葉脈は網状脈である。

B○　双子葉類の根は主根と側根からなり、単子葉類の根はひげ根である。

C×　師管は生きた細長い細胞で、養分を運ぶ役割がある。道管は死んだ細胞で、水分を運ぶ役割がある。

D○　道管の集まった部分を木部、師管の集まった部分を師部といい、木部と師部を合わせた通道組織を**維管束**という。双子葉類の維管束は環状であり形成層がある。単子葉類の維管束は不規則に散在しており形成層がない。

E×　胚乳に栄養分を蓄える種子を有胚乳種子といい、カキ、イネ、ムギなどがその例である。一方、胚乳がなく栄養分を子葉にたくわえる種子を無胚乳種子といい、ダイズ、クリ、アブラナなどがその例である。

したがって、正誤の組み合わせとして正しいものは3である。

問5
check√
□□□

肝臓の働きについて述べた説明文として正しいものの組み合わせを、1
～5の中から選びなさい。

A　血液中の不要な物質を濃縮して排出する。
B　脳下垂体からの水分再吸収を促進するホルモンの分泌により、浸透圧
　　の調整をおこなう。
C　グルコースをグリコーゲンの形で貯蔵したり、必要に応じて分解し血
　　糖値を調節する。
D　体温調節をおこなう。
E　アルコールなどの有害物質を分解する。

１　AとBとC
２　BとDとE
３　AとCとE
４　BとCとD
５　CとDとE

問6
check√
□□□

下図の○は女性を□は男性を表し、ABO式血液型を示している。不明
な血液型は記入されていない。
　次の文の（　ア　）～（　エ　）に当てはまる語の組み合わせとして正
しいものを、1～5の中から選びなさい。

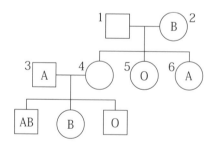

　1の男性の血液型は（　ア　）であり、その遺伝子型は（　イ　）である。
4の女性の血液型は（　ウ　）であり、その遺伝子型は（　エ　）である。

	ア	イ	ウ	エ
1	A	AO	B	BO
2	B	AA	A	BB
3	B	AA	O	BO
4	O	AO	O	BB
5	A	AA	B	BO

問5　正解 5

A ×　腎臓の働きである。

B ×　腎臓の働きである。浸透圧が上昇すると脳下垂体からバソプレシンというホルモンが分泌され、腎臓での水分再吸収が促進される。

C ○　肝臓の働きである。小腸で吸収された単糖類やアミノ酸は肝門脈を通って肝臓に入り、肝臓で単糖類からグリコーゲンを合成して蓄える。

D ○　肝臓の働きの一つである。

E ○　肝臓には解毒作用がある。また、体内で生じるアンモニアを尿素に変える。

したがって、正しいものの組み合わせは5である。

問6　正解 1

ABO式血液型は、A、B、Oの複対立遺伝子による遺伝である。複対立遺伝子とは、1組の対立する形質に3つまたはそれ以上の遺伝子が関係する場合の、それぞれの遺伝子のことである。

ABO式血液型では、A、Bはともに優性遺伝子で両者に優劣の差はない。Oは劣性遺伝子であり、血液型と遺伝子型には、下表のような関係がある。

血液型	遺伝子型
A型	AAまたはAO
B型	BBまたはBO
AB型	AB
O型	OO

1の男性は、配偶者がB型で、6の子どもにA型が現れるのでA型とわかる。また、5の子どもの血液型がO型なので、1の男性の遺伝子型はAOである。

4の女性は、配偶者がA型で、子どもにAB型、B型、O型が現れるので血液型はB型であり、遺伝子型はBOである。

したがって、組み合わせとして正しいものは1である。

問7 体細胞分裂の様子を観察した右図について、以下の説明文の正誤の組み
check✓
□□□合わせとして正しいものを、1〜5の中から選びなさい。

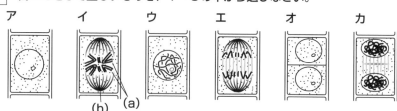

ア　　　　　イ　　　　　ウ　　　　　エ　　　　　オ　　　　　カ

(b)　(a)

A　アを最初として、細胞分裂の順に図を並べると4番目にくるのはイで
　　ある。
B　図中の（a）は相同染色体である。
C　体細胞分裂は分裂直後染色体の数が半分になる。
D　図中の（b）は紡錘糸である。
E　図は植物細胞の細胞分裂である。

	A	B	C	D	E
1	○	○	×	×	×
2	○	×	×	○	×
3	○	○	○	×	○
4	×	×	○	○	×
5	×	○	×	○	○

解答・解説

問7　正解5

A×　体細胞分裂の順序は、ア→ウ→イ→エ→カ→オであり、イは3番目で
　　ある。
B○　高等な動物や植物の体細胞の核には、形と大きさの同じ2本の染色体
　　が数組存在する。ヒトの場合、22組の相同染色体と、形と大きさの違う1
　　組の性染色体がある。
C×　体細胞分裂では染色体数は変わらない。染色体数が半分になる分裂は減
　　数分裂である。
D○　染色体は縦に裂け2本の染色分体になり、紡錘糸に引かれて2つに分
　　かれる。
E○　植物細胞の細胞分裂では中心体はなく、細胞質は細胞板ができて細胞質が
　　分裂するが、動物細胞では中心体があり、細胞質は細胞膜がくびれて分裂する。

したがって、正しい組み合わせは5である。

本試験型問題

問8
check√ □□□
呼吸に関する次の文中の（　ア　）～（　オ　）に当てはまる語の正しい組み合わせを、1～5の中から選びなさい。

有機物を分解してATPを生成することを（　ア　）といい、酸素を用いずに行う（　イ　）と用いて行う（　ウ　）がある。このうち、ATPをより多く生成するのは（　エ　）である。（　イ　）には（　オ　）と乳酸発酵があり、（　オ　）は酵母菌によって、乳酸発酵は乳酸菌によって行われる。

	ア	イ	ウ	エ	オ
1	同化	無機呼吸	有機呼吸	有機呼吸	アルコール発酵
2	同化	嫌気呼吸	好気呼吸	好気呼吸	酢酸発酵
3	異化	無機呼吸	有機呼吸	無機呼吸	酢酸発酵
4	異化	嫌気呼吸	好気呼吸	好気呼吸	アルコール発酵
5	異化	無機呼吸	有機呼吸	有機呼吸	アルコール発酵

解答・解説

問8　正解4

外から取り入れた物質を有用な物質につくり変える過程を同化といい、分解してエネルギーを取り出す過程を「ア　異化」（内呼吸）という。その際、酸素を用いて行うものを「ウ　好気呼吸」、酸素を用いずに行うものを「イ　嫌気呼吸」という。嫌気呼吸には解糖と発酵がある。発酵には「オ　アルコール発酵」、乳酸発酵などがある。「エ　好気呼吸」ではブドウ糖1モルから38モルのATPが作り出されるが、嫌気呼吸では2モルしか作られない。

したがって、正しい組み合わせは4である。

《内呼吸》

好気呼吸	$C_6H_{12}O_6 + 6O_2 + 6H_2O \rightarrow 6CO_2 + 12H_2O + 38ATP$（グルコース）	
嫌気呼吸	アルコール発酵	$C_6H_{12}O_6 \rightarrow 2C_2H_5OH + 2CO_2 + 2ATP$（エタノール）
	乳酸発酵	$C_6H_{12}O_6 \rightarrow 2C_3H_6O_3 + 2ATP$（乳酸）

問9
check√
□□□
　　DNA と RNA に関する次の記述のうち、DNA だけに当てはまるものはいくつか。1〜5の中から選びなさい。

A　核酸と呼ばれる物質である。
B　二重らせん構造をしている。
C　構成する糖がリボースと呼ばれる五炭糖である。
D　ヌクレオチドが多数結合してできる物質である。
E　タンパク質合成に関与する。

1　1つ
2　2つ
3　3つ
4　4つ
5　5つ

問10
check√
□□□
　　次の文中の（　ア　）〜（　カ　）に当てはまる語の組み合わせとして正しいものを、1〜5の中から選びなさい。

　　生態系において、植物は光合成で有機物を生成するため（　ア　）と呼ばれる。動物はこれを栄養源としているので（　イ　）と呼ばれる。植物や動物の遺体や排泄物を利用する細菌類や菌類は（　ウ　）である。動物の中でも植物を食物とする（　エ　）や、小動物を食物とする（　オ　）、さらに大型の動物が存在し、食う食われるの関係が成り立っている。この関係を（　カ　）という。

	ア	イ	ウ	エ	オ	カ
1	生産者	消費者	分解者	二次生産者	一次消費者	食物連鎖
2	合成者	分解者	生産者	二次合成者	一次消費者	生態連鎖
3	生産者	消費者	分解者	一次消費者	二次消費者	生態連鎖
4	合成者	分解者	生産者	一次消費者	二次消費者	食物連鎖
5	生産者	消費者	分解者	一次消費者	二次消費者	食物連鎖

問9 正解 1

A× どちらも核酸であり DNA はデオキシリボ核酸、RNA はリボ核酸と呼ばれる。

B○ 二重らせん構造は DNA だけである。

C× RNA の構成糖が五炭糖のリボースである。DNA の構成糖はデオキシリボースである。

D× 糖、塩基、リン酸が結合したものをヌクレオチドといい、これが縮合（水が取れて結合すること）したもの（ポリヌクレオチド）が核酸である。よって、どちらにも当てはまる。

E× DNA は遺伝情報を保ち伝える役割をする。RNA は DNA の遺伝情報に基づきタンパク質の合成に関与する。

したがって、DNA だけに当てはまるものは1つである。

問10 正解 5

ある地域の生物群集と環境を合わせたものを**生態系**という。植物は光合成によって有機物を生産するので「**ア 生産者**」といい、これを食物とする動物は「**イ 消費者**」という。

動物はさらに、植物を食物とする「**エ 一次消費者**」、それらの小動物を食物とする「**オ 二次消費者**」、さらに高次の消費者に分類される。

また、植物や動物の遺骸や排泄物を分解する細菌類や菌類を「**ウ 分解者**」という。

そして、これらの間に存在する食う食われるの関係を「**カ 食物連鎖**」という。

したがって、正しい組み合わせは5である。

地　学

以下の記述を読み、正しいものには〇、誤っているものには×をつけよ。

問1
check√
□□□
地球の形は赤道半径と極半径をもつ楕円を、自転軸で回転させてできる回転楕円体に近い。これを地球楕円体という。

問2
check√
□□□
地殻を構成する岩石は火成岩、堆積岩、変成岩である。この中で変成岩が最も多い。

問3
check√
□□□
マグマの性質は、玄武岩質、安山岩質、流紋岩質に分けられる。この中で最も粘性が高く溶岩ドーム（溶岩円頂丘）を形成するのは玄武岩質のマグマである。

問4
check√
□□□
高温の火砕物が火山ガスを含んだまま高速で流れ下る現象を火砕流という。

問5
check√
□□□
玄武岩、安山岩質の火砕物と溶岩流の重なりがいくつも積み重なってできた円錐状の火山を盾状火山という。

問6
check√
□□□
成層火山などが、大量の火山噴出物を噴出したのちに、中央部が陥没してできた凹地をカルデラという。

問7
check√
□□□
初期微動はＳ波によるものである。一方、少し遅れて始まる大きな揺れはＰ波によるものであり主要動という。

問8
check√
□□□
震源の浅い地震において、震源までの距離 D（km）と初期微動継続時間 T（秒）との間には $D = kT$（k は 6 〜 8km/s）という関係式が成り立つ。この公式を大森公式という。

問1 ○
地球の形は半径約 6400km の球体に近いが、厳密には赤道半径が 6378.136km、極半径が 6356.751km であり、赤道半径のほうが約 20km 長い楕円体となっている。

問2 ×
最も多いのは火成岩である。
火成岩：マグマが固まった岩石。火成岩には地表近くで急速に冷えて固まった火山岩と、地下深くでマグマがゆっくり冷え固まった深成岩がある。
堆積岩：長い年月の間に堆積物から水が絞り出され、続成作用により構成粒子の隙間を炭酸カルシウムや二酸化ケイ素が埋めて岩石となったもの。
変成岩：火成岩や堆積岩が地下で圧力を受けたり、熱せられたりして、固体のまま組織や造岩鉱物が変化してできた岩石。

問3 ×
最も粘性が高い（流れにくい）ものは流紋岩質マグマであり、溶岩ドームを形成する。一方、マグマの粘性で最も低い（流れやすい）ものは玄武岩質マグマである。溶岩台地や盾状火山を形成する。

問4 ○
火砕流は、高温の火砕物と火山ガスが混じったものが山の斜面を下る現象である。

問5 ×
成層火山である。成層火山の例としては、富士山がある。成層火山は何度も噴火を繰り返してできた複成火山である。盾状火山は玄武岩質の溶岩と少量のスコリアから成る。

問6 ○
カルデラの縁を外輪といい、凹地の縁にカルデラ形成後にできた火山を外輪山という。カルデラの中心付近では噴火が再開して新たな火山ができることが多く、この火山を中央火口丘という。

問7 ×
初期微動はP波、主要動はS波によるものである。

問8 ○
初期微動が始まって主要動が始まるまでの時間を「初期微動継続時間（P－S時間）」という。この時間は震源が遠くなるほど長くなる。地震計での計測から初期微動継続時間が明らかになると、大森公式により震源までの距離を求めることができる。

以下の記述を読み、正しいものには○、誤っているものには×をつけよ。

問9
check√
☐☐☐
大陸プレート内部の地殻上部で起こる地震を内陸地殻内地震という。

問10
check√
☐☐☐
地震の際、陸上の断層は地震発生時に開口するので、これに多くの人や物が飲み込まれて被害が拡大することが多い。

問11
check√
☐☐☐
地震波による揺れの強さは、マグニチュードで表される。

問12
check√
☐☐☐
地層を押す力によって生じる断層は逆断層である。

問13
check√
☐☐☐
三葉虫、アンモナイト、フズリナ、ビカリア、カヘイ石のうち、古生代の示準化石はフズリナとビカリアである。

問14
check√
☐☐☐
炭素の放射性同位体 ^{14}C の半減期は 5700 年である。^{14}C を用いて、ある堆積物の年代を測定したところ、^{14}C の量はもとの量に比べ 1/4 になっていた。そのため、この堆積物は 11400 年前に形成されたと考えられる。

問15
check√
☐☐☐
古生代ペルム紀末の大量絶滅では、恐竜やアンモナイトなども絶滅した。

問16
check√
☐☐☐
太陽放射は、波長の短い方から、主に X 線、紫外線、可視光線、赤外線、電波などからなるが、太陽放射エネルギーの約半分は紫外線によるものである。

問17
check√
☐☐☐
大気圏の構造は高度による気温変化で区分され、地上から対流圏、成層圏、中間圏、熱圏となっている。このうち、天気の変化がおこるのは対流圏、オゾン層を含むのは成層圏となっている。

問18
check√
☐☐☐
温室効果を起こす気体を「温室効果ガス」といい、二酸化炭素や水蒸気の他に、メタン、一酸化二窒素、フロンなどがある。

問9 ○ 内陸地殻内地震は震源が浅いため、マグニチュードが小さくても震源の近くで大きな被害をもたらすことが多い。活断層に沿って発生することが多く、都市の直下で起きたものを直下型地震という。

問10 × 巨大地震であっても、地表に現れる断層（地震断層）が大規模開口部を形成することはあまりみられない。

問11 × 地震波による揺れの強さは、震度で表される。日本では気象庁が定めた10段階の震度階級（0、1、2、3、4、5弱、5強、6弱、6強、7）が用いられる。マグニチュードは、地震によって放出されるエネルギーの大きさを表す。

問12 ○ 断層は、ずれの向きによって正断層、逆断層、横ずれ断層に分けられる。

問13 × 古生代の示準化石は、フズリナと三葉虫である。アンモナイトは中生代、カヘイ石とビカリアは新生代の示準化石である。

問14 ○ 放射性同位体の量が元の半分になるまでの時間を半減期という。設問より、放射性同位体 ^{14}C の半減期は5700年である。したがって、もとの量の1/4ということは、半減期2回分である。5700年×2＝11400年となる。

問15 × 恐竜やアンモナイトが絶滅したのは、白亜紀末である。このときの大量絶滅は、ユカタン半島に隕石が衝突したことが原因と考えられている。

問16 × 紫外線ではなく、可視光線である。太陽が放射するエネルギーは電磁波として宇宙空間を伝わってくる。この電磁波を太陽放射という。

問17 ○ 対流圏では気温は高度とともに低くなる。一方、成層圏では気温は高度とともに高くなる。成層圏で気温が高いのは、オゾン層が紫外線のエネルギーを吸収して熱エネルギーに変換するからである。

問18 ○ 大気中の二酸化炭素や水蒸気は、太陽放射の可視光線は通過させるが、地球放射の赤外線は吸収する。吸収されたエネルギーの一部は、地表に送り返され、地表の温度を上昇させるため、気温も上昇する。このような大気の働きを温室効果という。

以下の記述を読み、正しいものには○、誤っているものには×をつけよ。

問19 ある日の午後10時に南中していた恒星は、同じ地点の1か月後には午前
check√ 0時に南中する。
□□□

問20 極冠の大きさが変化するなど、四季の変化が見られ、惑星探査機によって
check√ かつて水の流れがあったと考えられる地形が発見された惑星は火星であ
□□□ る。

問21 土星の大気は主に水素とヘリウムで構成され、厚い大気は表面に赤道に平
check√ 行な縞模様や大赤斑をつくっている。
□□□

問22 明けの明星とは、明け方西の空に見える金星のことである。
check√
□□□

問23 冬の大三角形はオリオン座のベテルギウス、こいぬ座のプロキオン、おお
check√ いぬ座のシリウスを結んだものである。
□□□

問24 宇宙は今から約137億年前に始まったと考えられている。このころの宇
check√ 宙は極めて高温・高密度であり、光と電子をはじめとするさまざまな粒子
□□□ の混ざりあった状態で宇宙全体が火の玉のようだったことからビッグバン
と呼ばれる。

問25 春や秋は日本付近を西から東へ移動性高気圧と温帯低気圧が交互に通過す
check√ る。
□□□

問26 湿った空気が山を越える時に雨を降らせ、その後山を吹き降りる際断熱圧
check√ 縮の効果で、空気が乾燥し気温が高くなる現象をフェーン現象という。
□□□

問27 太平洋北西部で発生した熱帯低気圧で、中心付近の最大風速が30m/s以
check√ 上に発達したものを台風という。
□□□

問28 「大気の状態が安定」とは、上空に冷たい空気があり、地上には温められ
check√ た空気の層がある状態である。
□□□

問 19
×
太陽は黄道上を西から東へ 1 日につき約 1°移動する。したがって恒星の南中時刻は 1 日で約 4 分、1 か月で約 2 時間早くなっていく。したがって、午後 8 時となる。

問 20
○
火星には多数のクレーターがあり、巨大な火山や水の流れに似たような跡を示す地形がみられる。大気は 95％が二酸化炭素。両極に二酸化炭素、水からなる極冠がある。

問 21
×
木星に関する記述である。木星は太陽系最大の惑星である。木星には 60 個以上の衛星の存在が知られている。衛星の 1 つであるイオには火山活動が確認されている。

問 22
×
明けの明星とは、明け方東の空に見える金星のことである。一方、日没後西の空に見える金星は「宵の明星」と呼ばれる。明けの明星、宵の明星、金星の大きい満ち欠けは金星が内惑星であるため起こる現象である。

問 23
○
おおいぬ座のシリウスは 1 等星であり、太陽を除けば地球から見える最も明るい恒星である。

問 24
○
ビッグバンの後、宇宙空間は時間とともに膨張し、温度が下がっていった。

問 25
○
移動性高気圧と温帯低気圧が交互に通過するため、春や秋は天気が周期的に変化する。

問 26
○
フェーン現象時は、乾燥した強風をともなうことがあるので、火の扱いに注意が必要である。

問 27
×
台風とは、最大風速 17.2m/s 以上に発達したものをいう。台風は夏から秋にかけて日本に接近、上陸することもあり、強い風と大量の雨による被害がある。さらに、海岸では、気圧が下がることによって、海面が上昇する高潮が起こる。

問 28
×
設問にに述べられている内容は、「大気の状態が不安定」である。大気の状態が不安定な場合、積乱雲が発生・発達しやすくなる。積乱雲は急な大雨、雷、ひょう、竜巻などの激しい突風をもたらす。

問 1 図に示す地層の形成順序として正しいものを、1～5の中から一つ選び
check✓ なさい。
□□□

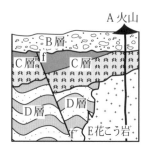

1　A火山 → B層 → C層 → D層 → 断層f－f' → E花こう岩
2　A火山 → B層 → C層 → D層 → E花こう岩 → 断層f－f'
3　D層 → E花こう岩 → C層 → 断層f－f' → B層 → A火山
4　D層 → C層 → 断層f－f' → B層 → A火山 → E花こう岩
5　D層 → C層 → E花こう岩 → 断層f－f' → B層 → A火山

問 2 示準化石の条件として当てはまるものを、次のア～キの中からすべて選
check✓ んだ場合の正しい組み合わせを、1～5の中から一つ選びなさい。
□□□

ア　分布範囲が広い
イ　分布範囲が狭い
ウ　生存期間が長い
エ　生存期間が短い
オ　個体数が多い
カ　個体数が少ない
キ　生息する地域や条件（生活条件）が限定されている

1　エ
2　キ
3　ア、エ
4　イ、キ
5　ア、エ、オ

問1　正解 3

　地層累重の法則より、一連の地層では下の地層ほど古くなる。褶曲構造を持つD層が最も古く、E花こう岩はD層だけに貫入しているためD層堆積後に貫入したものである。さらにC層が堆積し、断層f－f'が図中のC層D層を切っている。断層f－f'の形成後、B層が堆積し、最後にA火山が形成された。

　したがって、形成順序は3の「D層 → E花こう岩 → C層 → 断層f－f' → B層 → A火山」となる。

問2　正解 5

　示準化石とは、化石を含む地層が作られた時代を決める手がかりとなる化石である。したがって、示準化石の条件は
　・種類としての存続期間が限定されている。
　・個体数が多い
　・広い範囲に分布している
となる。
　設問のア～キの条件をみていくと
ア○　示準化石の条件である。
イ×　生活環境が限定されているのは示相化石である。
ウ×　生存期間が長い化石は、時代を決める手がかりに不適切である。
エ○　生存期間が短いということは、存続期間が限定されていることである。
オ○　個体数が多ければ、あらゆる地域で時代を決めることが可能である。
カ×　化石のうち個体数が少ないものは示準化石にも示相化石にも適さない。
キ×　示相化石の条件である。示相化石とは、生物が生きていた時代の環境を知る手がかりとなる化石である。

　したがって、正しい組み合わせは5の「ア、エ、オ」である。

問3
check✓
□□□

次の a ～ d の各文章の正誤についての正しい組み合わせを、1～5の中から一つ選びなさい。

a　マグマが急冷されると、細かい結晶やガラス質の集まりである石基の中に、大きな結晶である斑晶がちりばめられたように固結する。

b　マグマがゆっくり冷えると大きさのそろった結晶の集まりをつくる。このような組織を斑状組織という。

c　火成岩は、組織の違いのほかに色指数によっても区分している。

d　花こう岩は、SiO_2 を 63%以上含み、10%程度の黒雲母および石英やカリ長石、斜長石による等粒状組織を示す。

	a	b	c	d
1	正	正	正	誤
2	正	誤	正	誤
3	正	正	誤	正
4	正	誤	正	正
5	誤	正	正	正

問4
check✓
□□□

次の文の（　ア　）～（　エ　）に当てはまる語句として正しい組み合わせを、1～5の中から一つ選びなさい。

世界の火山の分布は、日本などのように海洋プレートが沈み込む（　ア　）、海底の大山脈である（　イ　）、ハワイなどの（　ウ　）の3つに分けられる。日本の火山は火山前線（火山フロント）を東縁として（　エ　）側に帯状に分布している。

	ア	イ	ウ	エ
1	海溝	中央海嶺	ホットスポット	大陸
2	海溝	ホットスポット	中央海嶺	大陸
3	海溝	ホットスポット	中央海嶺	海
4	ホットスポット	海溝	中央海嶺	海
5	ホットスポット	中央海嶺	海溝	大陸

問3　正解 4

a○　火山岩にみられる斑状組織の説明である。
b×　正しくは「等粒状組織」である。等粒状組織は深成岩にみられる。
c○　色指数は SiO_2 の含有量が少ないほど値が大きくなり、有色鉱物の割合が多くなるため、色は黒っぽくなる。
d○　花こう岩と同様の組成をもつ火山岩は流紋岩である。

したがって、正しい組み合わせは 4 である。

問4　正解 1

世界の火山の分布域は次の 3 つに分けられる。
(1)　海溝に沿って大陸プレートに分布する火山
日本や南アメリカの西海岸を含む環太平洋地域などのプレート収束境界の大陸側。
(2)　中央海嶺の中軸に分布する火山
プレートの発散境界である中央海嶺の中軸。アイスランドは中央海嶺が海面上に出た火山島である。
(3)　ホットスポットに存在する火山
プレート内部に孤立した火山が存在するとき、これをホットスポットという。ハワイ諸島はプレート中央にあるホットスポットから海底火山ができ、それが噴火を繰り返して形成された火山島である。

したがって、正しい組み合わせは 1 の「ア 海溝、イ 中央海嶺、ウ ホットスポット、エ 大陸」である。

問 5
check√
□□□

次の文の（ ア ）～（ エ ）に当てはまる語を入れなさい。

地震動の強さを表す数値を（ ア ）といい、日本では気象庁が（ イ ）段階の階級を定めている。また、地震によって放出される全エネルギーの大きさを表す値を（ ウ ）といい、（ ウ ）の値が 1 大きいと、エネルギーは約 32 倍となり、（ ウ ）の値が 2 大きいとエネルギーは（ エ ）倍となる。

問 6
check√
□□□

次の文の（ ア ）～（ エ ）に当てはまる語を入れなさい。

地球の内部は、構成物質にもとづいて、表面から地殻、マントル、外核、内核に区分される。地殻とマントルは（ ア ）でできている。外核と内核の主成分は（ イ ）であり、（ ウ ）は液体である。地殻とマントルの境界面は（ エ ）不連続面という。

問5 正解 ア 震度 イ 10 ウ マグニチュード エ 1000

日本では気象庁が定めた10段階の震度階級（0、1、2、3、4、5弱、5強、6弱、6強、7）が用いられている。

一方、マグニチュードは地震によって放出されるエネルギーの大きさを表す数値である。記号はMで示し、日本では気象庁マグニチュードが用いられる。Mが1大きくなると$\sqrt{1000}$倍（約32倍）、Mが2大きくなると$(\sqrt{1000})^2$倍で1000倍となる。

問6 正解 ア 岩石 イ 鉄 ウ 外核 エ モホロビチッチ

地球の内部を模式的に示すと図のようになる。

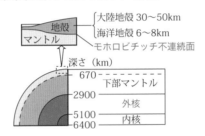

なお、地殻とマントルについて硬さで区分すると、地殻とマントル上層部からなる地球表層の硬い岩石層をリソスフェアという。リソスフェアは地域的に分割され、その一つ一つをプレートという。一方、リソスフェアの下方数百kmのマントルは、固体であるが、長い時間には流動する性質があり、アセノスフェアと呼ばれる。

外核と内核の主成分は鉄で、内核は固体、外核は液体である。

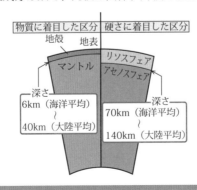

問7
check√
□□□
次のア〜オは太陽について述べた文である。誤っているものを一つ選び
なさい。

　ア　月が太陽と地球の間に来て太陽光線をさえぎる現象を日食という。
　イ　太陽面が月面によりすべて覆われるときを皆既日食という。
　ウ　金環食のときに光球の外側に見える赤い大気の層を彩層という。
　エ　太陽の黒点が最も多く現れる時期を黒点極大期という。黒点極大期は
　　　約11年の周期で訪れる。
　オ　太陽のエネルギーは水素の原子核4個からヘリウムの原子核1個が
　　　生じる核融合反応である。

問8
check√
□□□
次のア〜オは日本の四季の天気について述べたものである。正しいもの
を一つ選びなさい。

　ア　北太平洋西部の低緯度地域で発生した熱帯低気圧のうち、中心付近の
　　　最大風速が秒速30m以上のものを台風という。
　イ　シベリア気団から吹きだす寒気と小笠原気団から吹きだす暖気の境界
　　　にできる停滞前線を梅雨前線という。
　ウ　天気図の等圧線が南北に並んだ気圧配置を西高東低の気圧配置（冬型）
　　　という。
　エ　西高東低の気圧配置は太平洋側に大雪をもたらす。
　オ　小笠原気団の勢力が増し梅雨前線が北上すると梅雨明けとなる。夏は
　　　移動性高気圧が日本を覆うため晴天が続く。

問7　正解　ウ

ア○　日食は新月（朔）のときにおこる現象である。

イ○　太陽面が月の周りに環状にはみ出すときを金環食、月面が太陽面の一部を覆うときを部分食という。

ウ×　彩層が見えるのは金環食ではなく皆既日食である。

エ○　黒点は周囲よりも温度が1000〜1500Kほど低い部分である。黒点では磁場が強く、対流を抑えるため、中心部からエネルギーが運ばれにくくなっている。極大期の周期は、約11年である。

オ○　核融合反応は太陽の中心核で行われ、発生したエネルギーは対流などによって太陽表面に運ばれる。

問8　正解　ウ

ア×　北太平洋西部の低緯度地域で発生した熱帯低気圧のうち、中心付近の最大風速が秒速17.2m以上のものが台風である。

イ×　梅雨前線は、オホーツク海気団から吹きだす寒気と小笠原気団から吹きだす暖気の境界にできる停滞前線である。

ウ○　日本の東海上に発達した低気圧、西に高気圧という気圧配置になるため「西高東低の冬型」と呼ばれる。

エ×　西高東低の気圧配置は、日本海側に大雪をもたらす。これは、シベリア気団から吹きだした冷たく乾燥した空気が日本海で大量の水蒸気を得て雪雲が発達するためである。

オ×　夏に日本を覆う高気圧は、太平洋高気圧である。夏の気圧配置は「南高北低の夏型」と呼ばれることもある。

地 学

問 9
check✓
□□□

オゾン層に関する次の文章の空欄に当てはまる語句を、語群の中から選びなさい。

オゾン層は（　**ア**　）圏内の地上約 25km 前後に存在し、太陽放射のうち生物に有害な（　**イ**　）線を吸収する。1970 年代になって（　**ウ**　）に含まれる（　**エ**　）原子がオゾン層を破壊することが指摘され、1980年代に（　**オ**　）大陸上空でオゾンホールが確認された。

【語群】
① 対流　　② 成層　　③ 中間　　④ 紫外　　⑤ 可視光
⑥ フロン　⑦ フッ素　⑧ 塩素　　⑨ 北極　　⑩ 南極

問 10
check✓
□□□

次の①〜③は、ケプラーの 3 つの法則のいずれかによって説明できる。①〜③と関係が深い法則の組み合わせを、ア〜エの中から一つ選びなさい。

①　土星の公転周期は木星の公転周期より長い。
②　地球の公転速度は遠日点で最も小さい。
③　冥王星 * は海王星の軌道より内側を公転する時期がある。
　　* 準惑星に分類される。

	①	②	③
ア	第一法則	第二法則	第三法則
イ	第三法則	第二法則	第一法則
ウ	第二法則	第三法則	第一法則
エ	第一法則	第三法則	第二法則

問9　正解 ア ② イ ④ ウ ⑥ エ ⑧ オ ⑩

ア オゾン層が存在するのは地上約 25km 前後の「② 成層」圏である。

イ 太陽放射のうち生物に有害なものは、「④ 紫外」線である。

ウ 「⑥ フロン」は炭素、塩素、フッ素から成る化合物である。かつてエアコンや冷蔵庫の冷媒、電子機器や精密機械などの部品の洗浄剤として使用されてきた。

エ フロンから解離した「⑧ 塩素」原子はオゾンを破壊する。連鎖反応であるため、塩素原子 1 個でオゾン分子 1 万個程度が分解される。

オ 「⑩ 南極」上空では 1970 年代の後半から毎年 10 月ごろになるとオゾンの量が少ない部分が発生し、その大きさが年々拡大していた。

問10　正解 イ

ケプラーの法則

第一法則（楕円軌道の法則）：惑星は太陽を一つの焦点とする楕円軌道を公転する。

第二法則（面積速度一定の法則）：惑星は、太陽と惑星を結ぶ線分が単位時間に一定面積を描くように公転する。公転速度は、近日点で最大となり、遠日点で最小となる。公転速度は、太陽からの距離に反比例する。

第三法則（調和の法則）：惑星と太陽の平均距離 a の 3 乗と、公転周期 P の 2 乗との比は、どの惑星についても一定である。太陽系の惑星の平均距離 a を天文単位、公転周期 P を年の単位で表すと、$a^3/P^2 = 1$ となる。

① 公転周期に関する法則は、ケプラーの第三法則である。

② 公転速度が遠日点で最小になることを説明するのは、ケプラーの第二法則である。

③ 冥王星の軌道と海王星の軌道は交差しているため、冥王星の軌道が海王星より内側になる時期がある。これは軌道が楕円だからである。惑星の軌道に関する法則は、ケプラーの第一法則である。

したがって、イの「① 第三法則、② 第二法則、③ 第一法則」となる。

●編著者
L&L 総合研究所
License & Learning 総合研究所は，大学教授ほか教育関係者，弁護士，
医師，公認会計士，税理士，1 級建築士，福祉・介護専門職などをメンバー
とする。資格を通して新しいライフスタイルを提唱するプロフェッショナ
ル集団。各種資格試験，就職試験を中心とした分野，書籍・雑誌・電子出版，
WBT における企画・取材・調査・執筆・出版活動を行っている。

絶対決める！
一般教養 教員採用試験合格問題集

編著者	L & L 総合研究所
発行者	富 永 靖 弘
印刷所	今家印刷株式会社

発行所　東京都台東区　株式　**新星出版社**
　　　　台東 2 丁目24　会社
　　　　〒110-0016　☎03（3831）0743